베네치아―東西가 공존하는 바다의 도시

1490년에 제작된 자코부스 필리푸스(Jacobus Philippus)의 목판화집 『수플레멘툼 크로니카룸(*Supplementum Chronicarum*)』에 수록된 작품으로, 베네치아에서 활발하게 일어났던 해상활동을 보여준다.

住居로 읽는 역사도시의 기억들
MEMORIES OF HISTORIC CITIES, READ THROUGH HUMAN DWELLINGS

베네치아 VENEZIA

東西가 공존하는 바다의 도시

건축학자 孫世寬의 연구노트

열화당

머리말

'신은 인간을 만들었고, 인간은 도시를 만들었다'는 말이 있다. 인간이 만든 최고의 산물이 도시라는 의미일 것이다. 도시는, 인간이 지혜와 시간과 재화를 모두 투입해서 만들어낸 종합예술품이다. 물론 모든 도시를 예술품이라고 할 수는 없겠지만, 세계 곳곳에는 가히 예술품이라고 할 수 있을 만큼 아름답고 유서 깊은 도시들이 많다. 이런 도시들은 오랜 세월의 흐름에 따라 조금씩 환경을 형성하면서, 그 도시만의 역사와 문화적 가치를 고스란히 간직하고 있다. 따라서 이런 도시들에는 고유한 독자성을 지닌 수준 높은 건축물, 도시조직, 그리고 독특한 주거환경이 있게 마련이다. 이러한 도시들을 대상으로 그 공간조직을 읽고, 그 속에 자리한 주거환경을 살펴보는 것은 매우 흥미로운 일이다.

나는 일찍부터 동서양의 역사도시들을 대상으로 그 고유한 도시조직과 주거환경을 탐구하는 일에 관심을 가져 왔다. 연구를 계속할수록 흥미는 더해 갔지만, 이 일은 개인이 가진 흥미의 차원을 넘는 일이라는 생각이 절실히 늘었다. 역사의 흐름 속에서 지속적으로 변화해 온 도시조직의 모습들을 살펴보고, 각 도시에 담겨 있는 주거환경의 고유한 역사적 문화적 가치를 발견해 내는 것은 흥미롭고도 중요한 작업이란 생각이 들었다. 이러한 작업은 각 도시의 독자성과 우수성을 되새기면서 오늘날 우리의 주거환경을 돌아보는 계기가 될 것이며, 이는 '우리 주거문화 바로 세우기'를 위해서 반드시 필요한 일이기 때문이다.

우리나라는 1960년대 이후 역사상 유래를 찾기 어려운 경제적 사회적 변혁을 겪었고, 그 결과 우리의 도시환경과 주거환경은 과거에 비해서 엄청나게 달라졌다. 개발이라는 미명하에 전국의 도시들은 이곳저곳이 뜯겨 나갔고, 도시 전체가 마치 공사장을 방불케 하는 상황이 끝없이 이어졌다. 또한 과거 서구에서 급작스럽게 고안된 '아파트'라는 주거형식이 이 땅에 들어온 지 약 오십 년이 지난 오늘날 전 국토가 그것으로 뒤덮이고 있다. 대다수의 국민이 이러한 상황을 당연하게 받아들이고 있는 것이 오늘날 우리의 현실이다. 우리가 살고 있는 이 도시는 역사와 문화의 향기가 풍기는, 정말로 가치있는 환경으로부터 급속히 멀어지고 있는 것이다.

동서양의 여러 역사도시들을 대상으로 도시·주거 읽기 작업을 시리즈로 출간하게 된 것도 바로 이러한 배경에서이다. 이 시리즈를 출간하게 된 이유의 절반은 나 자신이 그 동안 가졌던 학술적 관심 때문이고, 나머지 절반은 오늘날 우리의 도시와 주거환경을 바라보았을 때 느끼는 서글픔과 안타까움 때문이라고 할 수 있다.

나는 이 시리즈를 통해 동양과 서양 문화권에서 전체 열네 개의 도시를 선정하고, 각 도시들의 공간구조와 도시 속에 자리잡은 주거의 존재방식을 살펴보려고 한다. 서양 문화권에서 다섯 개의 도시를 선정해 다섯 권으로, 동양 문화권에서 아홉 개의 도시를 선정해 다섯 권으로, 전체 열 권의 책으로 구성할 계획이다. 도시를 이렇게 선정한 이유에 대해서는 각 권에서 자세하게 밝히겠지만, 역사적 문화적 특징을 잘 간직하면서 충분한 연구가치가 있다고 판단되는 도시들을 선정했다. 이번에 일차로 출간한 피렌체편과 베네치아편을 시작으로, 이 년마다 두 권씩 출간하여 이 시리즈를 완성하려고 한다. 앞으로 후속되는 작업을 출간 순서로 정리하면, 중국의 두 도시(북경과 소주)와 일본의 두 도시(도쿄와 교토), 파리와 런던, 인도의 두 도시(자이푸르(Jaipur)와 아마다바드(Ahmadabad)]와 이슬람의 두 도시(페스(Fes)와 튀니스(Tunis)], 그리고 마지막으로 뉴욕과 서울이다.

이 시리즈를 출간하면서 나는 가능한 한 많은 현장을 살펴보고 눈으로 세세하게 확인하면서, 살아 있는 정보를 제공하려고 노력할 것이다. 그리고 이 시리즈에서 다루는 도시들을 충실하게 읽어내기 위해서 할 수 있는 노력을 다 할 생각이다. 가 볼 수 있을 만큼 가서 확인하고, 구할 수 있는 만큼 자료를 구해서, 이 시리즈를 읽는 독자들에게 충실한 정보가 되었으면 한다.

나에게 베네치아는 그 첫인상이 너무나도 강렬한 도시로 기억된다. 그것은 아마도 이 도시가 지닌 색채 때문이었을 것이다. 처음으로 베네치아를 찾은 것은 1996년 여름이었는데, 로마에서 피렌체, 시에나 등 여러 도시들을 거친 후 기차를 타고 베네치아로 들어갔다. 산타 루치아(Santa Lucia) 역에서 내려 시내로 들어가면서 보았던 이 도시의 색채는 나를 압도했다. 그것은 바다와 육지와 하늘이 동시에 어우러져 만들어낸 밝고 선명한 빛깔이었고, 이전에 내가 보아 온 유럽의 대다수 도시들이 지닌 무겁고 어두운 인상과는 완전히 다른 것이었다. 베네치아를 처음 접했을 때 나는 '이 도시가 과연 유럽의 도시인가. 무엇 때문에 이 도시는 이러한 색채를 가질 수 있었을까' 하는 의문들을 떠올렸다. 이후에 이곳을 계속 방문하면서 이러한 의문들에 대한 해답을 찾았고, 이 도시의 다른 매력들을 발견하게 되었지만, 베네치아가 지닌 색채는 여전히 나에게 깊은 인상을 준다. 많은 사람들이 베네치아를 일컬어 '운하의 도시' '미궁의 도시'라고 하지만, 나는 베네치아인들이 그들의 영토를 효율적으로 이용하고 환경조건에 유연하게 대응한 점에서 이 도시의 지혜로움을 보았다. 그리고 오늘날 우리의 도시문제를 해결하는 데 필요한 답들을 이곳에서 발견할 수 있었다.

이 책을 쓰고 출간하는 과정에서 많은 분들의 도움을 받았다. 우선 힘들게 촬영한 사진을 보내주고 선뜻 사용을 허락해 준 일본 호세이(法政) 대학 건축학과 교수인 진나이 히데노부(陣內秀信) 선생에게 감사드린다. 나는 진나이 선생의 책에 나타나 있는 그의 도시연구에 대한 열정과 태도로부터 큰 자극을 받았고, 베네치아에 관한 정보도 많이 얻을 수 있었다. 그리고 책에 실린 복잡한 도판들을 일일이 작도하고 수정하는 데 수고를 아끼지 않은 연구실의 여러 제자들에게도 감사의 마음을 표한다. 또한 불확실한 시장성에도 불구하고 시리즈의 출간을 기꺼이 허락하신 열화당 이기웅 사장님께, 그리고 편집 과정에 많은 노력을 기울여 준 편집부의 모든 분들에게 감사드린다.

이 책에 실린 도판들 중에서 사진은 가능한 한 현지에서 직접 촬영한 것을 사용했지만, 부득이한 경우에는 기존에 출간된 문헌에 실렸던 사진을 빌려 사용했다. 사용허가를 받기 위해 해당 사진의 저작권자를 추적하는 데 노력을 다했지만, 일부 출판사에서 답신이 없어 우선 수록한 경우도 있다. 이에 대해서는 추후에 연락이 닿으면 기꺼이 도판 사용에 대한 비용을 지급하거나 소유자의 권리를 만족시킬 수 있는 적절한 감사의 조처를 취할 생각이다. 기존에 출간된 문헌으로부터 사용한 도판의 출처와 사진의 저작권은 도판 캡션 또는 주(註)에서 따로 밝혀 두었다.

  이 시리즈를 완성하기 위해서는 여러 도시들을 조사하고 연구하면서, 공간이나 건축뿐만 아니라 인문·사회·정치·경제 같은 다양한 영역을 넘나들어야 하는 버거운 작업을 계속해야 하겠지만, 힘이 닿는 데까지 해볼 생각이다. 이러한 시도가 진정한 삶을 담는 도시와 주거환경에 대한 이해의 지평을 넓히고, 우리 주거문화의 발전에 약간의 밑거름이 된다면 나에게는 큰 보람일 것이다.

  2007년 11월 하루헌(何慺軒)에서
  손세관

차례

머리말 7

서론 도시·주거 읽기와 그 방법론 15

도시·주거 읽기란 ——— 15
도시·주거 읽기를 하려는 이유 ——— 19
도시·주거 읽기의 방법론 ——— 21
베네치아 읽기 ——— 26

제1장 물의 도시 베네치아의 매력 33

베네치아의 독자성과 장소성 ——— 33
베네치아를 읽는 이유 ——— 42

제2장 베네치아의 성립과 발전 47

라구나 속에 형성된 베네치아 ——— 47
베네치아 공화국의 성립 ——— 52
운하와 인공지반의 건설을 통한 도시의 확장 ——— 55
베네치아 공화국의 전성기 ——— 60
오리엔트와의 교류: 베네치아의 동양적 분위기 ——— 66
베네치아와 이슬람의 공간구조 ——— 72

제3장 베네치아의 도시구조: 다핵적 구조와 중심적 구조의 공존 79

교구를 중심으로 하는 다핵적 도시구조 ──── 79
베네치아의 광장과 길 ──── 87
베네치아의 상징적 공간: 세 곳의 중심지구 ──── 98

제4장 베네치아 주거유형의 변천 117

베네치아 주택의 개방적 구성 ──── 117
비잔틴 시대 초기의 주거형식 ──── 121
비잔틴 양식 팔라초의 등장 ──── 125
L자형 주택의 등장 ──── 128
14세기 도시구조의 변화에 따른 주거유형의 변화 ──── 132
C자형 주택의 등장과 주거형식의 완성 ──── 138
르네상스 시대의 도래와 파사드의 변모 ──── 147

제5장 베네치아 주거지역의 공간구조와 다양한 주거형식 153

역사가 켜켜이 쌓인 베네치아의 주거지역 ──── 153
베네치아의 지구형성 과정과 공간구조 ──── 155
산 칸치아노 지구 ──── 161
산 폴로 지구 ──── 167
산타 마르게리타 지구 ──── 174

제6장 대운하에 면한 상류층의 팔라초 187

대운하의 경관을 지배하는 팔라초 ——— 187
비잔틴 양식의 팔라초 ——— 188
베네치아 팔라초의 근원 ——— 193
13세기의 팔라초 ——— 199
고딕 양식의 팔라초 ——— 205
르네상스 양식의 팔라초 ——— 211
바로크 양식의 팔라초 ——— 222

제7장 중산층 및 서민층 주택의 존재방식 227

중산층과 서민층 주거문화의 독자성 ——— 227
베네치아 소귀족 및 중산층의 주택 ——— 231
베네치아 서민주택의 공간구성 ——— 236
도심의 서민주택 1: 코르테 또는 칼레 코르테를 중심으로 하는 주거복합체 ——— 241
도심의 서민주택 2: 캄포 후면에 자리한 서민주택 ——— 245
도시 변두리에 있는 서민주택의 존재방식 ——— 251
르네상스 시대의 서민용 집합주택 ——— 256
리네아형 집합주택의 등장 ——— 264

결론 베네치아의 미래 277

주(註) 283
참고문헌 295
찾아보기 299

서론

도시·주거 읽기와 그 방법론

도시·주거 읽기란

인간이 거주하고 있는 도시의 모습은 다양하다. 도시마다 자연적 환경이나 크기가 다르며, 도시가 담고 있는 사회·문화·정치·경제 등 여러 가지 인문적 성격과 외양으로 드러난 물리적 성격이 모두 구별된다. 이러한 다양성은 많은 요인들이 작용해 생겨난 것이다. 도시가 발생한 역사적 배경, 도시의 초창기 모습, 그곳에 사는 사람들의 가치관과 종교, 그것을 유지해 온 정치체제·사회구조·경제상황 등 무수히 많은 인문·사회적 요인들이 작용하고, 또한 거기에 기후조건·건축재료·건축기술 등 일일이 헤아릴 수 없이 많은 요인들이 가미되어서 세계의 도시들은 다양한 모습으로 발전해 왔다. 한 도시 속에서도 이 모든 다양성의 요인들은 뒤섞여서 존재한다. 그리고 아름다움과 추함, 질서와 무질서, 고상한 것과 저속한 것 등과 같이 여러 가지 양면성을 함께 가지고 있다. 따라서 세계의 여러 도시들을 살펴보면, 마치 만화경(萬華鏡)을 들여다보는 것과 같은 다채로움을 발견할 수 있다.

모든 도시에는 각각의 고유한 성격이 있다. 그리고 그 성격은 도시의 형태와 공간구조로 나타난다. 도시는 인간이 행한 여러 활동의 결과이면서 동시에 인간이 지닌 집단적 의지의 산물이기 때문에, 장구한 세월을 통해서 만들어진 도시에는 인간활동의 여러 과정과 모습, 그리고 그들의 꿈과 이상이 공간 속에 투영되어 있다. 그 결과 각 도시들은 나름대로의 독특한 성격을 지니게 되고, 이것이 도시의 형태와 공간구조라는 물리적 차원으로 표출된다.

도시는 흔히 유기체에 비교된다. 이렇게 살아 있는 생명체에 도시를 비유한다면, 도시의 형태는 생명체가 지닌 전체 모습이고, 공간구조는 그것을 이루는 세포들과 핏줄들이 얽혀 만들어낸 생체 조직이라 할 수 있다. 살아 있는 생명체가 그렇듯이, 도시도 그것을 이루는 최소 단위인 주택들이 모여서 일련의 조직체를 만들고, 그것들이 다시 모여서 전체적인 조직을 형성하는 것이다. 물론 이러한 전체 조직을 만들어 가는 요소는 주택이 중심이 되지만, 그 밖에도 도로와

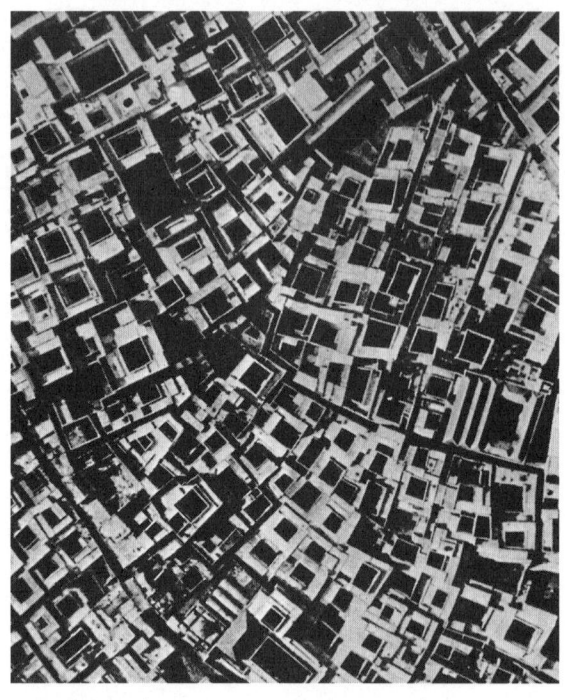

1. 하늘에서 내려다본 모로코(Morocco)의 마라케시(Marrakesh). 중정형 주택이 밀집하여 형성된 유기적인 공간조직을 보여준다.
© E. Vogel.

광장 등 다양한 외부공간과 일반 건축물들이 나름대로의 역할을 하면서 상호작용하여 도시의 고유한 공간조직을 형성한다.

도시는 시간의 흐름에 따라 성장하고 변화한다. 인간은 도시 속에서 살아가면서 다양한 요구를 충족시키려 하고, 그 요구를 수용하기 위해 도시를 이루는 구성요소를 변화시키거나 소멸하게 만들어, 자연히 도시의 모습도 조금씩 바뀌어 간다. 결국 도시의 공간구조에는 소멸 · 재생 · 성장 · 변화라는 유기적 조직의 메커니즘이 작용한다고 할 수 있다.(도판 1)

도시조직이 변화하는 데 작용하는 힘의 양상 또한 다양하다. 어떤 도시는 자연발생적으로 생겨나서 자체적인 메커니즘에 의해 변화를 지속해 나가는 반면, 어떤 도시는 처음부터 계획에 의해서 만들어진 이후 지속적으로 인위적인 힘이 작용하면서 변화해 가기도 한다. 그런데 실제적으로는 오로지 자체적인 메커니즘에만 의존해서 변화하는 도시도 드물고, 반대로 오로지 인위적인 힘에 의해서만 변화하는 도시도 존재하기 어렵다. 보통 어느 정도의 계획에 어느 정도의 자율적인 힘을 가미하면서 도시가 변화하는데, 어느 쪽

의 힘이 강하게 작용했는가의 여부에 따라서 도시조직의 성격에 다양한 변화가 발생한다. 자체적 메커니즘에 의해 자연적으로 모습을 바꾸어 나간 도시는 그 조직에 변화가 많고 풍부한 공간적 체험을 제공하는 반면, 인위적인 힘이 주로 작용하여 변해 간 도시는 강한 질서감을 보이는 경우가 많다.

그렇다면 '도시를 읽는다'는 것은 무엇인가. 어떤 도시를 읽는 작업은 그 도시의 공간구조를 구체적으로 파악해내는 것을 말한다. 즉 도시라는 유기적 실체를 대상으로, 그 공간구조를 해부해 그것이 그렇게 형성되는 데 작용한 메커니즘을 해독하는 것이다. 도시를 읽는 작업은 그 도시의 발생에서부터 오늘에 이르기까지의 성장 과정을 세세하게 살펴보는 것을 포함한다. 좀 더 구체적으로는, 그 도시의 공간구조가 어떻게 형성되기 시작했는지, 어떠한 변화 과정을 겪으면서 오늘날과 같은 독자적인 구조를 가지게 되었는지를 살펴보는 일이다.

물론 이 작업은 현재의 도시를 보는 것으로 시작한다. 마치 현미경으로 들여다보듯이 현재의 도시를 놓고 그 공간조직을 살펴보면서 그곳에 층층이 쌓여 있는 역사적 흔적들을 하나씩 찾아내고, 이를 통해 겹겹이 누적된 시간의 켜를 하나씩 벗겨내는 작업이 바로 도시를 읽는 작업이다. 이렇게 시간의 진행을 역으로 추정해 들어가면 마침내 도시의 원초적인 모습을 찾아낼 수 있다. 따라서 도시를 읽는 작업은 복잡하게 얽힌 하나의 사건을 추적해내는 일에 비유할 수 있다. 처음에는 실마리가 전혀 보이지 않는 사건 속에서 우연히 하나의 단서를 발견하고, 그것을 통해서 얽힌 실타래를 풀어내듯이 사건의 전모를 하나하나 밝혀내고, 마침내 전체의 구도를 명료하게 파악해내는 것과 같다. 따라서 한 도시를 읽는 것은 매우 힘들고 시간이 걸리는 작업이다.

그런데 도시를 읽는 작업은 '주거를 읽는' 작업과 분리될 수 없다. 도시를 이루는 가장 기본적인 공간 단위가 주택이기 때문에, 주택의 성격이 도시 전체의 공간구조를 결정한다. 한 도시의 주거를 읽는 것은 그 도시에 존재하는 주거유형을 파악하고 도시 속에서의 맥락을 살펴보는 것이다. 각 도시에 자리한 주거형식은 나름의 고유한 원리에 의해서 형성되었는데, 그 속에는 이러한 원리의 정수(精髓)가 반영된 주택의 기본형이 존재한다. 물론 주택의 기본형은 하나만 있는 것이 아니라 보통 여러 개이며, 이러한 주택의 여러 기본형은 가족의 수, 대지의 규모, 도로와의 관계 등에 의해서 다양한 변형들을 만들어낸다. 이렇게 한 지역에 나타난 주택의 기본형과 변형들의 집합을 그

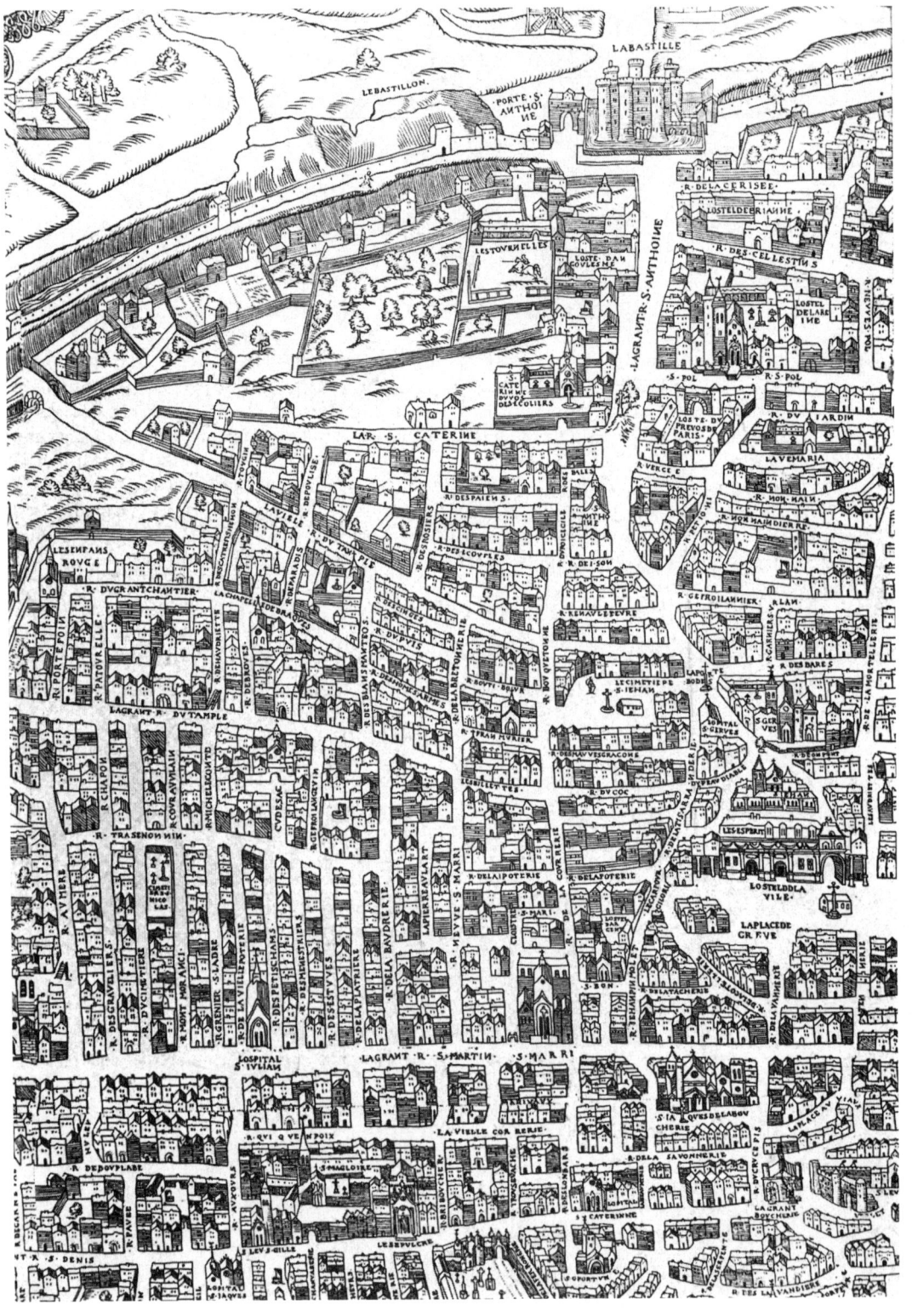

도시를 특징짓는 주거유형이라고 할 수 있다.

한 도시의 주거유형은, 그곳에서는 무수히 반복되는 보편성을 가지면서 동시에 다른 도시에 대해서는 독자성과 차별성을 갖는다. 또한 여러 가지 요인이 종합적으로 작용하여 만들어졌기 때문에 단기간에 급작스럽게 형성되지 않으며, 오랜 기간을 통해서 형성되고 서서히 조정되어 간다. 따라서 각 도시를 대표하는 주택의 기본형과 변형을 추출하고 그것의 형태적 공간적 기능적 상징적 특징들을 파악하는 것이 주거 읽기의 기본적인 접근 방법이다. 이러한 방법을 통해 주택 내부에 자리한 각 공간들의 연계, 공간의 역할과 의미, 공간의 쓰임새, 그리고 주거공간의 확대와 축소 등 변화의 여러 양상을 파악할 수 있다.

그러나 한 도시에 일반화한 주거유형을 파악하는 것만으로는 주거 읽기 작업을 온전하게 완성할 수 없다. 도시를 대상으로 하는 이 작업의 본질은 어디까지나 주택과 주거지 사이의 관계 그리고 주택의 집합 패턴을 파악하는 것이다.(도판 2) 말하자면 주택의 존재방식을 주거지 그리고 더 나아가서는 도시 전체라는 집합적인 맥락 속에서 파악하는 것을 뜻한다.

집합적인 맥락 속에 자리한 주거의 성격을 제대로 이해하기 위해서는 도시의 전체적인 공간구조를 우선 살펴보고, 도로 체계, 블록의 모양과 크기 등 단위주택보다 상위에 있는 물리적 환경의 성격을 파악하는 것이 필수적이다. 그리고 이와 더불어 주택과 주택이 서로 이어지면서 형성된 집합의 구체적인 양상을 파악해야 할 것이다.

어떤 도시든지 오랜 세월을 거쳐 형성된 도시라면 주택들이 모여서 집합을 이루는 데에는 일련의 패턴이 존재한다. 이러한 집합의 패턴들을 파악하고 그것을 통해 한 주택과 다른 주택의 관계, 그리고 그것이 누적되어 만들어진 주거지역의 공간구조를 읽어내는 것이 주거 읽기의 또 다른 핵심과제이다. 이것은 결국 주거지역 속에서 형성된 사회적 구조를 이해하는 틀이 된다고 할 수 있다. 이러한 과정을 모두 거치고 나면, 한 도시를 대상으로 한 도시·주거 읽기 작업이 비로소 완성된다.

도시·주거 읽기를 하려는 이유

동서양의 역사도시들을 대상으로 도시·주거 읽기 작업을 하려는 데에는 몇

2. 1559년에 트뤼슈(Truschet)와 우아요(Hoyau)가 중세 파리의 주거지역을 그린 지도의 일부.(p.18)

가지 중요한 배경과 목표가 있다.

우선, 첫번째로 나는 이 작업을 통해 도시와 주거의 관계를 심도있게 파악해 보려고 한다. 이것은 한 도시를 이루는 '부분'과 '전체' 사이의 관계를 알아보기 위해서이다. 따라서 이를 통해 도시주거의 존재방식은 어떠한지, 얼마나 다양한지, 어떻게 변해 가는지, 그리고 어떠해야 하는지를 파악할 수 있을 것이다.

두번째로는, 도시주거의 존재방식과 그 공간구조의 다양함을 살펴보려고 한다. 독자성과 고유성을 간직한 세계 여러 도시들의 공간구조와 주거환경을 세밀하게 들여다봄으로써 효율성과 경제성이라는 가치를 우위에 둔 획일적인 환경 조성이 얼마나 잘못되었는지를 말할 수 있을 것이다.

세번째로는, 옛 도시와 옛 주택의 가치를 강조하려고 한다. 아무리 우수하고 세심하게 계획된 환경이라 할지라도 오래도록 인간의 삶이 녹아 있는 환경을 질적으로 뛰어넘을 수는 없다. 따라서 시간이 누적되어 만들어진 환경의 질적 우수함과, 세월의 흐름을 통해서 형성되지 않은 도시는 결코 좋은 주거환경을 담을 수 없음을 이야기하고자 한다.

마지막으로 이 작업을 통해 전하고 싶은 또 하나의 중요한 메시지는, 도시는 살아 있는 유기체로서 지속적으로 성장하고 변화하는 실체라는 점이다. 근대의 도시개발이 심각한 부작용을 초래했다면, 그것은 살아서 움직이는 도시의 역사적 문화적 맥락을 인식하지 않은 상태에서 급속하게 진행시켰기 때문이고, 개발의 원동력을 오로지 기능성과 경제성에 부여한 데서 기인한다. 그 결과 오늘날의 많은 도시가 몰개성적 풍경을 연출하고 있으며, 도시공간에 내포된 극적 성격을 상실해 버렸다. 도시를 살아 있는 유기체로 인식하고 시간의 흐름 속에서 계속해서 변화하는 실체로 파악한다면, 도시의 고유한 공간조직과 역사적 문화적 환경이 온전히 유지될 수 있음을 이해할 수 있을 것이다.

최근 유럽과 일본 등지에서는 역사적 깊이와 고유한 공간조직을 가진 도시를 대상으로 그 구성상의 특징을 조사하고 탐구하는 연구들이 새로운 조명을 받고 있다. 그들은 도시가 살아 있는 유기체라는 사실을 새롭게 인식하면서, 도시환경의 계획에서도 역사적 연속성을 다시 회복하는 것을 목표로 설정하고 있다. 그리하여 도시의 역사와 문화에 깊은 관심을 가지고, 그것을 바탕으로 하면서도 새로운 감각을 지닌 도시의 경관을 창출하기 위해 다양하게 시도해 왔다.

그들이 관심을 갖는 대상도 유럽의 도시들뿐만 아니라 중국, 인도, 이슬람 문화권 등 제삼세계의 도시들까지 광범위하게 포함한다. 이렇게 역사적 도시에 관심을 가지는 데에는 타당한 이유가 있다고 생각한다. 즉 기능성과 경제성에 바탕을 둔 20세기의 도시계획이 '실패한' 것으로 판단됨에 따라 그 동안 소외되어 왔던 과거로부터 새로운 지혜를 얻을 수밖에 없다는 인식에 도달했기 때문이다. 그들은 근대주의가 초래한 과오의 심각성을 인정하고, 역사를 통해서 누적되어 온 도시조직을 이제 새로운 눈으로 바라보고 있다. 그들은 오늘날 남아 있는 과거의 도시조직이 무력한 사료(史料)가 아니라 앞으로의 계획을 위한 축적된 경험으로 사용할 수 있다는 사실을 비로소 인식한 것이다. 이 책에서 하려는 도시·주거 읽기 작업도 그러한 범세계적인 인식과 새로운 학문의 조류에 발맞추려는 시도라고 생각한다.

도시·주거 읽기의 방법론

도시·주거 읽기의 구체적인 방법은 대상으로 하는 도시마다 다를 수 밖에 없다. 특히 동양과 서양의 도시들은 형성 과정과 공간구조에서 상당한 차이가 발견되므로 같은 방법으로 읽어낼 수는 없을 것이다. 또한 같은 문화권에 있는 도시라고 하더라도 대상에 따라 방법상의 차이가 있을 수밖에 없다는 생각이 든다. 다만 도시를 읽는 방법에서 공통되는 것은, 그 내용이 기술적(記述的)이면서 동시에 분석적이어야 한다는 것이다. 도시를 읽는 것은 도시의 역사와 공간구조, 그리고 그 속의 주거유형을 주요한 탐구대상으로 하는데, 역사는 주로 기술적인 내용 즉 '이야기'가 되고, 도시의 공간구조와 주거유형을 살피는 것은 주로 분석적인 내용이 된다.

도시를 읽는 재미는 도시 속에 녹아 있는 다양한 인간의 삶을 통해서 느낄 수 있다. 장구한 세월을 지나 형성된 도시에는 그 동안 행해진 인간활동의 여러 과정과 모습들이 그 공간 속에 그대로 녹아 있다. 또한 도시의 공간조직을 읽어 보면 그것을 통해 삶의 모습을 세세하게 파악할 수도 있다. 따라서 도시·주거 읽기의 상당 부분은 도시에서 일어난 인간 삶의 다양한 모습을 구체적으로 살펴보는 데 할애해야 할 것이다. 도시와 주거를 읽는 작업에서 그러한 측면을 다루지 않는다면, 그 가치와 의미는 반감되고 만다. 따라서 이 작업에서는 오랜 시간 이어져 온 삶의 모습을 실제 공간과 결부시켜서 구체적으로 바라보는 것이 필요하다. 그리고 도시의 형성과 발전 과정에서 발생한 시민들의 생활양식, 사회적 관계, 경제활동, 예술활동, 그들의 가치관 등이 전부 녹아 있는 실체로서 도시의 물리적 조직을 파악하고 해석해야 할 것이다. 이러한 관점으로 도시를 본다면, 삶의 여러 양상이 오랜 역사를 거쳐 역동적으로 변해 온 도시의 경우에 그것을 읽어내는 재미가 상당하리라 생각한다.

따라서 이 책에서는 우선 도시를 세우고, 경영하고, 가꾸고, 그리고 그곳에서 살아간 사람들의 이야기를 하려고 한다. 즉 도시를 처음으로 만든 사람들, 도시를 다스리고 발전시키기 위해 고심하고 투쟁한 사람들, 도시의 위대한 예술적 산물을 위해 피나는 노력을 기울이고 열정을 불태웠던 사람들, 많은 돈을 투자해서 자신의 저택을 짓고 그것을 화려하게 꾸민 사람들, 그리고 더욱 중요하게는 그곳에서 소박한 삶을 꾸려 나간 일반 서민들의 삶을 이야기할 것이다.

이러한 사람들의 이야기는 결국 도시를 만들어 간 과정을 말하는 것인데, 왜냐하면 도시 속에서 살아간 사람들의 삶이 누적된 결과가 바로 도시의 물리적 환경이기 때문이다. 따라서 이러한 이야기는 자연히 도시에 있는 건축물과 그 주변 환경에 대한 이야기로 이어진다. 즉 궁전·교회·시장·광장·도로·다리 등 도시의 얼굴을 형성하는 주요한 건조물(建造物)들이 어떻게, 누구에 의해서, 그리고 어떤 우여곡절을 겪으면서 만들어졌는가를 이야기할 것이다. 그리고 그것의 아름다움과 상징성, 그것의 변화 과정에 대한 이야기를 이어 나갈 생각이다.

그 다음으로는, 도시에 무수히 자리한 주택들에 대해 이야기할 것이다. 우선 상류층의 주택을 언급하면서 그 형식상의 특징은 무엇인지, 어떠한 유형들을 취했는지, 그 근원은 어디에 있는지, 내부와 외부는 어떻게 구성되었고 어떠한 장식 체계를 적용했는지 등에 대한 내용을 전개할 것이다.

그리고 마지막은 보통사람들의 주택에 대한 이야기로서, 주거 읽기의 핵심은 어디까지나 여기에 있다. 즉 보통사람들의 주택은 도시의 어느 부분에 자리했으며 어떤 모습이었는지, 공간구성은 어떠했으며 어떻게 모여 있었는지, 공간은 어떻게 증식되고 분할되었는지를 이야기하려고 한다. 결국 이는 서민들의 일상적인 삶을 주택이라는 환경을 통해서 말하고자 하는 것이다.

이상이 이야기를 풀어나가기 위한 관점이라면, 다음은 분석적 방법에 관한 내용이다. 이것은 주로 도시와 주거의 공간구조를 심층적으로 살펴보기 위해서 취하는 방법이다. 이 책을 포함해 이 시리즈의 각 권에서는 도시와 주거의 공간구조를 읽기 위해 '유형형태학(typo-morphology)'이라는 도시·건축의 분석 방법을 주로 사용한다. 유형형태학은 유럽에서 시작된 방법론인데, 우리나라에서는 몇몇 학자들에 의해서 단편적으로 언급되기는 했으나 특정한 도시를 대상으로 본격적으로 탐구한 연구물은 아직 존재하지 않는다. 따라서 유형형태학의 접근 방법은 우리에게 다소 생소할지도 모른다. 그러나 도시의 구조를 총체적으로 파악하고 그 속에 자리한 물리적 환경의 존재방식을 구체적으로 바라보는 데 이보다 더 적합한 방법은 없다. 또한 도시조직의 역사적 변화와 그 변화의 주체인 주거의 유형적 변화를 상호관계의 입장에서 바라보기에도 이 방법이 가장 적격이다.[1]

그런데 유형형태학이 도시를 분석적으로 살펴보는 유일한 방법이라고 할 수는 없다. 유형형태학은 도시의 발전 단계가 현재의 도시 공간 속에 녹아 있다는 것을 전제로 하는 방법으로서, 현재의 도시공간을 놓고 역사적 흔적을 한 겹씩 벗겨 가는 과정을 밟는다. 따라서 이 방법은 유럽의 도시들처럼 발생기로부터 오늘에 이르기까지 그 흔적이 누적되어 있는 도시를 읽기에 적합하다.

이 시리즈에서 일차로 다루는 피렌체나 베네치아 같은 도시가 이에 해당한다. 그런데 목조 건축이 주류를 이루었던 서울·북경·교토 같은 동양의 도시들을 읽기 위해서는 이러한 방법에만 의존할 수가 없다. 이런 도시들은 과거의 역사적 흔적들이 상당 부분 사라져 버렸기 때문에 문헌 연구나 지도 분석, 그림 읽기 등 다른 방법들을 사용할 수밖에 없다.

특정 시기에 어떤 도시를 상세하게 그린 지도나 그림 등을 분석하면 당시의 물리적 환경을 구체적으로 파악하는 데 상당한 도움이 된다. 물론 이러한 방법들은 피렌체나 베네치아 같은 유럽 도시들을 읽을 때도 보조적으로 사용한다. 따라서 도시를 분석적으로 읽는 방법은 유형형태학을 사용하는 정도에 따라서 차이가 있다고 할 수 있다. 말하자면 그것을 주요 분석 방법으로 사용하고 다른 방법의 도움을 받는 경우도 있고, 그것을 완전히 사용하지 못하고 다른 방법에만 의존하는 경우도 있음을 뜻한다.

유형형태학은 이탈리아의 학자들에 의해 이탈리아의 도시들을 대상으로 시작된 방법론이다.² 1940년대에 건축가이자 철학자였던 무라토리(S. Muratori, 1910-1973)가 개척한 이 방법론은 새로운 눈으로 도시조직을 분석하고 읽어내기 위해 사용했던 것이다. 이후 그의 뒤를 이은 카니지아(G. Caniggia, 1933-1987), 마레토(P. Maretto, 1931-1998) 등 소위 무라토리 학파의 학자들에 의해서 더욱 체계화한 이 방법론은, 1970년대 이후 구미 각국에 본격적으로 소개되고 일본에까지 소개되면서 '도시의 형태와 공간구조를 읽는' 가장 유효적절한 방법론으로 받아들여지게 되었다. 그리고 근대건축의 기능적 접근법에 의해서 파괴되고 허물어진 역사적 도시조직을 다시 계승하고 발전적으로 이어 갈 수 있는 유일한 방법으로 인식되기도 했다.

유형형태학은 주택의 작은 방에서 시작해 대규모의 도시에 이르기까지 모든 레벨의 환경을 동시에 고려한다. 그리고 지속적이며 역동적으로 변화하는 실체이자 건물과 외부공간이 복합적으로 작용해 이루어진 유기체로서 도시를 바라보는데, 이것은 근대건축의 기계적이고 기능적인 태도와는 전혀 다른 눈으로 도시를 이해하고 해석하는 것을 의미한다.

유형형태학이란 용어 속에서 '형태학'은 도시형태학(urban morphology)에서 가져온 말로서, 도시조직의 물리적 형태에 대해서 연구하는 학문을 지칭한다. 도시형태학은 도시의 기능적 경제적 측면뿐만 아니라 역사적 측면을 함께 고려해 도시의 물리적 공간적 구조를 밝히는 학문이다. 한편, '유형학(typology)'은 어떤 사물을 대상으로 그것이 지닌 고유한 특성을 규정하고, 그 특성에 따라서 사물을 분류해 그들 사이의 관계를 밝히는 학문으로서, 건축 분야에서는 건물의 유형과 도시형태의 유형이 주요한 탐구대상이 된다.

이러한 도시형태학과 유형학을 접목해 도시의 물리적 조직을 통합적으로 연구하는 것이 유형형태학이라고 할 수 있다. 따라서 유형형태학의 주요 연구과제는 도시를 이루는 건축물의 유형을 탐구하고, 그것이 서로 조직된 도시의 물리적 공간적 구조를 밝히는 것이다. 그런데 도시를 이루는 건물의 대부분은 주택이므로, 유형형태학에서 주로 다루는 건물도 결국 주택이 된다. 유형형태학에서는 사회적 역사적 과정을 고려하면서 주거의 유형을 분석하고, 그것이 집합해 나가는 양상을 분석하는 동시에, 그 집합의 양상이 도시의 전체 형태와 어떤 관련을 가지는가를 분석한다.

유형형태학이 등장하기 이전에는 도시조직에 대한 연구가 매우 단순한 단계에 머물렀지만, 이 방법이 등장하면서 건물과 그 주변 공간, 필지(筆地),

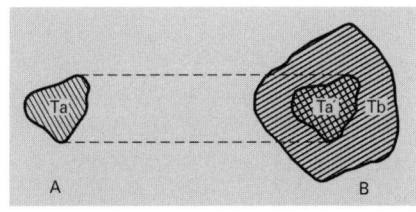

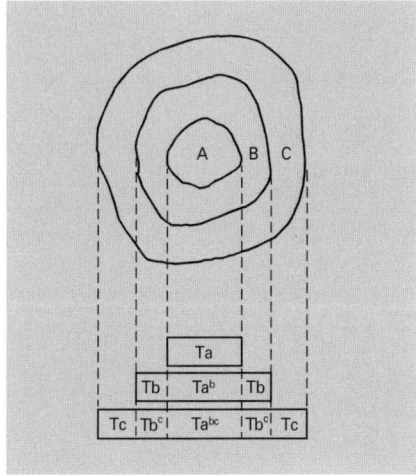

3. 도시의 성장과 변화의 기본적 도식.(위)
4. 세 개의 위상적 단계로 표현된 도시의 성장과 변화의 도식.(아래)

도로, 블록 등 도시를 구성하는 기본요소들을 체계적으로 분석하는 것이 가능해졌다. 결국 유형형태학의 등장으로 도시를 구성하는 모든 요소들의 상호관계를 파악할 수 있게 되었고, 도시를 유기적으로 이해할 수 있게 되었다.

유형형태학의 기본적인 가설은, '도시는 살아 있는 유기체로서, 그곳에는 시간과 공간의 변화를 겪어 온 여러 단계의 궤적들이 층층이 쌓여 있다'는 것이다. 유형형태학을 연구하는 학자들은 특히 이 점에 대해 일관적인 자세를 유지한다. 그들은 도시와 건축을 분석하기 위해 각 시대의 도시를 일단 그 자체로서 완성된 상태로 보고, 그것이 다음 단계로 어떻게 변화해 갔는가를 추적한다.

이러한 작업은 좌표의 종축(縱軸)과 횡축(橫軸)의 관계를 통해 설명할 수 있다. 말하자면 종축은 통시적(通時的) 측면으로서, 각 시대의 공간구조가 층층이 쌓여서 누적된 도시조직의 변화 과정을 중점적으로 살펴보는 것이다. 횡축은 공시적(共時的) 측면이 되는데, 특정한 시점의 도시조직 속에 담긴 공간적 체계 즉 도시조직을 형성하는 요소들의 상호관계를 연구하는 것이다. 결국 유형형태학에서는 역사적으로 누적되어 형성된 도시조직을 대상으로, 시간과 공간이라는 종횡의 좌표 체계를 통해 그것의 표면적인 모습과 그 이면에 담긴 '사연들'을 세세하게 읽어내는 작업을 하게 된다.

유형형태학에서 도시의 역사를 보는 방법을 다이어그램을 통해서 설명해 보자.[3] 도판 3은 A시대에 형성된 도시가 성장하면서 B시대로 이행한 변화를 보여준다. 각 시대의 건축은 그 나름의 공간적 특성을 지니므로, 그것이 모여서 독특한 도시조직을 형성한다. 이렇게 각 시대에 형성된 도시조직을 Ta, Tb라고 하자. 그런데 A시대의 도시가 시간의 흐름에 따라 팽창하여 B시대의 조직 속에 포함되었을 경우, 도시조직 Ta는 B시대의 영향을 받아서 Ta′가 된다. Ta′는 새롭게 확장된 구역의 도시조직 Tb와는 다른 특징을 보여주므로 Ta′와 Tb를 판별하는 것은 그리 어렵지 않다. 따라서 B시대의 전체 도시조직 중에서 Ta′를 추출한 후 변화의 양상을 역으로 추정하면 A시대의 도시조직 Ta를 파악하는 것이 가능하다.

도판 4는 여기에 하나의 단계를 더해 A, B, C의 구조로 발전된 경우를 보여준다. 각 시대에 형성된 도시조직을 Ta, Tb, Tc라고 한다면, 이는 도판에서 보는 것과 같이 동심원 구조를 이룬다. A시대에 형성된 도시조직 Ta를 둘러싸면서 B시대에는 새로운 도시조직 Tb가 형성되고, 결과적으로 Ta는 Ta′로 변한다. 이 Ta′를 B시대의 영향을 받았다는 의미에서 Ta^b라고 표기한다면 B시대의 도시조직은 Tb와 Ta^b로 이루어진다. 마찬가지 논리로, C시대의 도시조직은 Tc, Tb^c, Ta^{bc}로 이루어진다. 이렇게 오랜 시간에 걸쳐서 형성된 도시 속에는 여러 종류의 도시조직이 공존하게 되고, 그 공간구성 또한 복잡한 양상을 띠게 된다. 따라서 현재(이 경우 C시대)의 도시 내부에서 보이는 도시조직의 여러 양상과 공간구조의 유형을 분류하면 그 상호관계를 분석하는 것이 가능하고, 결과적으로 과거에 발생한 단계적인 도시형성의 과정을 읽을 수 있다.

베네치아 읽기

그렇다면 이 책에서 다루는 베네치아는 어떻게 읽을 것인가. 베네치아는 앞서 설명한 유형형태학의 분석 방법으로 읽어내기에 매우 적당한 도시다. 베네치아는 도시가 형성되기 시작한 9세기 이후부터 오늘에 이르기까지 오랜 기간의 도시형성 과정이 누적된 도시로서, 중세와 르네상스 시대의 건축이 주류를 이루는 살아 있는 역사도시다. 따라서 베네치아에서는 각 시대의 공간구조의 변화 과정을 통시적으로 바라보는 동시에 그 속에 담긴 공간적 체계의 상호관계를 공시적으로 살펴볼 수 있다. 이러한 이유에서 도시구조와 주거유형을 연구하는 많은 사람들이 이 도시를 대상으로 도시와 주거를 읽는 작업을 해 왔다. 게다가 이탈리아에서 유형형태학의 방법을 처음 본격적으로 적용하여 연구한 도시가 바로 베네치아였다. 따라서 여기서는 그 동안 베네치아를 읽은 사람들의 방법을 소개하고, 이 책에서 사용한 방법에 대해서도 간략하게 설명하려 한다.

베네치아를 대상으로 도시와 주거를 읽는 작업을 처음으로 시작한 사람은 바로 무라토리였다. 그는 이탈리아에서 도시의 물리적 조직을 바라보는 새로운 접근 방법을 처음으로 제시했는데, 이러한 이유에서 학계에서는 그를

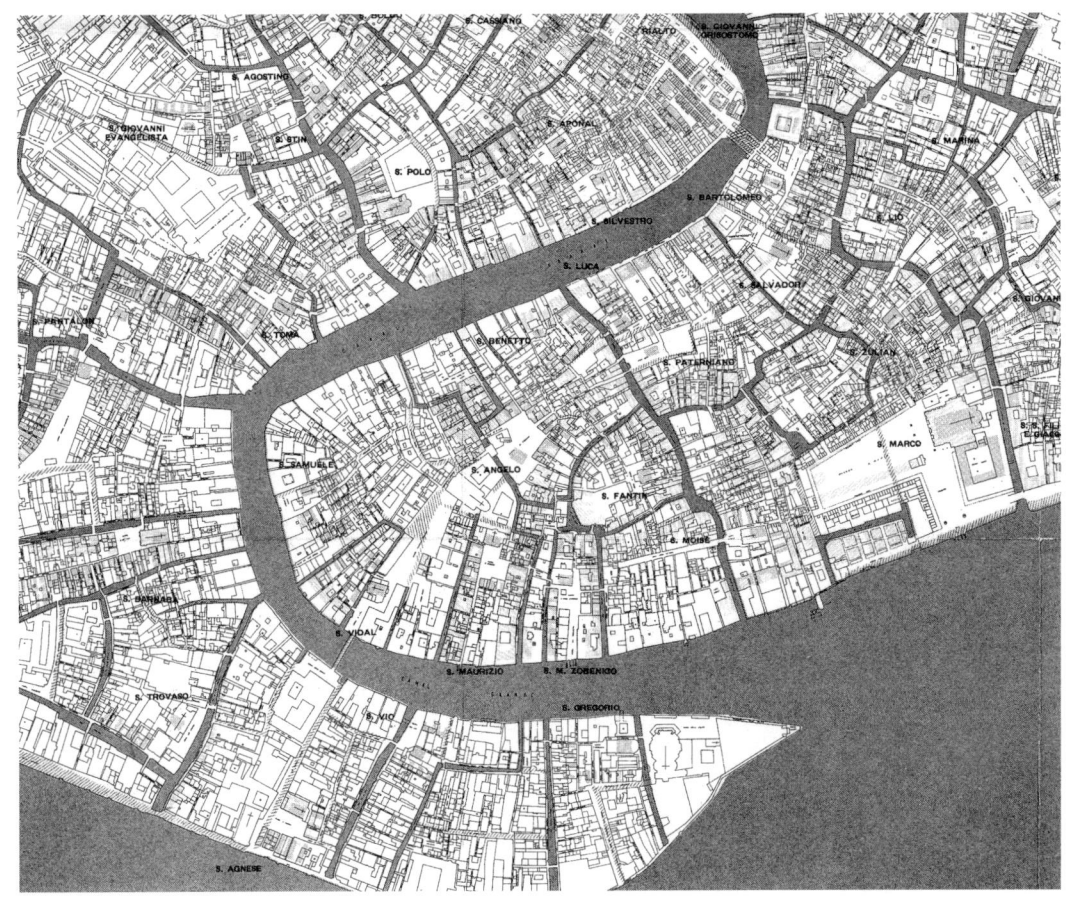

5. 무라토리가 분석한 베네치아 공간조직의 변화.

'이탈리아 유형형태학의 창시자'라고 부른다.[4] 그는, 근대도시의 위기를 극복할 수 있는 방법은 도시와 건축 사이의 유기적인 관계의 회복에 있다는 믿음을 가졌으며, 그 실천적 방법으로 유형형태학을 발전시켰다. 그는 첫 분석 대상을 베네치아로 정하고 1950년부터 조사하기 시작했는데, 이후 오 년 동안 시행착오를 거듭하면서 조사를 완료했다. 당시 베네치아 건축대학 교수였던 그는 조수 마레토와 함께 베네치아의 조직이 형성되고 변화해 온 과정과 메커니즘을 연구했고, 그 결과 복잡해 보이는 베네치아의 공간구조를 각 시대적 단계별로 명확하게 묘사할 수 있었다.(도판 5)

무라토리는 베네치아를 이루는 일흔두 개의 교구(敎區) 커뮤니티를 모두 관찰하면서 각각의 공간구조를 체계적으로 분석했는데, 이러한 조사연구에 대한 결과물로서 『베네치아의 실천적 도시 역사를 위한 연구(Studi per una Operante Storia Urbana di Venezia)』라는 보고서를 1959년에 출간했다. 이 보고서는 이제까지 도시사(都市史)가 취했던 문헌실증주의 또는 '역사를 위한 역사 연구'의 태도에 종지부를 찍는 중요한 결과물이었다. 그는 학생들과 함께 베네치아의 광장과 미로 같은 골목을 직접 걸어다니면서 건물과 공간을 실측하고 분석하여 이 보고서를 만들어냈다. 이는 시민들의 '생활'을 둘러싼 오늘날의 공간조직을 한 꺼풀씩 벗겨내면서 읽어내는 끈질긴 작업 끝에 제작된 것이다. 따라서 무라토리는 이 연구를 통해 '살아 있는' 도시에 대한 적절한 인식 방법을 처음으로 제시했다고 할 수 있다. 이 연구를 마친 무라토리는 다음 목표를 로마로 설정했고, 로마를 대상으로 베네치아와 유사한 작업을 수행했다.[5]

베네치아를 읽기 위한 수단으로, 무라토리는 도시의 구성요소를 두 종류로 나누었다. 하나는 건축유형이고 다른 하나는 도시조직인데, 도시조직은 건축·필지·블록·길·외부공간 등이 복합적으로 작용하여 이루어진다. 도시의 구성요소를 이렇게 구분한 무라토리는 건축물을 중심으로 한 세밀한 공간구조의 분석을 후진들의 연구과제로 넘겨주고, 자신은 '건축군(建築群)-지구(地區)-도시'의 관계에 역점을 두고 분석했다.

그런데 이 분석의 밑바탕에는, 도시조직은 연속성을 지니면서 지속적으로 이어져 온다는 사실이 깔려 있다. 즉 연대나 양식을 직접적으로 보여주는 사료가 없어도, 과거의 흔적은 현재의 도시조직 속에 녹아 있어서 시대의 변화에도 불구하고 우리에게 일련의 정보를 제공해 준다는 것이다. 특히 베네치아는 물 위에 형성되었기 때문에 도시가 침수되지 않는 이상 한번 만들어진 건물의 기초는 계속 유지되었다. 따라서 특정한 지구에 있는 건물들이 증식과 개조를 반복하면서 원래의 모습으로부터 크게 변했다 하더라도, 토지 소유의 변화를 바탕으로 건물의 기초나 벽의 위치를 잘 관찰하면 원래의 공간조직을 쉽게 추정해낼 수 있다. 말하자면, 천 년이 넘는 세월 동안 물과 어우러져 형성된 베네치아에는 그 속에 일련의 시스템이 숨어 있어서, 조금만 세심하게 살펴본다면 그것을 파악하는 것이 그리 어렵지 않다. 이러한 방법을 통해 무라토리는 베네치아의 도시조직 형성 과정을 규명해냈다.

무라토리를 이어 베네치아를 읽는 작업을 한 사람은 그의 조수였던 마레토였다. 마레토는 스승의 연구를 발전시켜서 서른 살이라는 젊은 나이에 베네치아에 관한 매우 중요한 저서 『베네치아의 고딕 건축(*L'Edilizia Gotica Veneziana*)』을 출간했다. 이 책은 무라토리가 주도했던 베네치아 연구의 완결편에 해당하는 것으로서, 무라토리의 보고서와 함께 베네치아의 도시구조와 주거유형을 연구하는 데 없어서는 안 될 중요한 서적으로 평가받는다. 이 책에서 그는 비잔틴 시대에서 고딕 시대 말기에 이르는 동안의 주거형식의 변화 과정을 상세히 규명했다.

그는 도시조직과 주택의 구성적 관계에 주목하여 연구를 진행했는데, 스승인 무라토리와는 다른 방법을 사용했다. 즉 무라토리가 천분의 일 축척의 평면도를 바탕으로 주로 도시의 조직에 초점을 두어 분석했던 반면, 마레토는 오백분의 일 축척으로 그린 건물의 주층(主層) 즉 이층 레벨의 평면도를 도시적 맥락에서 작성하여 분석했다.(도판 82, 88, 93, 116, 122 참조) 따라서 무라토리가 주택들이 집합하는 양상과 이들이 모여서 블록을 형성하는 과정에 집중했던 반면, 마레토는 여기서 한발 더 나아가서 건물 내부의 공간구성까지 상세하게 분석했다. 마레토는 이후 이 책의 도판을 보강하고 베네치아 곳곳에 자리한 각양각색의 주거형식에 대한 상세한 자료를 추가하여 1986년에 그의 마지막 저서 『도시 역사 속의 베네치아 주택(*La Casa Veneziana nella Storia della Citta*)』을 출간했다.

베네치아를 읽기 위해 마레토가 사용한 방법은 도시와 건축의 해석법에서 한 단계 발전한 것이었고, 결과적으로 매우 설득력있는 작업이었다. 그의 방법은 건축 고유의 양식적 구조적 기능적 측면을 충분히 고려하여 그 내부공간의 배열과 구성상의 특징을 도시조직의 성격으로부터 추정하는 것이었다. 따라서 이 방법으로 건축과 도시의 구성을 일체적으로 설명할 수 있었다. 마레토는 이러한 방법을 통해 베네치아 주택 특유의 공간구성이 비잔틴 시대에서 고딕 시대 말기에 이르는 사백여 년 동안 확립되었음을 규명했다.(도판 74 참조)

그는 이 시기의 주거유형의 변화 과정을 수로 상류층 수택을 통해 설명했는데, 아울러 그 주변에 자리한 중산층과 서민층의 주거형식을 살펴보는 것에도 소홀하지 않았다. 또한 이러한 물리적 조직의 연구를 통해서 베네치아 사람들이 살아온 생활양식과 블록 내 주민들의 사회적 구성, 그리고 커뮤니티의 형성 방식 등도 간접적으로 설명했다. 이렇게 역사적으로 축적된 도시조직과 그 속에 유기적으로 자리하는 주거의 모습을 오늘의 시각에서 세심하게 바라봄으로써, 마레토는 그의 스승이 시작했던 베네치아의 도시조직 연구를 완전하게 마무리했다. 베네치아의 공간구조에 관한 지금까지의 연구들 중에서, 그 세심함과 심층성에서 마레토의 연구를 뛰어넘는 것은 없다.

무라토리 학파의 '베네치아 읽기' 작업을 동양의 독자들에게 부지런히 전달한 사람이 있는데, 그가 바로 일본의 도시학자 진나이 히데노부(陣內秀信, 1947-)다. 그는 스스로를 '베네치아학(學)' 전공자라고 칭할 만큼 베네치아 연구에 심취했으며, 베네치아에 대한 그의 저서는 대략 다섯 권이 넘는다.[6] 그는 도쿄 대학 건축학과에서 박사과정을 수료했고, 1973년에 이탈리아 정부장학생으로 베네치아 건축대학에서 유학하면서 무라토리와 마레토의 연구들을 접했다. 이후 무라토리의 '도시 읽기' 방법을 사용해 세계의 여러 도시들을 연구했는데, 그의 주전공인 베네치아를 비롯해 도쿄, 중국의 북경과 소주, 그리고 최근에는 이슬람 문화권의 도시에 이르기까지 다양한 도시들을 탐구했다.

그가 처음으로 베네치아에 대해서 펴낸 책은 『베네치아: 도시의 콘텍스트를 읽는다(ヴェネツィア: 都市のコンテクストを讀む)』인데, 그는 이 책에서 베네치아의 역사와 건축에 관한 내용을 기술하고, 마레토의 연구결과를 참고하여 베네치아의 여러 곳을 해석했다. 따라서 그의 '베네치아 읽기'는 독창적이라고 할 수는 없고, 마레토의 조사에 바탕을 두고 이를 일본 독자들의 구미에 맞게 번안한 것이라고 할 수 있다. 이후 그는 베네치아에 대해서 많은 책을 써서 건축·도시 전공자는 물론 일반인들에게까지도 베네치아에 대한 지식의 지평을 넓혀 주었다.

나는 무라토리나 마레토가 한 것처럼 수년 동안 도시를 실측하고 조사한 자료를 분석하는 방법으로 베네치아를 읽을 수는 없었다. 내가 이 책에서 시도한 '베네치아 읽기' 작업은 유형형태학의 방법을 사용하여 베네치아를 연구한 자료들을 바탕으로 현지에서 '다시 읽는' 방법을 취했다고 하는 것이 옳을 것이다. 이를 위해 무라토리와 마레토의 작업에 상당 부분 의존했고, 특히 마레토의 작업이 많은 참고가 되었음을 밝혀 둔다.

마레토가 그린 각 지구의 상세지도는 베네치아를 돌아다니며 연구하는 데 더없이 좋은 자료였다. 그의 작업을 눈으로 확인하는 것이 이 책의 주된 작업이었다 해도 과언이 아닐 것이다. 그리고 진나이 히데노부의 책들도 큰 도움이 되었으며, 그의 작업으로부터도 적지 않은 정보를 취득했음을 여기에 밝힌다. 한편으로는 많은 사람들의 연구 결과에 의존하여 그 내용이 이차적인 성격에만 머무르지 않을까 염려스럽기도 하지만, 베네치아의 요소요소에 대해 다양한 정보를 체득한 후 독자적으로 연구하고 관찰한 내용을 서술하고자 노력했다. 그리고 도시 곳곳에 대한 여러 정보를 소개함과 동시에 나름의 관점과 논리를 더했다. 이러한 점에서 나는 이 책을 한국의 건축학자가 쓴 '베네치아 읽기'의 첫 작업이라는 데 감히 의미를 두고 싶다.

제1장

물의 도시 베네치아의 매력

베네치아의 독자성과 장소성

베네치아는 독특하면서도 화려하고, 문화적으로도 수준 높은 도시다. 아마 도시에 대한 관심이 있는 사람이라면 이것을 부정하지 않을 것이다. 베네치아는 이탈리아에서 피렌체(Firenze)와 쌍벽을 이루는 역사와 문화의 도시로서, 독자적이면서도 아름다운 도시환경을 형성해 왔다. 사방이 물로 둘러싸인 특이한 자연환경 속에서 오랜 기간 동안 번영을 구가해 온 베네치아는 매우 다채롭고 변화가 많으면서 유기적으로 조화된 밀도 높은 환경을 형성했다. 아름다운 공공건물들과 다양한 모습의 주택들이 광장, 길, 운하 등과 밀접한 관계를 가지면서 교묘하고도 치밀한 공간조직을 연출하고 있는데, 그 속에 담긴 풍요로운 시민의 삶의 모습이 이와 함께 어우러져 오래도록 우리의 흥미를 유발하고 있다.(도판 6, 7)

　　베네치아를 방문한 사람들은 물 위에 자리잡은 이 도시의 독특한 경관을 바라보면서 신기해하고, 감탄과 칭송을 아끼지 않는다. 베네치아는 유럽에서 사람들이 많이 찾는 도시 중의 하나인데, 오늘날은 물론이고 수백 년 전의 과거에도 그랬다. 1494년에 베네치아를 방문한 프랑스의 대사 필리프 드 코민(Philippe de Commynes)은 이렇게 말했다. "나는 이 도시의 위치와 엄청나

게 많은 교회의 종탑과 수도원, 그리고 거대한 건물들을 보고 놀라움을 금할 수 없는데, 더구나 이것들이 모두 물 위에 있다는 사실이 도무지 믿기지 않는다."7 또한 밀라노(Milano)의 성직자 피에트로 카솔라(Pietro Casola)는 이 도시를 보고, "이 세상에서 바다 위에 세워진 베네치아와 비교할 만한 도시는 없다"고 설파했다.8 베네치아에 매료된 사람들은 비단 이들뿐만이 아니었을 것이다. 베네치아를 방문하는 거의 모든 사람들은 도시의 독특한 환경에 강한 인상을 받는 동시에 이 도시가 발산하는 강력한 장소성에 매료되었을 것이다.

베네치아가 뛰어난 도시인 것은 비단 이곳이 아름다운 경관을 연출하기 때문만은 아니다. 베네치아는 아름다운 도시인 동시에 독특한 문화적 향기를 발산하는 도시이기도 하다. 피렌체와 로마에 이어서 르네상스 문화를 꽃피운 베네치아는, 비록 시기는 늦었지만 매우 독특한 문화를 형성했다. 베네치아는 피렌체와 로마에서 형성된 르네상스 문화를 그대로 이어가지 않고, 그것을 오리엔트 문화와 결합시켜, 15세기에서 16세기에 이르는 동안에는 유럽에서 가장 특이하면서도 수준 높은 문화를 창조해 갔다. 『뉴욕타임스』가 '인류 역사상 최고의 것'을 선정하면서 '최고의 시대'로 '15세기의 베네치아'를 꼽았을 정도로, 당시의 베네치아 공화국만큼 화려하고 수준 높은 문화를 자랑하면서도 이상과 열정, 그리고 책임감과 자긍심으로 넘쳤던 장소와 시대는 없었다.

이렇게 형성된 베네치아의 르네상스 문화는 이후 지속적으로 발전했으며, 그 결과 19세기 초반에 이르러 그곳은 명실공히 세계 문화의 중심지가 되었다. 이 도시에서는 음악·연극·미술·출판 등 다양한 예술활동이 활발하게 이루어졌고, 많은 예술가들이 동경하는 장소가 되었다. 셰익스피어와 괴테를 비롯한 수많은 문학가들은 그들의 작품이나 기행문을 통해 베네치아를 다루었으며, 유럽 각지에서 호사가들이 고급 문화를 찾아 이 도시로 몰려들었다. 일본의 작가 시오노 나나미(鹽野七生)의 말을 빌리면, 유럽의 호사가들에게 베네치아 여행은 그들이 진짜 교양있는 신사임을 자타가 공인하도록 하기 위해 반드시 필요한 체험이었다고 한다.9 이렇듯 베네치아는, 훗날 파리가 유럽 문화의 중심지가 되기 이전까지 신흥 엘리트들의 지적 상상력과 교훈의 원천이 되는 장소로서, 일종의 '문화적 성지'로 여겨졌다.

베네치아가 이렇게 수준 높고 독자적인 문화를 오랜 기간 유지할 수 있었

6. 하늘에서 내려다본 베네치아의 중심부와 대운하의 초입부.(p.34)
ⓒ Guido Rossi.

던 데에는 여러 가지 이유가 있다. 베네치아의 역사를 연구한 사람들은 그 이유를 돈과 자유, 그리고 강력한 진취성으로 요약한다. 한 지역에서 새로운 문화와 문명을 꽃피우려면 여러 가지 조건이 필요한데, 그 중에서 이것들은 필수불가결한 조건이다. 베네치아는 이 선결 조건들을 당연히 갖추었으며, 특히 진취성의 측면이 뛰어났다.

피렌체나 로마가 그들의 관심을 고대 그리스나 로마에 돌린 것과는 달리 베네치아는 특이하게도 동시대의 오리엔트를 향했다. 그것은 당시의 베네치아가 막강한 해상교역 국가로서 서양과 동양을 연결하는 매개 역할을 했기 때문에 가능했다. 오늘날 베네치아의 주요 운하를 따라서 자리하고 있는 건물들을 보면, 내륙 도시와는 완전히 다른 이국적인 면모를 물씬 풍기고 있다. 이는 베네치아가 오리엔트 즉 후세의 중동 및 북아프리카와 깊은 관계를 가지면서 그곳으로부터 많은 영향을 받았기 때문이다.

베네치아는 유럽에서도 가장 특이한 건축문화를 형성했다. 동양과 서양의 문화가 만나는 이곳에는 그리스·로마의 건축문화와 동양의 그것이 만나 서로 어우러지면서, 독특한 이국풍의 건축문화를 형성했다. 베네치아가 특이

7. 베네치아 중심부를 관통하는 대운하를 하늘에서 내려다본 모습.
ⓒ Guido Rossi.

8. 대운하를 향해 개방적인 파사드를 이루고 있는 베네치아 상류층의 저택.
많은 창과 개구부로 경쾌한 분위기를 연출하고 있다.

한 건축문화를 형성할 수 있었던 데에는 그 밖에도 여러 다양한 요인들이 작용했다. 물 위에 자리한 도시라는 특이한 지리적 조건, 시시각각 변하는 빛의 색과 양, 물이 연출하는 반사 효과 등 여러 자연적인 요인들과 더불어, 베네치아 공화국이 오랜 기간 유지했던 민주적 정치체제 또한 중요한 요인이었다. 그 결과 13세기 이후 베네치아의 건축은 여타의 유럽 도시들과는 전혀 다른 모습을 가지게 되었다.

유럽의 거의 모든 도시가 독재자의 지배하에서 난공불락의 성채를 쌓고 방어가 보장되는 육중하고 둔탁한 건축을 만드는 데 주력했던 반면, 베네치아의 지도자와 귀족들은 바다로 둘러싸인 천연의 요새와 같은 환경 속에서 개방된 로지아와 발코니를 가진 공공건물과 저택을 지었다. 그들은 건물에 넓은 창을 설치했고, 다양한 색채의 대리석으로 표면을 장식했으며, 정교하게 치장한 기둥과 아치로 한껏 멋을 부렸다.

베네치아의 건축문화는 비잔틴 양식의 영향을 강하게 받아 '베네치아풍의 비잔틴 양식(Veneto-Byzantine)'이 성행했는데, 이것이 이슬람의 건축문화와 고딕 양식의 영향으로 새롭게 변화했고, 여기에 '팔라디오(Palladio)풍'의 르네상스 양식과 바로크 양식까지 가미되면서 더욱 다채롭게 전개되었다.

베네치아의 주거지를 구성하고 있는 건축물들을 살펴보면 이탈리아의 다른 도시와 구별되는 많은 흥미로운 점을 발견할 수 있다. 대운하에 면해 있는 귀족 계층의 장대한 저택을 비롯해 상류층 주택들이 저마다의 화려한 자태를 뽐내고 있는데, 그 주변에는 나름대로 멋을 낸 중산층 주택과 소박한 서민주택들이 사이좋게 자리하고 있다. 주택들도 공공건축과 마찬가지로 역사의

9. 대운하를 향해 늘어선 상류층의 저택들. 1828년에 모레티(D. Moretti)가 제작한 판화 연작 〈베네치아 대운하의 조망(Prospetto del Canal Grande di Venezia)〉의 일부이다.

흐름에 따라서 다양한 모습을 연출해 왔으며, 오랜 기간 누적된 이러한 변화의 양상이 오늘날 도시의 다채로운 얼굴을 형성했다.(도판 9, 10)

베네치아 주택의 외관은 밝고 강렬한 색조와 더불어 많은 창과 개구부로 경쾌한 분위기를 연출한다. 연속된 아치로 화려하게 장식하여 독특하고 개방적인 모습을 지닌 파사드는 베네치아 주택들만의 특징이다.(도판 8)

주택의 공간구성 또한 이탈리아의 여타 도시들과 차별되는 독자적인 면을 보여준다. 전면은 운하에 면하고 후면은 육지에 면해 있는 독특한 공간구조는, 이곳에 '삼렬구성(三列構成)'이라는 새로운 평면형식을 가진 상류층 주거를 정착하게 했다.(도판 74 참조) 그리고 이들의 영향을 받은 중산층 및 서민층의 주택들도 나름대로의 독자적인 평면형식을 가지게 되었다. 이것이 우리가 베네치아의 주택에서 흥미롭게 들여다봐야 할 중요한 부분이다.

베네치아의 또 다른 매력은 이 도시가 지닌 특이한 공간구조에서 기인한다. 바다와 운하라는 자연환경과 긴밀하게 연계하면서 서서히 성장과 변화를 반복해 온 이곳은, 미로가 연속된 전형적인 유기적 도시의 특성을 보여준다.(도판 11)

베네치아는 로마 시대의 도시조직을 기반으로 성장한 도시가 아니다. 말하자면 처음부터 '계획'이라는 개념이 전혀 적용되지 않은 도시이며, 이러한 측면에서 피렌체를 비롯한 이탈리아의 주요 도시들과 구별된다.[10] 또한 베네치아는 황제와 귀족들이 그들의 권위와 통치를 위해서 세운 것이 아니라, 외적의 침략으로부터 피신한 주민들이 오로지 그들의 생존을 위해서 만든 도시다. 처음에는 작고 보잘것없던 정주지(定住地)가 오랜 기간 동안 성장하고 변화하면서 오늘날과 같은 독특하고 성숙한 도시의 모습을 갖추게 된 것이다.

도시의 성장 과정에서도 로마나 파리처럼 인위적인 도시계획이 적용된 적은 한번도 없었다. 따라서 베네치아는 중세도시의 면모를 그대로 간직하고 있

10. 라구나에서 바라본 산 마르코 광장과 팔라초 두칼레. 거대한 종탑이 도시 전체의 시각적 상징적 중심을 이루고 있다.(p.39)

는 아주 드문 사례 중의 하나다. 천 년이 넘는 세월 동안 서서히 성장해 온 베네치아는 일반인들에게 그저 이탈리아 최고의 관광도시로 알려져 있지만, 그 속에는 중세의 비밀과 수수께끼가 무수히 숨어 있다.

베네치아는 미궁의 도시다. 여기에서는 계획된 도시가 연출하는 축적(軸的) 직선적 조망을 발견할 수 없다. 또한 잘 짜여진 건축물들 사이의 관계나 공공장소들의 질서있는 관계도 잘 보이지 않는다. 이러한 측면 때문에 베네치아는, 미로들이 끊임없이 이어져 있는 이슬람 문화권의 도시들 즉 페스(Fes)·카이로(Cairo)·다마스쿠스(Damascus) 등 북아프리카와 중동의 유기적인 도시들과 비교된다.(도판 32 참조) 그러나 베네치아는 물 때문에 이런 도시들보다 훨씬 변화가 많고 아기자기하다. 막혔다가 갑자기 트이는 전망, 끊임없이 변화하면서 이어지는 도로, 비정형의 형상을 가진 광장, 음악의 리듬과 같이 연출된 건물의 파사드 등은 앞으로 눈앞에 무엇이 전개될지 예측할 수 없게 하는데, 이러한 것들이 사람들에게 무한한 흥미를 유발한다. 또한 밝음과 어두움, 물의 부드러움과 돌의 딱딱함, 푸른 창공과 화려한 색채의 건

11. 1729년에 바로니(G. Baroni)가 제작한 베네치아의 지도. 도로와 수로의 유기적인 조직을 잘 보여준다.

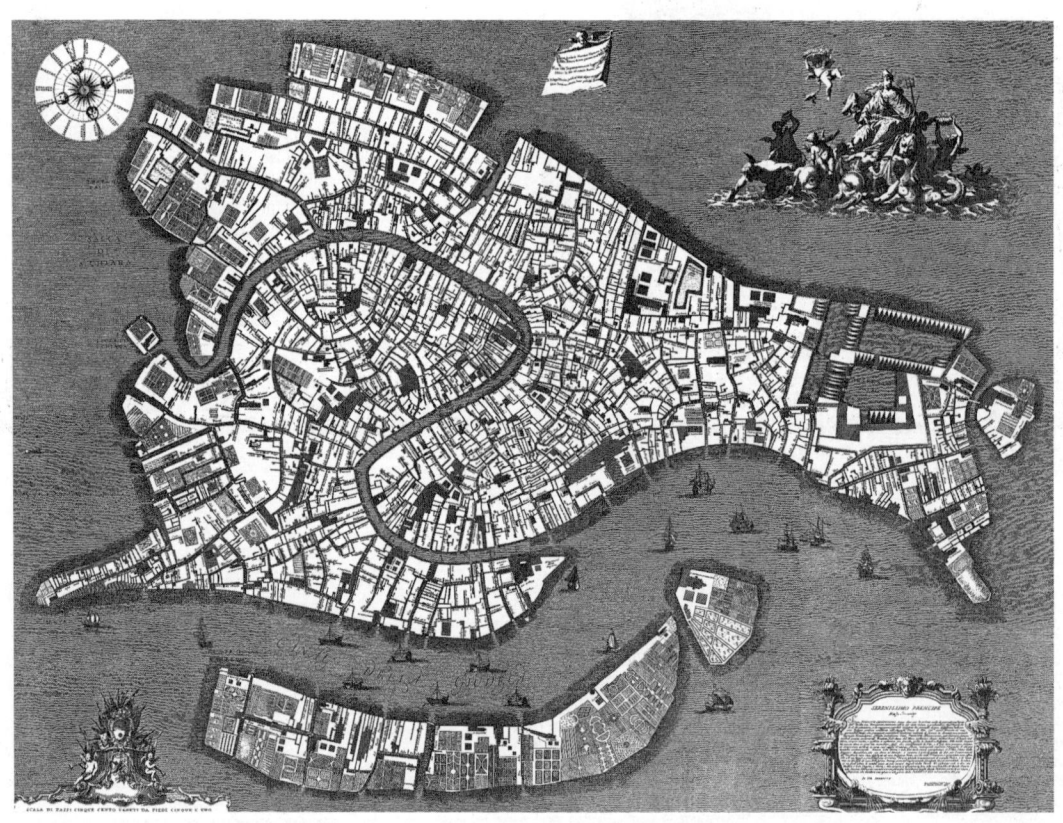

12. 1494년에 만수에티 (G. Mansueti)가 그린 〈산 리오 광장의 기적〉. 베네치아 건축의 다양한 외관과 화려한 색채감을 회화를 통해서도 볼 수 있다.

물 등, 이 도시는 극적인 대비와 총체적인 조화를 이루는 것들로 가득하다.(도판 12)

　베네치아를 매력적인 도시라 할 수 있는 또 다른 이유는, 이 도시에서는 기능과 조닝(zoning, 도시에서 건축공간을 용도와 법적 규제에 따라 나누어 배치하는 일)이라는 근대의 계획수법이 완전히 배제되어 있기 때문이다. 베네치아를 이루는 각 지구에는 주거·생산·소비·여가활동 등 인간생활의 여러 가지 양상이 섞여서 자리하고 있으므로, 근대 도시에서 볼 수 있는 기능적인 분화는 찾을 수 없다.

　계층에 따른 주거지의 분화 없이, 각 지구에는 각양각색의 계층이 섞여서 생활해 왔다. 이렇게 귀족부터 서민에 이르는 다양한 계층이 같은 지역에 함께 살아온 것은 베네치아만의 특이한 주서시 구성의 양상이있다. 또한 도시형성의 초기 단계부터 지리적으로 분리된 작은 섬들에 교구(敎區) 중심의 자립적 커뮤니티를 성립했기 때문에, 이곳에는 주거와 생산 등 일상생활에 필요한 모든 기능이 동시에 마련되었다. 특히 광장 주변에는 주민생활에 필요한 여러 가지 시설들이 자리잡았다. 이렇게 해서 생겨난 직주근집(職住近接)의 공간구조는 근대로 접어들면서 상당 부분 소멸되었지만, 오늘날에도 기본적인 성격은 대체로 유지되고 있다.

베네치아를 읽는 이유

이 시리즈에서 베네치아를 선정한 이유는 무엇일까. 이탈리아를 대상으로는 피렌체와 베네치아라는 두 도시를 선정했는데, 피렌체를 시리즈의 첫 대상으로 꼽은 이유는 이미 피렌체편에서 상세하게 언급했으며, 그 핵심만 추려 보면 다음과 같다. 피렌체는 서구 문화의 '근대성'이 시작된 동시에 빼어나게 아름다운 도시다. 그리고 무엇보다도 이 도시는 유럽 전체에서 도시주거 변천의 역사를 규명하는 데 가장 적절하다. 피렌체의 공간조직 속에는 고대 로마에서부터 근세에 이르는 긴 세월 동안 주거형식의 변천 과정이 누적되어 있기 때문에, 이탈리아뿐만 아니라 서양문화권 전체의 도시주거의 변화를 살펴보는 데 매우 좋은 대상이 된다. 한편 베네치아를 선정한 데에는 피렌체와는 전혀 다른 배경이 존재한다. 베네치아 역시 로마, 피렌체와 함께 이탈리아를 대표하는 도시이면서 르네상스 문화를 꽃피웠고, 동시에 그 자태도 빼어나게 아름답다. 그러나 '찬란한 문화'와 '아름다운 자태'는 단지 부수적인 이유에 불과할 뿐이며, 베네치아를 연구대상으로 선정한 주된 이유를 구체적으로 언급해 보면 다음과 같다.

첫번째로, 베네치아는 '서양에 위치한 동양의 도시'이기 때문이다. 베네치아를 흔히 '서방의 오리엔트 도시'라고까지 칭하는 학자도 있지만, 엄밀한 의미에서는 오리엔트의 색채가 매우 강한 서방의 도시임에 분명하다. 베네치아의 건축문화는 그리스와 로마를 바탕으로 하고 동양의 건축문화가 가미되었는데, 이렇게 한 도시에 서양과 동양의 건축문화가 섞여서 새로운 질서를 창출해낸 경우는 베네치아 이외에서는 찾기가 어렵다.

주거문화만을 놓고 볼 때, 동양과 서양은 개념과 형식에서 분명히 차별되는 성격을 가지고 있다. 동양의 주거문화는 주택의 중심에 마당이 있는 '중정형(中庭型) 주거문화'를 형성해 왔는데, 이것은 기후조건, 경제조건, 사회구조, 종교적 배경 등이 두루 작용한 것이다. 서양에서는 고대 그리스·로마의 경우에 중정형 주거문화를 형성했으나 중세로 진입하면서부터 전혀 새로운 주거문화가 시작되었고, 도로에 면해서 주택의 파사드를 형성한 '외정형(外庭型) 주거문화'가 시작되었다. 이것은 도시의 주요한 산업이 상업으로 변화하면서 생겨난 결과이며, 결국 서양의 주거문화는 동양과 완전하게 구별되었다.

그런데 동양의 영향을 강하게 받은 베네치아에는 특이하게도 주택의 내부에 마당이 있는 '중정형 주거문화'를 형성했다. 이와 동시에 '외정형 주거문화'의 성격도 가져서, 운하 또는 도로에 면해서 섬세하게 꾸며진 파사드를 형성한 주택들이 일반화했다. 따라서 베네치아는 동서양의 주거문화가 공존하는 도시로서, 주거문화와 도시문화의 중요한 연구대상으로 주목받게 되었다.

두번째는, 베네치아는 물 위에 형성된 도시로서 매우 독특한 환경적 조건을 가졌기 때문이다. 이러한 환경적 조건은 주택, 공공건축, 도시의 외부공간, 그리고 전체 공간구조 등 도시를 이루는 모든 부분에 작용했다. 결과적으로 주거의 형식이나 집합하는 방식, 도시의 공간구조에서 베네치아는 이탈리아의 다른 도시들과 완전히 달라지게 되었다.

물과 긴밀한 관계를 가질 수밖에 없는 상황 속에서 베네치아인들은 물과 공존하는 주택과 도시의 공간구조를 지혜롭게 생성해냈는데, 그것이 무수히 많은 변화를 만들어내면서 우리를 끊임없는 흥미의 세계로 이끌고 있다. 또한 이렇게 형성된 베네치아의 공간구조는 물과 인접한 도시생활의 낭만과 즐거움을 일깨워준다. 베네치아는 서구 문화권에 존재하면서도 동방의 미궁 도시와 같은 공간구조를 가졌으며, '물'이라는 낭만적 실체 때문에 그 변화의 양상과 공간의 유희가 증가되었다.

이렇게 변화와 흥미로 가득한 유기적인 공간구조는 근대건축의 교의(敎義)가 만들어낸 '기능성'과 정반대되는 속성이다. 20세기에 유행하던 기능성과 경제성에 바탕을 둔 도시계획이 힘을 잃어감에 따라 도시의 개성을 추구하고 질 높은 환경을 모색하기 시작했는데, 이러한 시점에서 베네치아는 더욱 주목받게 되었다. 수변(水邊) 공간의 재생과 창조는 전 세계적으로 도시설계에서 가장 중요한 테마의 하나로 부각되었고, 오늘날 우리나라에서도 도시와 주거지를 만드는 데 이것이 매우 중요한 과제가 되고 있다. 베네치아와 중국의 소주(蘇州) 같은 도시가 새롭게 관심의 대상으로 떠오르는 것은 이러한 측면에서 자연스러운 일이다.

세번째는, 베네치아는 매우 밀도가 높지만 그것을 지혜롭게 해결하고 있다는 점을 들 수 있다. 도시는 그 속성상 높은 밀도의 환경을 형성할 수밖에 없지만, 베네치아의 경우는 그 정도가 매우 심했다. 섬이라는 한정된 토지이용의 여건 속에서 무역업의 번성으로 많은 사람들이 모여들다 보니 정도 이상으로 고밀한 환경이 될 수밖에 없었는데, 베네치아인들은 이러한 문제에 지혜롭게 대처했다. 밀도가 높은 도시에서는 사적(私的) 생활의 충족과 공적(公的) 생활의 확립이라는 두 가지 요구에 대해서 균형을 이루어야 하는데, 베네치아인들은 '내 것'과 '공동의 것'을 적절히 구분하고 규정하는 데 수준 높은 해결책을 찾았던 것이다.

그들은 쓸 수 있는 공간이 작다고 해서 이를 모두 건물로 채우지 않았다. 공적 생활을 위한 영역을 과감히 확보하고, 그 밖의 공간들을 유효적절하게 나누어 개인의 공간들로 할애했다. 이탈리아의 어느 도시보다도 베네치아에 광장이 많은 점은 이 도시의 밀도를 감안한다면 매우 특이한 현상이라고 할 수 있다. 베네치아를 둘러보면 외부공간이 협소하다는 느낌이 들지 않고 오히려 공간의 크기와 종류에서 넉넉함이 넘쳐흐른다는 생각이 든다. 다양한 크기의 광장들이 곳곳에 산재하는 동시에 크고 작은 도로와 운하들이 이를 연결하고 있으며, 매우 다채로운 공간들이 펼쳐져 있다.

한편, 주택지 내부를 살펴보면 공간이 낭비되는 곳이 거의 없다. 주택들이 서로 집합하는 방식, 채광과 통풍을 해결하는 방식, 사생활을 보장하면서도 수직·수평으로 공간을 분할하는 방식, 개개 주택으로 진입하는 방식 등 모든 측면에서 베네치아인들은 효율성을 추구했다. 그런데 그들은 이러한 효율성과 함께 여러 조건에 유연하게 대응하는 탄력성 또한 추구했으며, 이 때문에 협소함 속에서 풍요로움을 성취할 수 있었던 것이다. 밀도의 문제에 대해서 너무나도 단순하고 기계적인 방법으로 대처하는 오늘날의 도시를 보면, 베네치아인들이 공간을 운용하는 방식은 우리에게 많은 교훈을 준다. 따라서 이러한 측면에서도 분명 베네치아는 도시·주거 읽기 작업의 대상이 될 수 있는 것이다.

이 책에서 나는 베네치아를 대상으로 크게 네 덩어리의 이야기를 전개하려고 한다. 첫번째는 도시의 성립과 확장 과정, 그리고 그 공간구조에 관한 이야기다. 베네치아가 물 위에 어떻게 세워졌는지, 어떻게 영토를 넓혀 나갔는지, 어떻게 전성기를 구가했는지에 관한 내용과, 도시의 발전 과정에서 오리엔트 문화와 어떤 교류를 했으며, 그 결과 오리엔트 문화가 베네치아에 어떻게 스며들었는지를 살펴볼 것이다. 그리고 이 도시가 지닌 특이한 공간구조에 관해 다루면서, 베네치아 특유의 다핵적(多核的) 공간구조와 도시의 종교적 정치적 경제적 중심을 이루는 세 곳의 중심공간에 관해 이야기하려 한다.

두번째는 주거유형의 변화와 주거지역에 관한 이야기다. 베네치아의 주택은 비잔틴 시대에서 바로크 시대에 이르는 기간 동안 다양한 변화를 지속해 왔는데, 도시 안의 많은 주거지역에는 각 시기의 주택들이 섞여 자리하면서 독특한 공간구조를 형성하고 있다. 이 책에서는 그 중 몇 곳을 선정해서 구체적으로 살펴보려고 한다. 세번째는 도시의 상류층 주택에 관한 이야기다. 이는 주로 대운하에 면한 팔라초들에 관한 내용이며, 그 형식적인 특성과 다양한 모습에 대해 이야기할 것이다. 네번째는 보통 사람들의 주택에 관한 이야기다. 언급한 대로, 베네치아는 밀도 높은 주거환경 속에서 중산층과 서민층의 주택들이 여러 가지 모습으로 자리하고 있는데, 그 존재방식이 특이하고 흥미롭다. 따라서 이를 대상으로 주택의 다양성과 집합 방식, 그리고 그곳에서 일어나는 삶의 모습들을 이야기하려 한다.

제2장

베네치아의 성립과 발전

라구나 속에 형성된 베네치아

지리학적인 관점에서 본다면 라구나(lagoona, 석호(潟湖))는 매우 특이한 환경을 형성하고 있다. 우리나라의 서해안처럼 완만한 개펄로 조성된 지역이 라구나가 형성될 수 있는 적합한 지역인데, 전 세계적으로 라구나를 발견하기는 그리 쉽지 않다. 라구나는 육지로부터는 담수(淡水)가, 외해(外海)로부터는 해수(海水)가 흘러 들어오는 완만한 개펄지대로서, 우리말로 풀이한다면 '경사가 매우 완만한 개펄지대' 또는 '소택지(沼澤地)'가 적절할 것이다. 라구나는 바다와 육지 사이의 경계를 매우 애매하게 만들어, 밀물 때에는 물에 잠겨 있다가 썰물 때에는 물 위로 드러나므로 바다인지 육지인지 구분하기가 어렵다. 그리고 보통 땅에 굴곡이 있어서 썰물 때에는 물길이 있는 개펄을 형성하다가 밀물 때에는 수면이 넓게 펼쳐진 곳에 크고 작은 섬들을 만들어낸다. 따라서 라구나는 시간에 따라 변화가 많고 다채로운 경관을 연출한다.(도판 13)

아드리아해(Adriatic Sea) 북부 연안에는 하천으로부터 흘러온 토사와 바다로부터 밀려드는 파도의 작용으로 인해 여러 곳에 라구나가 형성되어 있는데, 그 중 하나가 바로 베네치아의 라구나이다. 그런데 베네치아의 라구나는

13. 베네치아를 감싸고 있는, 경사가 완만한 개펄지대인 라구나. 야코포 데 바르바리(Jacopo de' Barbari)가 그린 〈1500년의 베네치아(VENETIE MD)〉의 일부분이다.

다른 곳의 라구나와는 달리 특이한 공간구조를 형성하고 있다. 즉 해안선이 육지를 향해서 움푹 들어가서, 마치 항아리의 내부처럼 아늑하게 둘러싸인 환경을 형성하고 있는 것이다. 더욱이 내해(內海)인 라구나와 외해를 경계짓는 접합부에는 육지로부터 연장되어 돌출된 갑(岬)들이 남북으로 자리하고, 또한 이것과 연이어 형성된 길고 가느다란 모래섬들이 연속해서 자리잡고 있다.(도판 14) 마치 조각난 리본처럼 길게 이어진 이 선형의 섬들은 육지에서 운반된 토사와 파도에 밀려온 모래가 퇴적되어 거친 바다로부터 라구나를 보호하는 천혜의 환경을 형성했다.

베네치아가 라구나 위에 형성되었다는 사실은 베네치아의 역사에서 긍정적인 면과 부정적인 면을 동시에 가지고 있다. 우선 긍정적인 면을 든다면, 라구나는 방어를 위한 천혜의 조건을 제공한다는 점이다. 수심이 얕게 형성된 라구나에서는 그곳의 지리에 익숙한 주민들만이 배의 통행이 가능한 곳을 알고 있으므로 외부의 침입자가 주변으로 접근하는 것 자체가 어려웠다. 설사 항해에 능숙한 사람들이라 해도 라구나 속에 미로처럼 얽혀 있는 수로들을 모두 인지해내는 것은 거의 불가능했다. 그리고 라구나는 베네치아인들에게 생활의 기반을 제공했다. 육지와 바다에 동시에 접해 있는 라구나에서 베네치아인들은 바다로부터 물고기를 얻고, 육지로부터 짐승을 사냥해 고기를 얻고, 섬에서는 농사를 지어 곡식을 거두어들였다. 물론 소금도 풍부하게 얻을 수 있었다.

그러나 라구나는 이런 좋은 측면만 있는 것은 아니었다. 어느 시대를 막론하고 베네치아는 외부로부터 밀려드는 예측불허의 위협에 대응해야 했다. 베네치아 주민들은 해일의 피해와 높은 파도의 기습에 끊임없이 시달렸다. 또한 하천과 바다로부터 흘러 들어온 토사와 모래가 운하에 퇴적되어 배의 운항을 방해했기 때문에 퇴적물과의 투쟁도 베네치아인들에게는 큰 일거리였다.

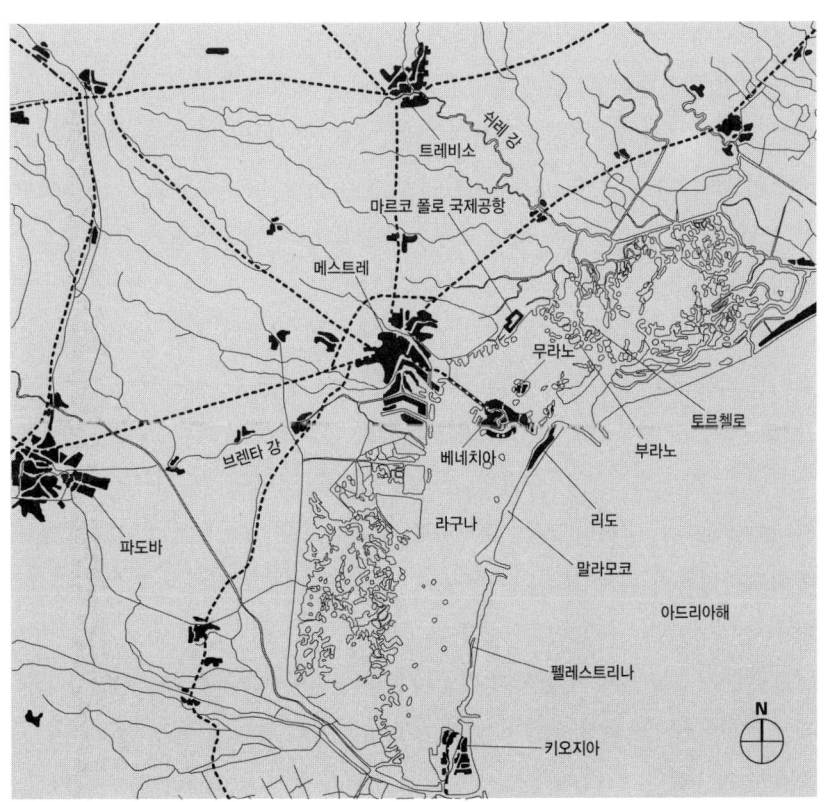

14. 베네치아와 그 주변지역. 길게 이어진 선형의 섬들은 거친 바다로부터 라구나를 보호하고 있다.
── 하천, 운하.
---- 철도.

베네치아의 역사에서 그 근원이 언제인지는 분명하지 않다. 일부 학자들은 이 도시가 현재까지 알려진 것보다 훨씬 긴 역사를 지니고 있다고 주장하지만, 기록으로 입증되지는 않았다. 실제로 초기 베네치아의 역사는 '존재하지 않는 도시의 역사' 라고 하는 편이 적절할 것이다.

지금의 베네치아 주변지역은 로마 시대에 '베네티아(Venetia)' 로 불렸다. 로마 제국을 설립한 아우구스투스(Augustus) 황제는 이탈리아 반도 내의 영토를 여러 곳으로 나누어 주(州)로 지정했는데, 베네티아도 그 중의 하나였다. 베네티아라는 주의 명칭은 로마 이전의 고대 민족인 베네티(Veneti)족에서 유래했다. 베네티아는 어디까지나 대부분이 육지로 이루어진 주였으므로, 라구나에는 농장 겸 피서용의 커다란 빌라(villa) 즉 별장들을 건설했던 것으로 추정한다. 이것은 최근의 고고학적 발굴에서도 밝혀진 사실이다. 당시에는 바다로 뻗은 모래땅이나 라구나 내부의 섬들을 그다지 중요하게 여기지 않았고, 그곳에는 어부나 농부들이 거주했을 뿐이었다. 그러나 당시에도 염전만은 국가에서 중요하게 생각했기 때문에 이곳에 있는 염전은 국가가 직접 관리했다.

라구나 내부에 있는 섬들은 외부로부터 접근이 용이하지 않았으므로 5세기 게르만족의 대이동, 로마 제국의 붕괴 등 혼란한 시기에는 시시때때로 피난지로 활용되었다. 로마 제국시대 말기 이후 이탈리아 반도를 빈번하게 침범했던 서고트족·훈족·반달족 등이 반도를 침입하면, 피난이 가능한 사람들은 일시적으로 라구나로 도망쳤다가 동란이 끝나면 다시 원래 살던 곳으로 돌아오곤 했다.

사람들이 라구나에 거주할 목적으로 이주하기 시작한 것은 569년 롬바르디아(Lombardia)족이 침입한 때였다. 롬바르디아족은 군사력이 우월한 민족으로서 단순히 침략자로 반도를 침입한 것이 아니라 이탈리아 반도를 지배할 목적이었는데, 그러한 이유에서 왕국의 수도를 북이탈리아의 중앙에 있는 파비아(Pavia)로 정했다. 당시 라구나는 경제적으로 중요성이 떨어졌던 탓에 롬바르디아족이 영토 확장을 지속하는 과정에서도 그 지배를 면할 수 있었다.

사람들은 적의 침입을 피해서 라구나로 피난했는데, 라구나라고 해도 육지와 가까운 쪽은 안전하지 않았기 때문에 육지에서 멀리 떨어진 라구나의 중앙으로 이주했다. 그리하여 육지와 다소 가까운 토르첼로(Torcello)나 부라노

(Burano) 섬에는 북쪽으로부터 도망쳐 온 사람들이 살게 되었고, 외해에 면한 좁고 긴 섬에 있는 펠레스트리나(Pellestrina)와 말라모코(Malamocco)에는 서쪽으로부터 이주해 온 사람들이 살게 되었다.(도판 14 참조)

오늘날 베네치아 시가지의 중심이 되는 리알토(Rialto)에 사람들이 본격적으로 거주한 것은 이로부터 이백오십 년이 지난 이후의 일이었다. 육지에 살던 사람들이 라구나로 이주하여 산 기간은 육십 년 이상 지속되었는데, 교회나 행정기구도 육지를 떠나 라구나로 이주했다. 말하자면 작지만 소박한 나라를 설립했다는 의미가 된다. 그러나 이 시대에 있었던 라구나의 거주지는 시간의 흐름에 따라서 그 흔적이 사라져 버렸고, 오늘날 남아 있는 것은 아무것도 없다.

이 당시에 형성된 정주지의 모습에 대해서도 자세한 기록으로 남아 있는 것은 없다. 537년에 로마 제국의 장교 카시오도루스(Cassiodorus)는, 당시 어민들의 주거를 바다에 있는 새 둥지에 비유하여 "어떤 때는 바다 위에, 그리고 어떤 때는 땅 위에 있는 집"으로 묘사했으며, 베네치아인들은 "고기 밖에 풍부한 것이 없으므로, 부자도 가난한 자도 구분 없이 서로 평등하게 함께 살고 있다"고 기록했다.[11]

초기 라구나의 개펄지대에 거주하던 주민들의 집은 나무로 만든 오두막이었는데, 바닥을 기둥으로 떠받쳐 밀물 때 물이 차올라도 안전하도록 구축했다. 그리고 파도로부터 안전할 수 있게끔 다소 높은 지대의 모래땅에 자갈로 기초를 다져서 주택을 직접 지었다. 이렇게 지은 집은 웬만큼 높은 파도에도 안전했다. 당시에는 교회도 대부분 목조로 구축했다. 이렇게 형성된 주거지는 우선 보기에는 엉성했지만 땅을 높이 돋우고 수로를 파서 배수를 원활하게 하는 등 안전한 주거지를 만들기 위해 여러 가지 수단이 동원되었다.(도판 15)

라구나에 형성된 이 작은 나라는, 라벤나(Ravenna)에 거점을 두고 이탈리아를 지배한 동로마 제국의 형식적인 속국이 되었다. 당시의 지배는 매우 느슨해서 명목상의 지배에 지나지 않았을 뿐 사실 독립국가나 다름없었다. 이 작은 나라가 실질적인 독립을 유지할 수 있었던 것은 물자의 수송을 맡겨도 좋을 정도의 배와 숙련된 선원들이 있었기 때문이었다.

세월이 지남에 따라서 배도 커지고 그 수도 증대했으며, 선원들도 더욱 숙련되었다. 처음에는 소금과 생활필수품 정도를 거래하던 라구나의 거주민들

15. 16세기에 크리스토포로 사바디니(Cristoforo Sabbadini)가 제작한 문헌에 실려 있는 그림으로, 이주 초기에 라구나 주변지역에 정착한 주민들의 주거환경을 상상하여 그린 것이다.

은 점차 거래 품목을 늘려 갔고, 조금씩 이탈리아 내부의 하상(河上) 교역에서 중요한 위치를 차지하기 시작했다. 또한 몇 차례에 걸쳐 본토로부터 이주해 와 인구도 증가했다. 사제를 중심으로 교구(敎區)를 형성해 모여 살고 있던 사람들은 그것을 통합할 공동체를 필요로 했으며, 또 그들을 이끌 우두머리가 필요했다. 그리하여 697년에 베네치아인들은 처음으로 주민투표에 의해서 국가원수 즉 '도제(doge)'를 선출했다. 베네치아의 지도자를 칭하는 'doge'의 어원은 라틴어의 'dux'로서 '지도자(leader)'를 뜻한다. 이는 곧 선거에 의한 선출방식과 종신관리직의 성격을 갖춘 지도자 선출제도의 첫 출발이었다. 난민에 의해서 성립된 이 조그마한 나라도 조금씩 국가로서 형태를 갖추기 시작한 것이다. 이 제도는 1797년에 베네치아 공화국이 붕괴될 때까지 지속되었다.

베네치아 공화국의 성립

베네치아는 9세기 초반에 이르러 국가의 존망이 걸린 중대사에 직면하게 된다. 800년 크리스마스 밤에 프랑크족의 왕 샤를마뉴(Charlemagne)는 로마 교황에 의해 신성 로마 제국의 황제로 대관(戴冠)했다. 고대 로마 제국의 후계자라고 자임하던 신성 로마 제국 황제의 영토에는 당연히 이탈리아 전역도 포함되었다. 샤를마뉴의 아버지 페팽(Pepin)은 베네치아에게 비잔틴 제국의 지배에서 벗어나 자기 지배 아래로 들어오라고 요구했으나, 당시 베네치아는 이 명령을 거절했다. 베네치아로서는 형식상의 지배로 만족하면서 통상의 자유를 침해하지 않는 비잔틴 제국 아래에 있는 것이 편했기 때문이었다.

810년에 페팽은 배를 건조하여 라구나를 침공했다. 그 동안 고트족도, 롬바르디아족도, 그리고 비잔틴 제국조차도 침략하지 않았던 라구나를 향해 과감하게 침공을 감행했던 것이다. 페팽의 군사는 당시 베네치아의 중심 거점인 말라모코로 들이닥쳤다. 그러나 베네치아인들은 말라모코를 완전히 비우고 라구나의 소택지대로 피해 버렸다. 그들은 배가 통행할 수 있는 장소를 표시하기 위해 바다 속 여기저기에 세워 두었던 말뚝을 전부 뽑아 버렸다. 도망친 베네치아인들을 섬멸하기 위해 소택지대 안쪽으로 배를 몰아 들어간 페팽의 군사들은 밀물이 들자 길을 잃었고, 배들이 모두 개펄에 박히면서 베네치아인들에게 무참히 당하고 말았다. 베네치아인들이 외부 군대와 행한 첫 번째 싸움은 이렇게 대승리로 끝을 맺었다.[12]

페팽의 침공을 계기로 810년에 베네치아인들은 수도를 말라모코에서 적의 침략이 어려운 리알토 군도(群島) 즉 당시의 리보 알토(Rivo Alto)로 이동하기로 결정했다. 리보 알토는 지금의 산 마르코 광장(Piazza San Marco)에서 리알토 다리까지 이르는 일련의 섬들을 지칭한다.

말라모코는 프랑크족의 침략이 실증했듯이, 국토 방위에 결정적인 결함을 가지고 있었다. 첫째는 아드리아해에 직접 면해 있어서 적이 함대를 편성하고 공격해 올 경우 쉽게 함락될 수 있었다. 둘째는 적이 라구나 남쪽의 돌출된 땅 키오지아(Chioggia)를 함락시키기만 하면 육지를 따라 공격해 올 수가 있었다. 키오지아와 육지 사이에는 밀물 때만 수로가 생겨서 육지와 차단되었을 뿐이었다.(도판 14 참조)

당시 리보 알토는 라구나의 다른 곳에 비하면 훨씬 외진 곳이었고, 어부들만 살고 있었다. 베네치아인들이 이곳을 새로운 거점으로 잡았다는 것은, 국가가 처음부터 완전히 다시 시작되었음을 의미한다. 그들이 이렇게 과감한 결정을 내린 이유는 리보 알토가 두 가지의 커다란 이점을 가지고 있었기 때문이었다. 첫째는 개펄 한가운데 위치하고 있었기 때문에 육지로부터 가장 멀리 떨어져 있다는 점이고, 둘째는 소택지대에 있으므로 외해와 직접 접해 있지 않다는 점이다. 이곳은 안전한 땅인 동시에 리도(Lido) 섬의 수로를 항

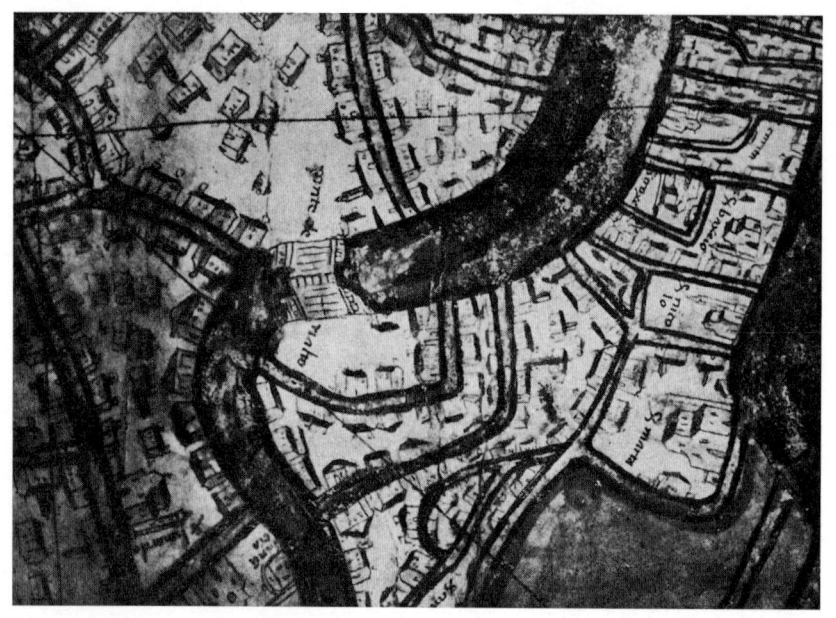

16. 베네치아가 형성되던 초기의 도시공간과 구성 패턴. 16세기에 그려진 것으로 추정되는 이 그림은 리알토 다리와 그 주변부에 형성되어 있던 기초적인 공간구성을 보여준다.

구의 입구처럼 정비만 하면 장소에 따라서 대형 선박도 바짝 댈 수 있었다. 따라서 강력한 해군만 있으면 적의 습격을 얼마든지 막을 수 있었으며, 선박에 의한 교역도 장래성이 있는 최적의 장소였던 것이다.

이렇게 공화국의 중심부를 리알토로 옮긴 것이 810년이었는데, 이때부터 베네치아는 본격적으로 성장하기 시작했다. 따라서 810년을 베네치아 공화국이 공식적으로 탄생한 해로 보는 것이 옳다. 당시 10대 국가원수인 아넬로 파르테치파치오(Agnello Partecipazio)가 선두에 나서서 나라 전체를 옮기는 이주를 감행했으며, 이를 계기로 베네치아인들은 본격적으로 안전하고 강건한 나라를 만들기 시작했다. 그들은 적의 침략에 대비했고, 미래의 발전을 위해서 여러 가지 어려움에도 불구하고 이곳에 배수진을 쳤다.

이렇게 해서 베네치아는 오늘날의 위치에 건설될 수 있었다. 20세기에 들어와서 철도가 부설되어 본토와 연결되기까지 이곳은 어디를 가더라도 배로 갈 수밖에 없는, 그야말로 바다에 떠 있는 세계 유일의 도시였다. 행정의 거점을 리보 알토로 이전했을 당시 원수 아넬로 파르테치파치오는 오늘날의 팔라초 두칼레(Palazzo Ducale) 즉 원수 공관이 건축된 자리를 자신의 거주지로 선택했다. 이곳에서는 라구나 전체를 한눈에 바라볼 수 있으며, 베네치아에서 리도 섬에 이르는 전 수역을 관망할 수 있기 때문에 라구나에서 발생하는 모든 일을 한눈에 파악할 수 있는 요지였다.

본격적으로 도시가 성립되기 시작한 9세기초만 해도 베네치아의 모습은 매우 소박했다. 이때는 체계적인 간척과 인공토지의 조성사업이 활발하게 진행되지 않아서 오늘날과 같이 운하가 도시 곳곳을 연결하는 수운(水運) 체계를 확립하지 못했다. 다만 여러 섬 사이를 배가 자주 오고 다녔으므로 배를 정박하는 하안(河岸) 주변은 어느 정도 정비되어 있었다.

대다수의 주택은 목조 주택이었는데, 그것도 짚으로 지붕을 이은 초가집이었다. 당시 주택이 어떻게 자리했는가에 대해서는 정확히 알 수가 없지만, 도판 16과 같이 비교적 오래된 자료를 통해서 그 모습을 대강 추정할 수 있다. 우선 운하에 면해서 주택들이 자리잡고, 점차 섬 내부로 건물이 들어서는 양상으로 교구가 구성되었던 것으로 유추한다. 그리고 교구 단위로 이루어진 종교적 커뮤니티가 불완전하게나마 형성되었고, 이러한 커뮤니티의 구성 체계가 이후에도 계속 이어지면서 베네치아 공간구조의 근간을 이루었다.

당시에는 내륙의 유력가 집안이 섬을 하나씩 차지했는데, 교회를 중심으로 해서 주택들이 그 주변에 옹기종기 자리잡는 모습으로 정주지가 형성되었다. 당시의 교회 또한 목조로 지었으며, 기록에 의하면 초기 교회 중 하나였던 산 살바토레 교회(Chiesa di San Salvatore)는 1365년에 이르기까지 지붕이 짚으로 덮여 있었다고 한다. 도시의 가장 중요한 공공건축물이었던 원수의 공관과 산 마르코 성당만은 벽돌과 돌로 지었다.

운하와 인공지반의 건설을 통한 도시의 확장

리알토 군도를 근거지로 발전의 기틀을 마련한 베네치아는 계속해서 도시의 영역을 확장해 나갔다. 이러한 도시의 확장사업은 최근까지도 꾸준히 지속해 온 작업인데, 베네치아인들은 섬 주변의 소택지를 매립해서 인공지반을 만들고 그것을 이어 나가는 작업을 통해 단계적으로 영토를 확장했다.

도판 17은 영토 확장의 단계를 보여주는 그림이다. Ⓐ로 표시한 부분은 이 지역에 어부들이 모여서 정주지를 형성하기 시작한 7세기의 영역을 보여준다. 이것은 당시에 세웠던 초기 교회의 위치를 바탕으로 추정한 것이다. Ⓑ로 표시한 부분은 도시의 중심지를 말라모코에서 리알토로 옮긴 9세기 무렵의 영역을 보여준다. 그리고 Ⓒ로 표시한 지역은 11세기의 도시영역인데, 이때에 이르러 뒤집힌 S자로 휘어진 대운하가 그 체계를 완전히 갖추었다. Ⓓ로

표시한 영역은 12세기 중반에 상당히 확장된 도시의 영역을 보여준다. 오늘날의 베네치아와 비교해 보면 도시의 주요한 부분은 대부분 이때의 도시영역에 포함되어 있다. 그리고 Ⓔ로 표시한 영역은 15세기말의 도시영역이며, 도시의 형성이 거의 완료된 상태라는 것을 알 수 있다.

 베네치아의 발전 과정을 설명하기 위해서는 우선 운하와 인공지반을 조성한 이유와 그 과정에 대해서 언급할 필요가 있다. 베네치아의 운하는 자연의 힘에 순응하면서 도시를 적절히 운영하기 위해 지혜롭게 고안해낸 장치라고 할 수 있다. 운하는 뱃길 용도가 아니라 물길이라는 의미로 만들기 시작했다. 물론 배가 다니기는 하지만 우선은 물을 통과시키기 위한 것이었다.

 베네치아가 건설된 땅은 개펄 가운데 위치했기 때문에, 바다의 간만(干滿) 즉 밀물과 썰물에 신경을 써야만 했다. 만약 베네치아가 지금처럼 운하에 의해서 무수히 나뉘지 않고 전체를 매립해서 통합했다면 이 도시는 어떻게 되었을까. 아마 수시로 물에 잠겨서 사람이 살 수 없는 도시가 되었을 것이다. 그리고 큰비가 내리면 육지에서 급하게 흘러 들어오는 강물이 바다의 밀물과 만나면서, 그럴 때마다 도시는 물에 잠겼을 것이다. 그리하여 강의 흐름과 바닷물의 간만 관계를 면밀히 고려해서 필요하다고 생각되는 곳에 운하를 설치한 결과, 마치 실핏줄이 온몸에 퍼지듯이 도시 곳곳에 운하가 지나가게 되었다.

18. 베네치아의 곳곳을 마치 실핏줄처럼 관통하는 작은 운하 리오.(p.57)

17. 베네치아의 영토 확장 단계.
Ⓐ ■ 7세기의 영역.
Ⓑ ■ 9세기의 영역.
Ⓒ ■ 11세기의 영역.
Ⓓ ▨ 12세기 중반의 영역.
Ⓔ ▦ 15세기말의 영역.
☐ 오늘날의 영역.

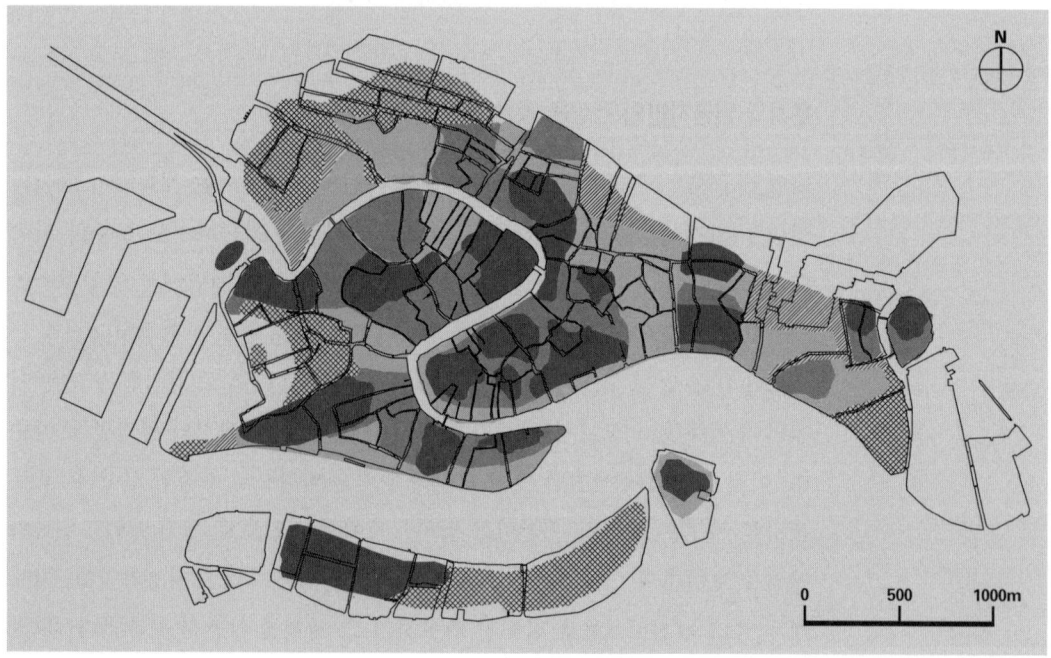

베네치아에 있는 대부분의 운하는 '새로 만들었다'기보다는 '이미 있던 물길을 드러냈다'고 말하는 것이 더 적절하다. 말하자면 운하 이전에 수로가 먼저 있었고, 이것을 손질하여 인공적인 운하를 만들었음을 뜻한다. 섬과 섬 사이 또는 간석지와 간석지 사이를 흐르는 자연상태의 수로를, 그 모양을 크게 바꾸지 않고 양쪽을 말뚝과 돌로 다져서 튼튼한 인공수로를 조성했다. 베네치아의 운하들이 복잡한 선형(線形)인 것은 바로 이 때문이다.

베네치아에서는 운하를 부르는 용어가 특이하다. 배를 통과시키기 위해서 만든 운하를 뜻하는 이탈리아어는 '카날레(canale)'이지만, 베네치아에서는 운하를 보통 '리오(rio)'라고 부른다. '리오'는 '작은 강'이라는 뜻인데, 베네치아 곳곳을 지나가는 운하들은 모두 리오라는 명칭이 붙어 있다.(도판 18) 대운하인 카날 그란데(Canal Grande)와 그 밖의 비교적 큰 두 운하를 제외하면 카날레라는 용어는 사용하지 않는다. 이러한 점에서 대부분의 운하가 원래는 수로였음을 알 수 있다.

19. 18세기 중반 그레벰브로크(G. Grevembroch)가 그린 수채화 연작에 묘사된 베네치아인들의 말뚝박기 작업. 저습지를 건물을 세울 수 있는 단단한 인공지반으로 만들기 위한 기초 작업이었다.

운하를 조성하는 일과 인공지반을 조성하는 일은 분리될 수 없었다. 인공지반을 구축하는 것은 삶의 터를 만드는 동시에 좁은 영토를 확장하는 일이기도 했다. 그런데 저습지를 건물을 세울 수 있는 단단한 인공지반으로 바꾸는 일은 쉬운 일이 아니었다. 인공지반을 조성하는 독특한 방법을 고안해낸 것은 베네치아인들의 노력과 지혜의 결실이었다. 그들은 연약한 땅속 깊이 무수히 많은 말뚝을 박아서 튼튼한 기초를 만들었다. 단단한 재질의 목재를 골라서 끝을 뾰족하게 만든 다음 특히 건물의 벽과 기둥 밑, 그리고 운하에 면한 부분에 집중적으로 깊숙이 박았다.(도판 19)

말뚝박기가 끝나면 그 위에 목재 들보를 두 겹으로 가설하여 건물의 기초를 튼튼하게 조성했고, 그 위에 돌이나 벽돌을 몇 겹이고 쌓아서 건물의 하부를 조성했다. 이때 원칙적으로는 바닷물에 강한 돌 즉 이스트라 반도(Istra Peninsula, 아드리아해 북단에 있는 반도)에서 나는 석재를 사용했는데, 벽돌을 섞어서 사용하기도 했다.(도판 20) 건물의 기초는 물론이고 하안을 조성하는 데에도 이러한 방법을 사용했다.

인공지반의 조성은 많은 사람들이 이곳으로 이주하여 도시를 확장했던 9세기에서 12세기 사이에 대부분 이루어졌다. 이렇게 개펄지대에서 시행된 인공지반의 조성은 개개의 가족이 간단히 할 수 있는 일은 아니었다. 어디까지나 집단의 힘을 동원해야 가능했기 때문에 당시에는 교구를 중심으로 이 작업을 진행했다.[13] 물론 도시가 건설되던 초기인 9세기부터 이렇게 견고한 지반을 조성했던 것은 아니었다. 당시에는 주로 목조로 건물을 구축했기 때문에 건물의 기초가 되는 석재의 층이 훨씬 얇았다. 아마도 완벽한 지반의 조성은, 화재의 위험 때문에 대부분의 건물을 벽돌이나 돌로 짓게 된 14세기 이후부터 시행했을 것으로 생각한다.

베네치아는 마치 사막의 오아시스처럼 개펄지대의 한가운데 위치한 도시라서 인공지반을 조성하고 건물을 짓는 데 필요한 자재를 도시 안에서 조달할 수 없었다. 도시 안에서는 나무 한 조각, 벽돌 한 장도 구할 수 없었고, 구할 수 있는 유일한 재료는 바다에서 나오는 진흙뿐이었다. 따라서 건축에 필요한 모든 재료는 외부로부터 수입해서 써야 했다.

한편 다행히도 베네치아는 건물을 구축하는 데 중요한 두 가지 이점을 가지고 있었다. 첫째는, 도시가 물로 둘러싸여 있어서 외부의 침입에 대한 건물의 안전이 이미 보장되었다는 점이다. 베네치아는 피렌체와 달리 건물을 구축할 때 방어의 문제에 신경 쓸 필요가 없었다. 따라서 건물의 모양과 외관을 훨씬 자유롭고 개방적으로 구성할 수 있었다. 또한 건물을 육중하게 구축하

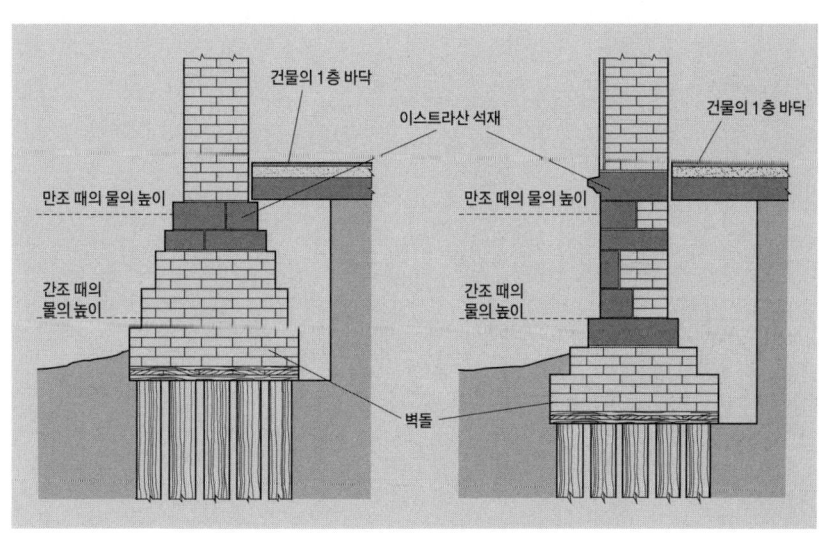

20. 베네치아에서 건물의 하부를 구축하는 두 가지 방법. 왼쪽은 건물 아래에 벽돌을 두껍게 쌓는 방법이고, 오른쪽은 돌과 벽돌을 섞어서 쌓는 방법이다.

지 않고 가볍고 경쾌하게 지음으로써 건축재료를 아낄 수 있었다. 둘째는, 베네치아의 경우 해상운송이라는 수단을 이용해 많은 양의 건축재료를 쉽게 운반할 수 있었다. 중세와 르네상스 시대에는 우마차와 같은 육상의 운송 수단 보다는 배를 이용하는 것이 많은 물건을 실어 나르는 데 훨씬 유리했다. 돌은 이스트라 반도에서, 벽돌은 육지 곳곳에서, 그리고 목재는 주로 프리울리 (Friuli, 이탈리아 최동북부에 있는 지역)에서 가져왔는데, 모두 화물선을 이용해 쉽고 간편하게 운반할 수 있었다.

베네치아 공화국의 전성기

11세기에서 15세기에 이르는 기간은 베네치아 공화국이 본격적으로 발전하던 시기였다. 그리고 그 발전의 속도와 힘은 강력했다. 베네치아는 9세기 이후 서서히 그리고 지속적으로 발전했는데, 11세기에 들어오면서 아드리아해의 제해권(制海權)을 획득하고 해양교역의 시대를 열어 갔다. 이후에는 활발한 상업활동과 강력한 해군력을 바탕으로 지중해의 패권을 거머쥔 강력한 도시국가로 성장했다.

21. 1202년에 지오바네(P. Giovane)가 그린 〈콘스탄티노플의 탈취〉. 십자군에 의해 콘스탄티노플이 함락되는 광경으로, 당시 베네치아는 전리품을 많이 획득하면서 재력을 얻게 된다.

22. 스키아보니 해안 전면에 늘어선 갤리선들. 16세기에 단젤로(G. B. d'Angelo)가 그린 〈선원들의 입대〉의 일부이다.

　11세기 이후의 두 세기 동안 베네치아는 비잔틴 제국에 대한 힘의 우위를 확립하고 통상과 영토의 획득에서 양보를 받아내면서 활발한 해상활동을 전개했다. 특히 11세기에서 13세기까지 지속된 십자군 전쟁은 베네치아에 많은 부를 가져다주었다. 1202년에 시작된 제4차 십자군 전쟁에서 십자군과 연합한 베네치아 해군은 1204년에 콘스탄티노플(Constantinople)을 점령했는데, 그 전리품이 베네치아에 흘러 넘쳤다.(도판 21) 십자군 전쟁에 참가한 국가로서 비잔틴 제국의 영토를 분할받은 베네치아는 동지중해의 크레타(Crete) 섬을 비롯한 여러 곳의 기지와 영토를 확보했고, 지중해 동쪽에서 해상교역의 독점체제를 확립했다.

　이후 도시의 재력과 지중해에서의 권력은 날로 강성해져 갔다. 특히 1380년에는 해상강국이자 베네치아의 최대 라이벌인 제노바(Genova)를 굴복시키고 1416년에는 오스만 투르크(Osman Turk, 오늘날의 터키)를 굴복시킴으로써 지중해 동쪽 일대를 완전히 장악했다. 이 시대에 폴로(Polo) 가문의 마르코 폴로(Marco Polo)는 새로운 상업 루트를 개척하기 위해 멀리 중국까지 진출했다. 베네치아의 갤리(galley) 선단은 지중해 일대는 물론이고 영국까지 이르는 정기선을 운행하는 등 무역의 구조를 매우 능률적으로 조직했다.(도판 22)

　이렇게 베네치아는 해상무역의 모든 장애물을 제거했고, 안정된 정치체제

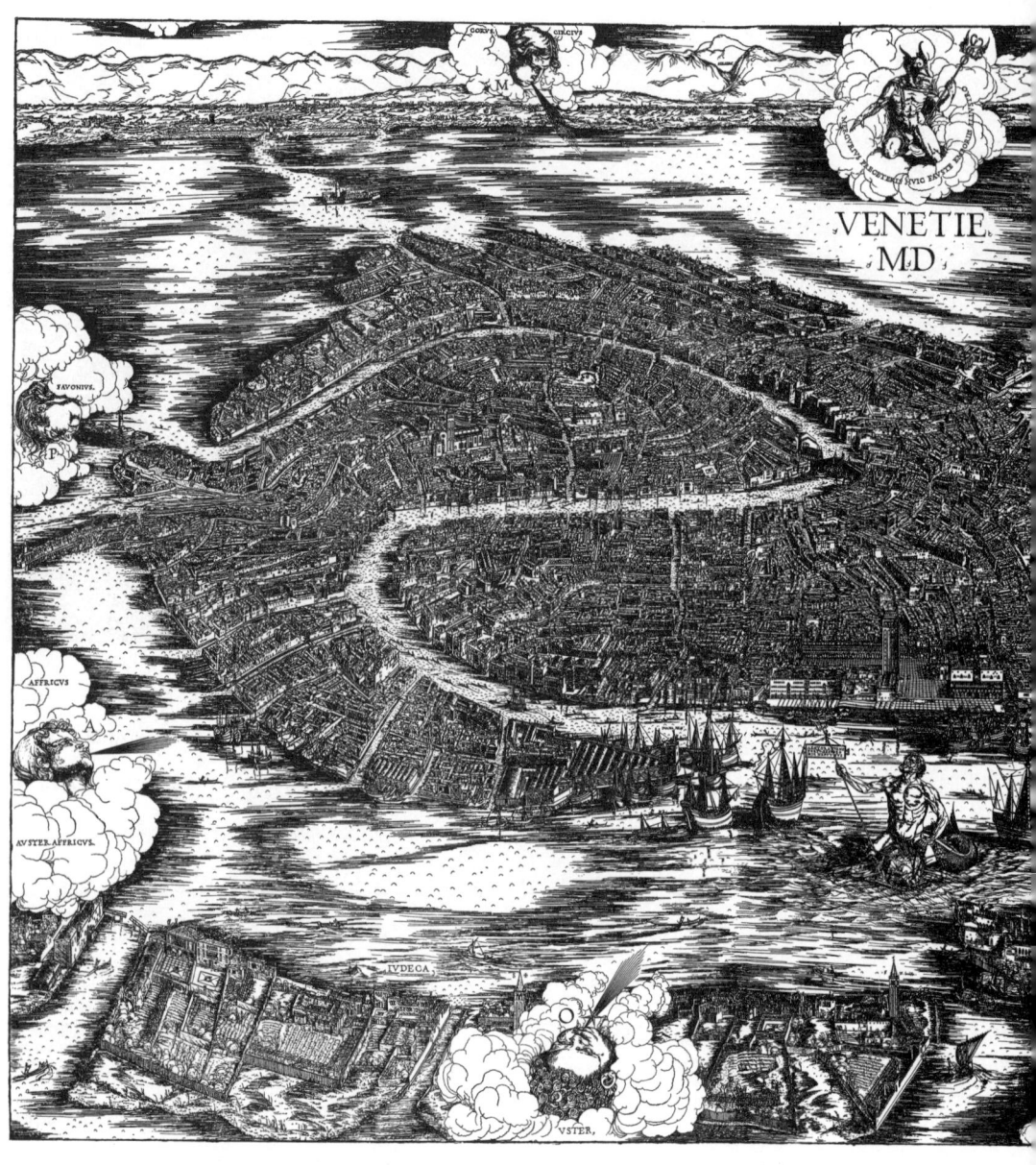

23. 베네치아의 최전성기인 1500년에 야코포 데 바르바리가 베네치아의 모습을 묘사한 조감지도 〈1500년의 베네치아〉.

를 바탕으로 유럽에서 제일가는 도시국가의 면모를 갖추기 시작했다. 경제적인 성장은 자연스럽게 문화의 번영을 수반하여 여러 방면에서 수준 높은 문화가 형성되었다. 1500년경에 이르러서 베네치아는 오늘날의 모습을 대부분 완성했는데, 이때의 국력은 정점에 달했다.[14]

1500년을 기점으로 본다면, 베네치아는 유럽에서 가장 강성한 도시국가였으며, 인구밀도가 높은 도시의 하나였다. 1500년 당시 베네치아의 인구는 십

오만 명을 상회했고, 16세기말에는 십팔만 명 이상을 기록했다.[15] 1500년의 인구를 기준으로 본다면, 파리·밀라노·나폴리 등 유럽의 몇몇 도시만이 그 인구수에 필적할 수 있을 정도였다. 그런데 이들 도시들도 번영함이나 부의 측면에서 본다면 베네치아에 턱없이 부족했다. 그만큼 16세기의 베네치아는 부유하고 강성했다.

16세기에는 도시의 많은 상류층들이 그들의 저택을 르네상스 양식으로 새

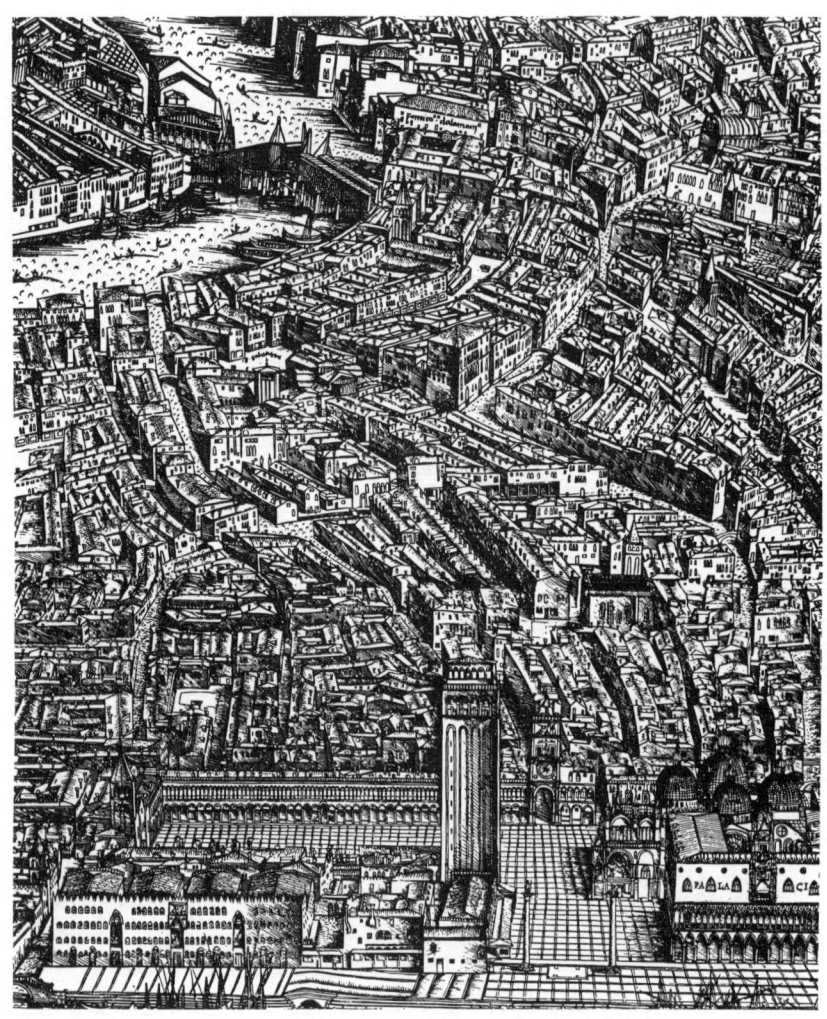

24. 바르바리가 그린 조감지도(도판 23) 중에서 도시의 중심부를 묘사한 부분.

로 짓거나 개축했으며, 교회들도 대부분 이 시기에 들어서거나 개축되었다. 또한 팔라디오(Andrea Palladio) 같은 저명한 건축가와 예술가들도 이 시기에 활발하게 활동했다. 도시의 중심이 되는 산 마르코 광장은 16세기말에 오늘날의 모습으로 거의 완성되었다. 이렇게 발전의 정점에 달한 16세기 베네치아의 모습은 야코포 데 바르바리(Jacopo de' Barbari)가 1500년에 그린 베네치아의 조감도 〈1500년의 베네치아(*VENETIE MD*)〉에 상세하게 묘사되어 있다.[16] (도판 23, 24)

베네치아 공화국의 정치체제에 대해서 잠시 언급해 보면, 1530년 공화정이 붕괴하면서 메디치(Medici) 가문이 다스리는 군주국으로 바뀐 피렌체와는 대조적으로 베네치아는 건국 이후 멸망할 때까지 천이백 년 동안 줄곧 공화제를 유지했다. 물론 공화제라고 해도 고대 아테네와 같은 직접 민주주의는 아니었고, 현대의 대의 민주주의와도 달랐다.

베네치아는 소수의 지도자가 다스리는 과두정치(寡頭政治)라는 체제를 유지했는데, 로마의 공화정 시대와 비슷했다. 유력 가문이나 귀족의 자손은 성년이 되면 모두 마조르 콘실리오(Maggior Consiglio, 국회에 해당하는 기관)[17]의 의원이 되었고, 이 중에서 선거를 통해 백이십 명 내지 이백 명 정도의 원로원 의원이 선출되었으며, 이 원로원(Senato, 세나토)이 베네치아 공화국의 실질적인 국회였다. 모든 공직자는 원로원 의원 중에서 선출되었고, 그들은 내각을 구성했다. 또한 내각과 겹치는 형태로 '10인위원회(Consiglio dei Dieci)'라는 기관이 있었다. 실제로는 열일곱 명으로 구성된 이 '10인위원회'는 국내외적으로 긴급히 정책을 결정해야 할 경우에 소집되었다.

국가의 최고 책임자인 도제는 원로원에서 선출했고, 종신제였다. 즉 한번 선출되면 죽을 때까지 물러나지 않았는데, 아들이나 그 밖의 혈육이 후계자가 되는 것을 허용하지 않았다. 그런데 도제는 공화국의 얼굴이었기 때문에 그 권위는 누구보다도 높았지만, 권력은 원로원의 이백 표 가운데 한 표, 그리고 '10인위원회'에서는 열일곱 표 가운데 한 표에 불과했다. 이는 권력이 한 사람에게 집중하는 것을 막기 위함이었다. 이러한 제도를 끝까지 시행한 베네치아는 이탈리아의 도시국가들 중에서 가장 성숙한 정치체제를 운영했다고 할 수 있다.

베네치아는 17세기에 들어서면서 쇠퇴의 길을 걸었는데, 오스만 투르크와의 전쟁에서 패함으로써 지중해 해상무역의 마지막 보루였던 크레타 섬을 잃은 것이 결정적인 원인이었다.[18] 그리고 공화국의 실질적인 멸망은 나폴레옹(Napoléon Bonaparte)의 침공에 의해서였다. 공화국을 다시 융성시키려던 베네치아인들의 노력은 나폴레옹의 침공 앞에서 물거품이 되었다. 1796년에 나폴레옹이 프랑스군의 이탈리아 원정군 총사령관으로 니스(Nice)에 부임하여 오스트리아를 압박하자, 두 세력 사이에 놓인 베네치아 공화국은 비무장 중립노선을 표방했으나 아무런 소용이 없었다.

나폴레옹의 압박이 계속되면서 베네치아 공화국은 전쟁 또는 항복의 중대한 갈림길에 놓이게 되었다. 그러나 이미 국력이 쇠퇴한 베네치아는 나폴레옹과의 전쟁이 무용하다고 판단했고, 의회는 공화제를 폐지하고 민주제를 시행하기로 결정했다. 그리고 1797년 5월 사천 명의 프랑스군이 베네치아에

진주했고, 그해 10월 18일에는 캄포 포르미오(Campo Formio) 조약에 의해 베네치아 공화국의 영토는 오스트리아와 프랑스가 분할 점령했다. 이후 1805년에 베네치아는 이탈리아 왕국에 편입된 뒤 1814년 나폴레옹의 실각으로 다시 오스트리아의 영토가 되었다가, 1866년에 통일된 이탈리아로 속하면서 오늘에 이르고 있다.

오리엔트와의 교류: 베네치아의 동양적 분위기

베네치아는 지리적으로 가까운 이탈리아 반도나 유럽 대륙보다는 바다 건너 오리엔트와 더욱 가깝게 교류하면서 그곳의 문화를 지속적으로 받아들였다. 베네치아는 동방의 기독교 국가인 비잔틴 제국의 서쪽 끝을 이루는 변방의 식민지로 시작하여 비잔틴 제국과 교류를 지속했고, 이슬람 제국과도 끊임없는 교류를 통해 유럽의 어느 국가보다도 독자적인 문화를 형성했다.(도판 25)

강력한 해상무역 국가로 발전한 베네치아 공화국은 지중해를 중심 근거지로 삼아 여러 방향으로 무역의 루트를 개척하면서 지중해 주변 국가들과 교역하기 시작했다. 지금은 지중해를 사이에 두고 동양과 서양을 구분하지만

25. 15세기 후반 어느 베네치아 화가가 그린 〈다마스쿠스에서의 베네치아 대사의 영접〉. 베네치아와 이슬람 세계의 긴밀한 교류를 잘 보여준다.

26. 마르코 폴로의 여행기에 실린 〈베니스의 전경〉의 일부. 오리엔트적인 색채가 강하게 풍기는 베네치아의 특색을 엿볼 수 있다.

베네치아가 융성하던 당시만 해도 그러한 구분은 없었다. 베네치아는 오늘날의 터키·이집트·시리아·레바논·팔레스타인 등과 매우 긴밀한 문화적 관계를 가지면서, 더 나아가 페르시아와 중앙아시아까지 그 교류 영역을 확장했다. 베네치아인들은 이들 국가로부터 돈을 벌어들이는 동시에 다양한 상품과 아이디어들도 함께 가져와서 베네치아를 풍요로운 장소로 만드는 데 주력했다. 따라서 실제적으로도 그리고 이념적으로도 베네치아는 서구의 문화보다 오리엔트 문화와 더욱 가까웠다고 할 수 있다.(도판 26)

동방의 국가들 중에서 첫 교류 대상은 비잔틴 제국이었다. 처음에는 베네치아가 비잔틴 제국의 명목상의 식민지로 있다가 나중에는 적대적인 관계로 발전했기 때문에 서로간의 교류는 여러 가지로 복잡한 양상을 띠었다. 그렇지만 베네치아가 초기의 도시문화를 형성하는 데 비잔틴 제국의 영향은 결정적이었다. 이것은 건축문화에도 뚜렷하게 반영되었는데, 베네치아의 초기 건축문화는 비잔틴 문화의 영향을 강하게 받아 '베네치아풍의 비잔틴 양식 (Veneto-Byzantine)'으로 정착했다.

비잔틴 제국으로부터의 문화적 영향은 제4차 십자군 원정에 참여한 베네치아가 1204년 콘스탄티노플을 함락하면서 절정에 이르렀다. 도시는 전리품들로 흘러 넘쳤고, 곳곳을 비잔틴 제국의 산물들로 치장했다. 이 전쟁의 승리로 베네치아는 비잔틴 제국으로부터 완전한 독립을 성취했으며, 지중해 동부에 해상교역을 위한 기지를 확보하여 동방과 문화적 교류를 확대시킬 수 있는 좋은 계기를 획득했다. 또한 이를 계기로 지중해 동부에서 강력한 세력을 구축하는 동시에 동방의 여러 국가들과 상업적 문화적 교류를 활발하게 전개할 수 있게 되었다.

이슬람 제국은 베네치아에게 또 다른 문화의 모델이 되었다. 동부 지중해에 면해 있는 터키·시리아·레바논 등과 북부 아프리카에 있는 여러 나라들의 도시문화와 건축문화는 베네치아와 공유하는 특성이 매우 많았다. 이곳의 이슬람 문화는 그 뿌리를 모두 비잔틴 제국에 두고 있으며, 이후 독자적인 문화를 다채롭게 전개했다.

8세기 이후부터 이슬람의 여러 부족들이 비잔틴 제국 주변에 출몰했는데, 그들은 비잔틴 제국과 지속적으로 충돌하면서 영역을 확대해 나갔다. 기회를 포착하는 데 능통한 베네치아 상인들은 팽창하는 이슬람 제국과 교역을 하면서 중앙아시아와 인도로부터 유입되는 향신료를 거래하기 시작했다. 12세기 이후 이슬람 제국이 종교적 문화적으로 팽창을 거듭해 나간 것과, 베네치아가 지중해의 패권을 확립하고 해상왕국으로 발전의 속도를 더해 간 것은 시기적으로 일치했고, 이를 계기로 두 문화 사이의 교류는 더욱 활기를 띠게 되었다. 비잔틴 제국의 영향을 받은 이슬람 도시들의 문화는 성숙하면서도 다채로워서 베네치아인들이 그것을 동경하고 본받으려고 한 것은 자연스러운 일이었다.

영국의 비평가 존 러스킨(John Ruskin, 1819-1900)은 베네치아의 건축문화가 지닌 오리엔트적인 색채에 심취하여 오랜 세월 베네치아에 머물면서 그곳의 건축문화를 탐구했다.[19] 베네치아 건축에 관한 그의 해석은 매우 설득력있고 논리적이었는데, 아주 최근까지도 러스킨만큼 상세하고 폭넓게 그곳의 건축문화에 대해서 설명한 사람은 없다.(도판 27) 1851년에서 1853년 사이

27. 19세기 중엽에 러스킨이 그린 수채화 〈베네치아 팔라초 로레단의 창문(Window at Casa Loredan, Venice)〉. 베네치아의 건축과 장식예술에 대한 자세한 관찰이 돋보인다.

에 출간된 그의 책 『베네치아의 돌(*The Stones of Venice*)』에는 다음과 같은 구절이 나온다.

"특기할 만하게도, 유럽 사람들 중에서 베네치아인만이 유일하게도 동방의 민족들이 가진 뛰어난 재능을 완전하게 이해했다. … 북부 유럽 도시의 시민과 귀족들이 만든 도로는 어두우며, 오크(oak)와 사암(砂岩)으로 만든 그들의 성채는 소름끼치는 모습을 가진 반면, 베네치아의 상인들은 그들의 궁전을 반암(斑岩)과 금으로 장식했다."[20]

러스킨은 베네치아의 건축문화에 끼친 오리엔트 문화의 영향이 두 시기에 걸쳐서 두드러지게 나타났다고 보았다. 첫번째 시기는 베네치아와 이슬람 모두 비잔틴 제국의 문화적 영향하에 있던 시기로서, 9세기와 10세기, 그리고 11세기에 해당한다. 그는 이 시기의 베네치아 건축과 이슬람 건축이 같은 모델을 바탕으로 형성되었고, 이때의 베네치아 건축은 카이로와 닮아 있다고 해석했다. 두번째 시기는 1180년 이후로서, 아라비아풍의 건축문화를 받아들이면서 '기둥은 점차 가늘어지고, 아치는 철저하게 뾰족해진' 시기인데, 이때를 베네치아의 문화적 전환기로 보았다.

러스킨에 의하면, 이 시기는 '아라비아 사람들의 절반은 페르세폴리스(Persepolis, 고대 페르시아의 수도)의 성격을, 그리고 절반은 이집트적인 성격을 수용하던' 때로서, 이러한 경향이 기둥의 몸체와 주두(柱頭)에 적용되었다고 해석했다. 그가 유추한 것에 따르면, 아라비아 사람들은 열정에 사로잡혀서 아치를 뾰족하게 만들었고, 동시에 그것을 비틀어서 잎사귀 모양으로 치장했으며, 모든 장식에서 동물적인 이미지를 제거했다. 그리고 이때 아라비아 사람들은 '아라베스크(arabesque)'라고 하는 그들만의 장식 체계를 만들어서 과거의 것을 대신했다. 러스킨은 아라비아의 이 모든 것들이 너무나도 세련되고 정교하다고 평가했으며, 이러한 아라비아풍의 건축문화를 받아들이면서 베네치아가 새로운 모습을 갖추게 되었다고 주장했다.(도판 28)

베네치아에 대한 이슬람의 영향은 종교건축보다는 일반 건축물에서 더욱 강하게 나타났다. 러스킨에 의하면, "베네치아 사람들은 아라비아의 주택에 적용된 아름다운 디테일을 모방하여 그들의 주택건축에 사용하는 것을 매우 자연스럽게 여겼던 반면, 모스크(mosque)의 양식을 교회건축에 적용하는 것은 내켜하지 않았다"는 것이다. 베네치아인의 깊은 신앙심은 다른 종교건축의 장식을 교회에 적용하는 것을 용납하지 않았다. 그러나 궁전을 건축할 때는 모스크의 일부 요소들을 사용했는데, 대표적인 것이 톱니 모양의 장식이 부착된 패러펫(parapet, 지붕이나 발코니, 다리 등에 설치하는 난간)이었다. 이것은 아

28. 러스킨의 책 『베네치아의 돌』에서 묘사한 베네치아 고딕 양식의 아치 창들. 러스킨은 베네치아 건축의 풍부한 디테일에 심취하여 이런 종류의 스케치를 많이 남겼다.

라비아 모스크의 벽체 상부에 있는 경쾌한 모양의 장식으로서, 베네치아의 주요한 건물에서 일반화했다.(도판 29, 30)

이 밖에도 러스킨은, 베네치아의 건축이 이집트와 팔레스타인 등 동방의 건축을 단순히 닮은 것이 아니라 세부적인 디테일에서 전체 구성에 이르기까지 판에 박은 듯이 옮겨 놓았다고 하면서, 오리엔트 건축문화가 베네치아로 전이된 것은 직접적이면서도 강력했다고 평가했다.

러스킨은 이러한 동방으로부터의 영향이 가장 이상적으로 표출된 사례를 팔라초 두칼레로 보았다.(도판 60 참조) 그는 이 건물에 대해서, '세계의 중심이 되는 건물'로서 로마의 건축문화, 게르만의 건축문화, 그리고 아라비아의 건축문화가 합해져 완벽한 조화를 이루는 건물이라고 했다. 한편 아라비아의 예술에 대해서는 '나른하면서도 유연한 부드러움을 가진 야수적 성격(savageness)'이라 언급했는데, 그의 또 다른 책 『건축의 일곱 등(The Seven Lamps of Architecture)』에서는 이러한 '야수적 성격'에 대해서 찬사를 아끼지 않았다.

29. 팔라초 두칼레의 상부에 부착된 톱니 모양의 장식.(위)
30. 카이로에 있는 알-하킴(Al-Hakim) 모스크의 중정 주변 열주랑. 이슬람 도시의 주요 건물 상부에는 이같은 톱니 모양의 장식이 부착되어 있다.(아래)

그에 의하면, 아라비아의 건축문화는 '구부러진 아치, 부재(部材)의 구조적 적용에서의 유연함, 환상적인 아라베스크풍의 채색 장식, 고딕 건축의 창문 장식을 예고하는 섬세한 창문의 문양' 등을 특징으로 하며, 베네치아를 제외한 유럽의 건축에서는 이와 유사한 사례를 찾을 수 없다고 했다. 이러한 특징을 그대로 적용시킨 건축물이 바로 팔라초 두칼레였으며, 그에게 이 건물은 유럽에서 가장 아름다운 건물이었던 것이다.[21]

베네치아와 이슬람의 공간구조

베네치아는 공간구조의 측면에서도 이슬람 도시와 유사하다는 평가를 많이 받으며, 도시가 연출하는 경관에서도 서로 비슷한 점이 많다.(도판 31, 32) 공간적으로 매우 복잡하게 얽혀 있는 이슬람 도시들은 계획의 개념과 전혀 관계없이 그야말로 유기적이고 자연발생적인 공간구조를 지니고 있는데, 베네치아의 공간구조도 이들 도시와 매우 흡사하다. 이슬람 도시들이 지닌 유기적인 공간구조는 이곳을 세계의 여타 도시와 구별되게 하는 독특한 것으로서, 서양의 도시들 중에서 베네치아를 제외하고는 이러한 공간구조를 가진

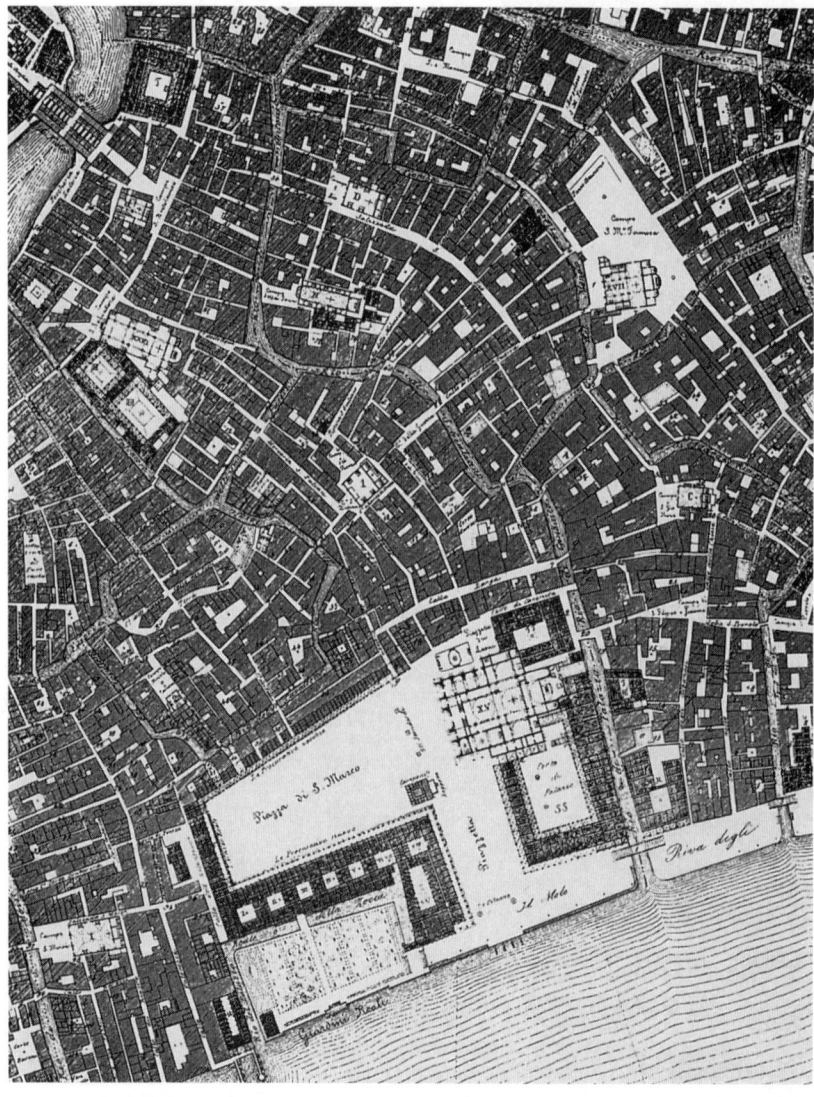

31. 1846년에 제작된 베네치아의 지도 〈새로운 평면도(Nuova Planimetria)〉의 일부.

32. 19세기 중엽의 카이로를 그린 옛 지도. 비슷한 시기의 베네치아(도판 31)와 유사한 공간구조를 보인다.

도시를 쉽게 찾을 수 없다. 중세에 형성된 유럽의 도시들이 유기적인 공간구조를 가진다고들 하지만, 그 규모와 복합성의 정도에서 이슬람 도시들과 비교되지 않는다.

  이슬람 도시들이 이렇게 고도의 유기적인 공간구조를 가지게 된 데에는 무엇보다도 종교적인 배경이 크게 작용했다. 따라서 이슬람 국가들과 종교적으로 전혀 관련이 없는 베네치아가 이러한 공간구조를 가졌다는 것은 매우 흥미로운 일이다.

  다마스쿠스·알레포(Aleppo)·카이로 등 베네치아인들이 중세 전반에 걸쳐 깊은 관계를 가졌던 이슬람 도시들은 공산구조상 매우 유사한 특성을 가지고 있다. 이슬람 도시들은 우선 주거지역과 공공건물(시장, 종교시설 등), 그리고 생산기능이 공간적으로 서로 분리되어 있다. 수크(sūq) 또는 바자르(bāzār)라고 부르는 선형의 시장이 도시의 중앙을 관통하여 중심 보행축을 이루는데, 이것과 공간적으로 연계하여 크고 작은 모스크들이 자리잡고 있다.(도판 33)[22] 시장을 뜻하는 수크는 작은 가게들이 촘촘하게 이어진 긴 선형의 상업공간인데, 상부는 나무나 돌로 만든 둥근 천장(vault)으로 덮여 있거나 하늘을 향해 개방되기도 한다.

지배자가 거처하는 성채나 궁궐은 이 상업공간과 일정한 거리를 두고 독립해 있다. 이러한 공적 영역 주변으로 사적 영역인 주거지역이 넓게 자리하며, 미로상의 복잡한 공간구조를 취하면서 매우 밀집된 환경을 형성한다. 좁고 구불구불한 도로를 따라서 주택들이 들어서 있고, 대부분의 길은 막다른 골목을 이룬다. 가족의 사생활을 엄격하게 보호하는 것을 중요시하던 이슬람 세계에서는 밖에서 주택의 내부를 들여다보는 것이 불가능하게 되어 있다.

그런데 이슬람의 도시들과 베네치아를 지리적 상황이나 도시구성의 바탕이 되는 종교적 이념의 측면에서 비교한다면, 둘 사이에는 분명한 차이가 있다. 1453년에 콘스탄티노플이 터키군에게 함락되어 이슬람의 영토가 되기 전에는 이슬람 도시들 중에서 바닷가에 자리한 사례는 없었다. 카이로, 다마스쿠스, 그리고 알레포는 모두 내륙에 위치한 도시들이며, 주변을 성벽으로 둘러싸서 방어했다. 이 도시들은 원래 격자상의 도로 패턴을 가졌는데, 이후 완전하게 변해 오늘과 같은 복잡한 도시조직을 가지게 되었다.

33. 카이로의 바자르. 작은 가게들이 촘촘히 이어진 선형의 상업공간으로, 도시의 중앙을 관통하면서 중심 보행축이 된다.

반면, 베네치아는 물 위에 세워진 도시이면서 동시에 크고 작은 섬들이 서로 공간적으로 결합하여 만들어졌기 때문에, 처음부터 도로 패턴이 불규칙적이었고 도시조직 또한 복합적이었다. 종교적으로도 베네치아는 이슬람과 전혀 관계없는 독실한 기독교도의 도시로서, 각 섬들은 강한 종교적 커뮤니티를 구성해 왔으며, 도시 전체적으로도 산 마르코 즉 성자 마가(Mark)를 수호신으로 받드는 강한 종교적 결집력을 이어 왔다.

이러한 지리적인 상황이나 종교적 이념의 근본적인 차이에도 불구하고 베네치아와 이슬람 도시들 사이에는 유사점이 분명히 있다. 베네치아 예술사를 연구한 주세페 피오코(Giuseppe Fiocco)는 베네치아를 '거대한 수크'라고 불러 이 도시가 지닌 이슬람적 성격을 강조했다. 그는 "마치 요술 랜턴에서 퍼져 나오는 신비로운 빛이 투명한 천을 통과하여 벽을 비출 때 영롱한 무늬가 벽을 따라 퍼져 가듯이, 동방의 도시가 지닌 특이한 상황이 물과 육지가 공존하는 베네치아에 투영되어 이 도시만의 독특한 공간구조를 만들어냈다"고 했다.

그의 논리에 따르면, 베네치아가 형성되는 과정에 이슬람의 도시구조가 영향을 주었음을 뜻한다. 그러나 이슬람 도시의 공간구조가 베네치아의 그것을 형성하는 데 직접적인 영향이 있었다는 논리에는 다소 비약이 있다고 본다. 수십 개의 크고 작은 섬들이 모여서 이루어진 베네치아는 근원적으로 복잡한 공간구조를 가질 수밖에 없었다. 따라서 이슬람 곳곳을 다니면서 상업활동을 펼친 베네치아인들은, 자신들의 고향과 그곳의 도시가 공간구성상 서로 유사하다는 사실을 자연스럽게 받아들였다는 정도로 이해할 수 있을 것

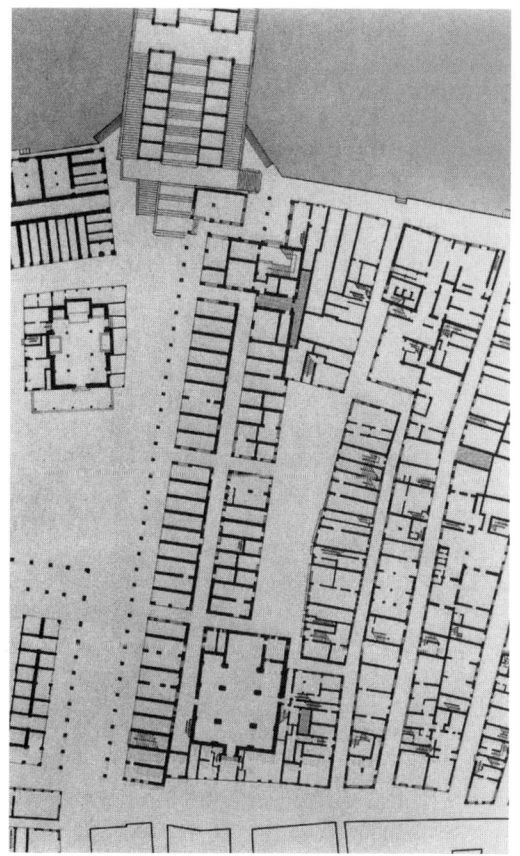 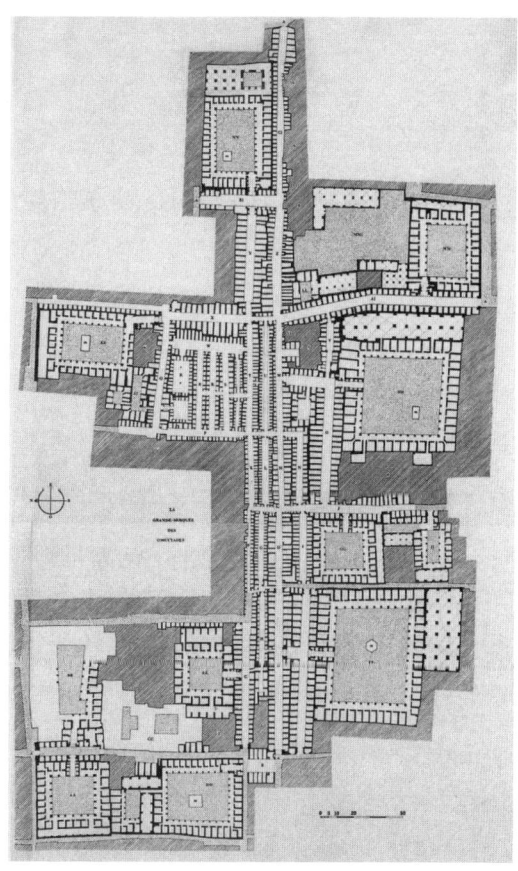

34. 베네치아의 리알토 지구(왼쪽)와 알레포의 중앙시장(오른쪽). 중앙에 선형의 상가가 있고 그 배후에 공방이 밀집해 있는 모습이 매우 유사하다.

이다. 즉 이슬람인들과 베네치아인들이 가진 도시의 본성에 대한 사고방식이 비슷했다고 하는 것이 적절한 해석이라 생각한다.

그렇다면 베네치아 공간구조의 어떠한 특성들 때문에 이 도시가 이슬람 도시들과 유사한 느낌을 불러일으키는 것일까. 우선 도시 내에서 상업기능이 자리잡은 양상이 이슬람 도시들과 닮아 있다. 베네치아에서는 주요 시장과 공공건물들이 산 마르코 광장과 리알토 다리를 잇는 축을 따라 배열되어 있는데, 구불구불하게 꺾이면서 이어진 이 선형의 상업공간은 이슬람 도시의 중앙을 관통하는 시장인 수크와 매우 흡사하다.(도판 34)[23] 기념품이나 귀금속 등 고급 물건을 파는 상점들이 늘어서 있는 이 거리는 각양각색의 상점들이 촘촘하게 자리하면서 도시의 양쪽 끝을 잇는 수크와 비슷한 모습과 기능을 가진다.

베네치아에는 중세 초기부터 리알토 다리의 서쪽에 커다란 상업공간을 형성했는데, 그 주변에 공방들이 밀집하여 도심인데도 상당히 특화되어 있다. 이렇게 선형의 상업공간 뒤편에 공방이 밀집하여 물건을 공급하는 체제는 이슬람 도시에서 매우 일반화한 양상이다. 수크 주변에는 보통 같은 종류의 상품을 판매하는 가게들이 모여 있고, 물건을 제조하는 공방들도 같은 종류의 상품별로 모여 있는 것이 일반적이다.

베네치아의 주거지역이 연출하는 복잡한 공간구조 또한 이슬람 도시와 유사하다. 베네치아와 이슬람 도시 모두 주거지역은 선형의 상업공간 뒤편에 자리하면서 매우 밀도 높은 환경을 형성했다. 시각적으로는 변화가 많으면서도 영역적으로는 독립된 커뮤니티들로 이루어진 베네치아의 주거지역은, 외부인이 그곳에 들어가면 길을 잃어버리기 십상이다. 이슬람 도시들도 현지인의 도움 없이 들어갔다가는 빠져나오는 데 매우 어려움을 겪게 되는 경우가 많다.

도시의 주요한 산업시설이 외곽에 자리하여 중심부와 공간적으로 분리되어 있는 방식도 이슬람 도시와 유사하다. 즉 베네치아 조선산업의 중심인 아르세날레(Arsenale)는 도시의 동쪽 끝부분에 있고, 유리산업은 베네치아에서 북쪽으로 떨어진 무라노(Murano) 섬에 발달되어 있으며, 목재 야적장은 북부 해안가에 위치해 있는 것에서 그러한 점을 발견할 수 있다. 또한 베네치아에는 수도원과 수녀원 등 종교시설들이 도시 외곽부 곳곳에 흩어져 있는데, 이들은 복합적이고 폐쇄적인 공간구조를 형성하면서 도시의 일정 부분을 차

35. 1736년에 카날레토(Canaletto)가 그린 〈스키아보니 해안(Riva degli Schiavoni)〉의 일부. 북적거리고 아기자기한 좁은 골목길을 걷다 보면 바다를 향해 열려 있는 이같은 거대한 공간과 극적으로 만나게 된다.

지하고 있다. 이슬람 도시의 중요한 공공시설인 마드라사(madrasas, 이슬람의 교리를 가르치는 교육기관)나 병원 등도 이와 비슷한 공간구조를 취하면서 도시 주변부 곳곳에 자리잡았는데, 공공건축물의 위치나 공간구조도 그 양상이 서로 비슷하다.

어두움과 밝음의 대조, 좁은 도로에서 개방된 공공장소로의 극적인 변환 등은 베네치아에서 경험할 수 있는 특징이며, 이는 이슬람 도시들에서 볼 수 있는 특징이기도 하다. 베네치아 주민들은 주거지 주변의 폐쇄된 골목길과 개방적인 광장 사이에서 이러한 시각적 변화를 일상적으로 경험하게 된다. 도시 중심부를 거닐다 보면 전혀 새로운 시각적 체험을 하게 되는데, 이리저리 꺾이면서 연속하는 길을 따라 아기자기한 공간의 변화를 경험하게 되고, 다양한 상품들이 진열된 상점들과 사람들로 북적이는 활기찬 도시생활을 맞이하게 된다. 마침내 발길이 산 마르코 광장이나 바다를 향해 열려 있는 스키아보니 해안(Riva degli Schiavoni), 또는 리알토 다리에 이르면, 보행자는 갑자기 눈앞에 펼쳐진 거대한 열린 공간과 만나게 된다.(도판 35)

길게 이어진 좁고 어두운 거리를 거친 후 거대한 열린 공간과 만나는 경험은 매우 극적인 시각적 체험이며, 건물이 밀집한 도시에서 이러한 공간적 변화를 경험하는 것은 그리 흔한 일이 아니다. 이슬람 도시에서도 길게 이어진

제2장 베네치아의 성립과 발전

수크를 따라 걷다가 대(大)모스크의 거대한 중정이나 넓은 강의 하안, 또는 도시 주변의 광대한 사막지대를 만나는 시각적 변환을 경험할 수 있으니, 이러한 점에서 이슬람 도시와 베네치아의 공간구조가 유사함을 발견할 수 있는 것이다.

제3장

베네치아의 도시구조:
다핵적 구조와 중심적 구조의 공존

교구를 중심으로 하는 다핵적 도시구조

도판 36은 베네치아의 옛 모습을 보여주는 특이한 지도다. 흔히 '테만차(Temanza) 지도'라고 알려진 이 지도는 현존하는 베네치아 지도 중에서 가장 오래 된 것이다. 이것은 1780년에 건축가 토마소 테만차(Tomaso Temanza)가 산더미 같은 옛 자료 속에서 우연히 발견한 것인데, 그는 이것을 그대로 복제해 1781년에 출판했고, 오늘날까지 전해지고 있다.

추정에 따르면 이 지도는 원래 14세기에 그려진 것이며, 1150년경의 베네치아의 모습을 묘사한 것이라고 한다. 따라서 이 지도는 12세기 베네치아의 모습을 보여주는 귀중한 자료라고 할 수 있다. 중세에 그려진 지도의 공동된 특징이지만, 이 지도 역시 매우 거칠게 그려져서 우리에게 많은 정보를 주지는 않는다. 그러나 반대로 생각해 보면, 도시를 구성하는 중요한 요소만을 표현했기 때문에 우리는 이를 통해 당시 베네치아의 큰 윤곽을 비교적 명확하게 인지할 수 있다. 지도의 위쪽이 동쪽에 해당하는데, 좌우를 가로지르는 리도 섬의 바깥, 즉 희게 표시된 부분이 아드리아해이다. 도시 주변에는 여러 갈래의 큰 수로들이 그려져 있으며, 이것들이 바로 항해가 가능한 깊은 수로를 의미한다.

이 지도에서 읽을 수 있는 더욱 중요한 정보가 있다. 그것은 베네치아가 여타 유럽 도시들과는 달리 중심적인 요소에 의해서 통합적인 구조를 이루고 있지 않는 반면, 무수히 많은 작은 섬들이 모자이크처럼 모여서 하나의 커다란 도시를 이루고 있다는 점이다. 따라서 도시 전체는 중심에서부터 주변으로 이르는 위계적 구성을 이루지 않고, 특이하게도 매우 균일한 구성을 보이고 있다.

지도상에 가늘게 그려진 선들은 소운하를 의미하며, 이들이 작은 섬들을 둘러싸면서 지리적으로 독립된 구역들을 형성했다. 이 소운하로 둘러싸인 작은 섬들은 각각 하나의 독립된 교구를 형성했는데, 이 교구의 중심에 교회가 자리하고 있었다. 베네치아에는 이러한 교구 중심의 교회가 오십 개 이상 존재하며, 멀리서 바라보면 이들이 모여서 만들어낸 뾰족한 스카이라인이 독특하면서 아름답다.(도판 37)

베네치아의 특이한 공간구조를 보통 다핵적(多核的) 구조라고 부른다. 도시는 일반적으로 하나의 중심지를 핵으로 삼아, 마치 나무의 나이테가 늘어가듯이 그 규모를 확장해 간다. 이러한 도시들은 단핵적(單核的) 공간구조로 형성되었다고 하는데, 이 시리즈에서 첫번째로 다룬 피렌체가 그 대표적인 사례다. 도시의 규모가 그리 크지 않은 도시들은 보통 단핵적 구조를 형성하는데, 인구 십만 명이 넘지 않았던 중세 유럽의 대다수의 도시들이 그러했다. 인구가 많고 규모가 큰 오늘날의 대도시는 그 성격상 다핵적 공간구조를 취할 수밖에 없지만, 19세기 이전의 도시에서 이러한 사례를 찾기는 쉽지 않다. 특히 베네치아처럼 수십 개의 독립된 교구가 자치를 이루었던 다핵적인 공간구조는 그 비슷한 사례를 더욱 찾기 어렵다.

12세기의 베네치아를 하나의 생물체라 한다면, 교구는 그 생물체를 구성하는 세포라 할 수 있다. 베네치아가 형성되던 초기 단계에 교구는 베네치아인들의 '생활의 장(場)'이었다. 이 교구는 사람들이 본격적으로 베네치아로 이주하기 전에 이미 육지에서 형성되었는데, 이곳으로 이주할 때도 개인이나 가족 단위로 통제 없이 이동하지 않고 교구 단위로 이주를 진행했다.

'파로키아(parrocchia)'라고 불리는 교구는 정신생활의 지주인 교회와 그것을 관장하는 사제를 중심으로 구성되었다. 한 교구에 거주하는 사람들은 그 교구를 경제적으로 통솔하는 유력자와 그의 가족, 그리고 이 유력자와 일 관계로 직간접적인 관련을 맺고 있는 사람들과 그들의 가족으로 구성되었다.

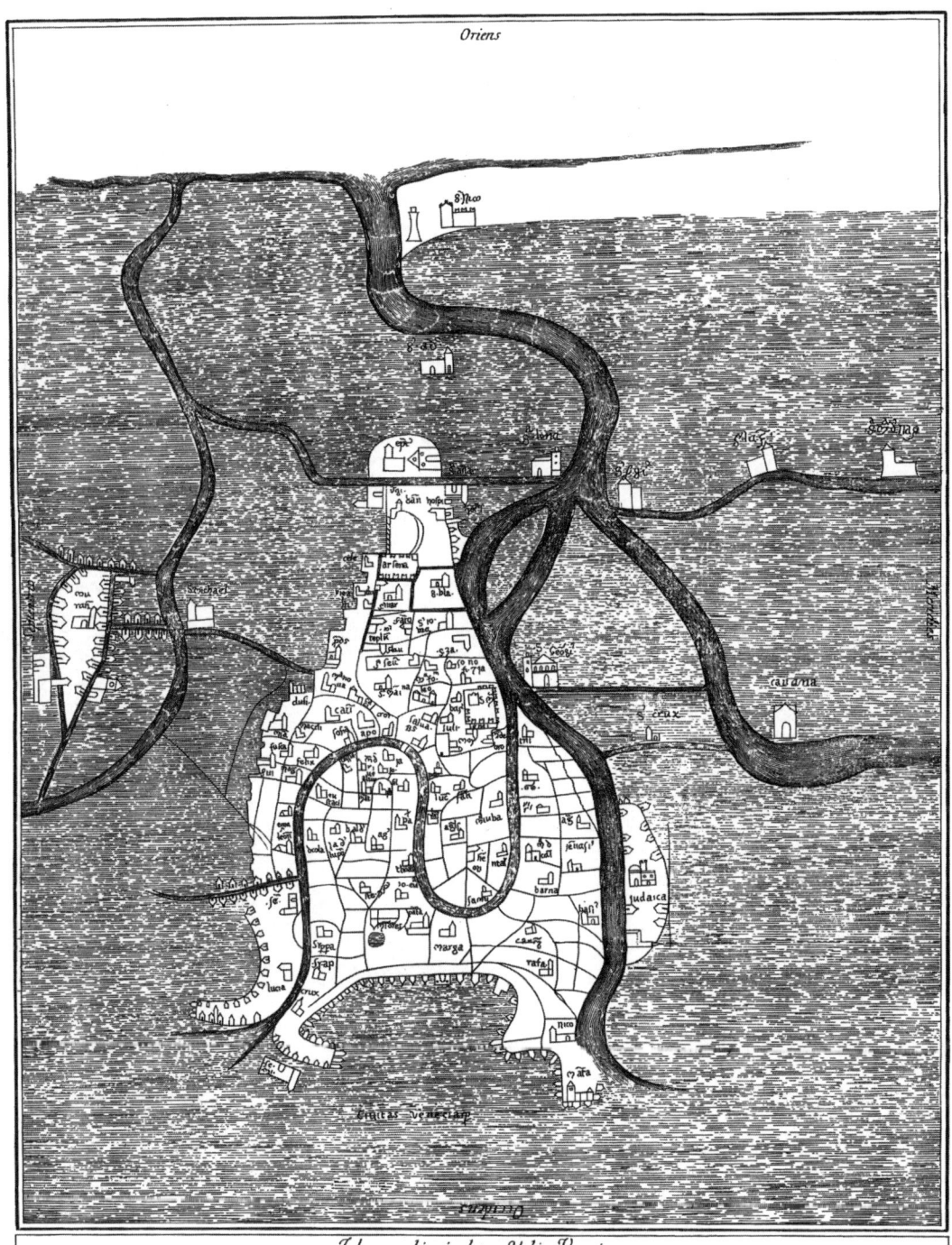

36. 1150년경의 베네치아의 모습을 묘사한 것으로 추정되는 〈테만차 지도〉. 베네치아를 그린 지도 중에서 가장 오래된 것이다. 지도에 의하면 당시 베네치아는 중심적 요소에 의해서 통합적인 구조를 이루는 대신, 수십 개의 교구가 모여서 다핵적 공간구조를 형성했다.

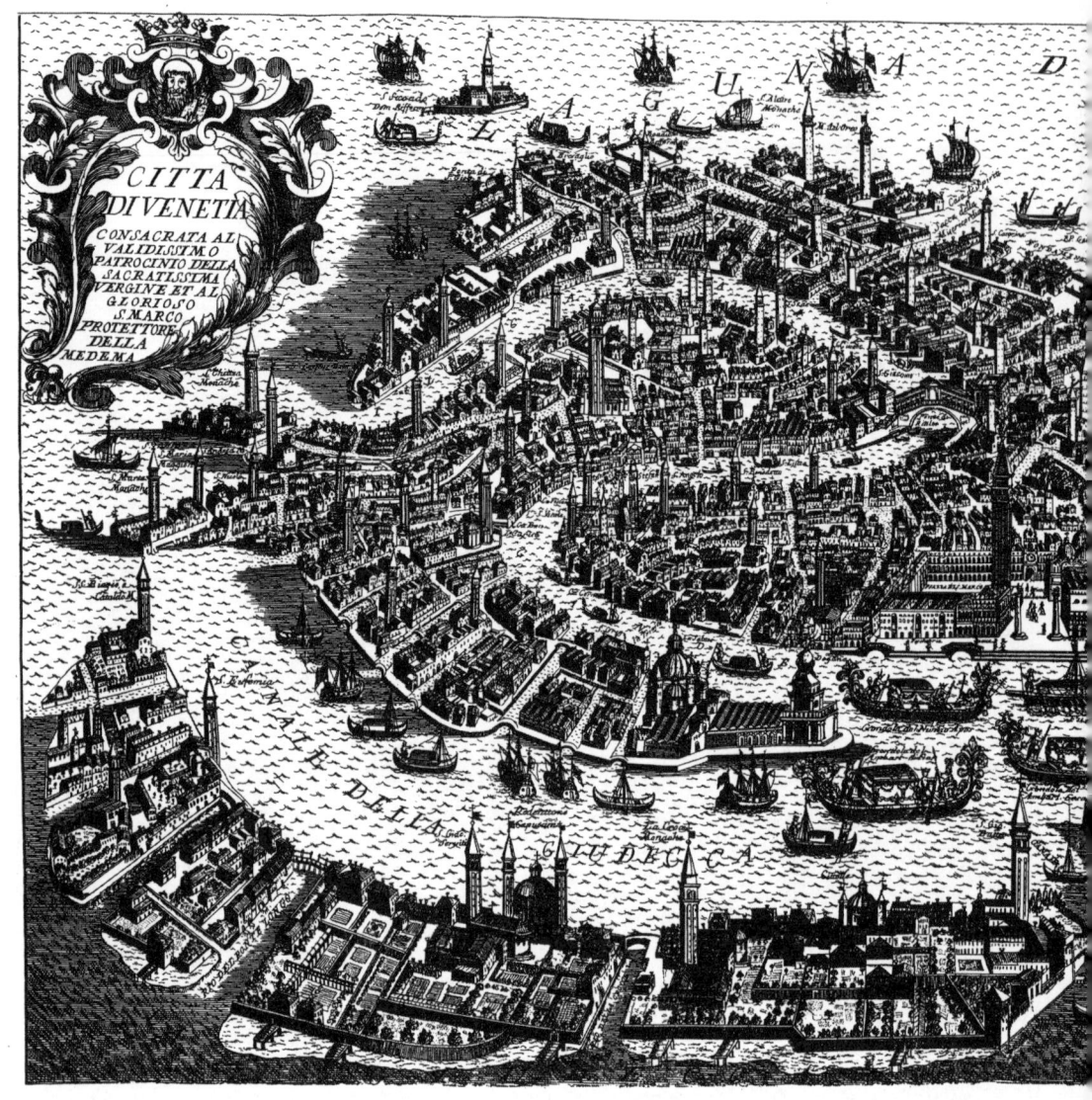

37. 1722년에 안토넬리(G. Antonelli)가 제작한 지도에 표현된 베네치아의 교회들. 교구의 중심을 이루는 교회의 종탑들이 도시의 독특한 스카이라인을 형성하고 있다.

물론 중세의 여타 도시들에서도 주거지역은 대부분 교회를 중심으로 구성되었기 때문에, 교구의 성립이 비단 베네치아에만 국한된 것은 아니었다. 그러나 베네치아의 경우는 고립된 지리적 상황 때문에 교구의 자립성이 더욱 강했다.(도판 38)

교구의 수는, 많은 시기에는 칠십 개가 넘었고, 한 교구의 구성원은 보통 천오백 명 정도였다. 도제를 우두머리로 한 공화국 정부는 이들 교구의 대표들로 구성되었다. 교구는 매우 자치적인 집단이었는데, 그곳에서의 크고 작은 건설사업들도 모두 교구가 중심이 되어 시행했다. 운하를 어디로 통하게

하느냐와 같은 중대한 결정은 정부가 하더라도, 지반 조성과 같은 사업은 교구의 일이었다.

섬 내부에서 시가(市街)를 조성하는 일도 교구가 맡아서 했다. 종교생활도 물론 교구 단위로 행했으며, 교구마다 축제도 열렸다. 그리고 자급자족의 경제체제가 정비되어서 상업을 비롯한 경제활동이 유력자의 집을 중심으로 행해졌다. 교구 내에는 일상생활에 필요한 물건을 파는 가게들이 있었으며, 목수며 미장이며 교사(보통은 사제가 이를 대신했다)며 조산사(助産師)까지 살고 있었다. 규모가 작기는 했지만 조선소도 있어서 배를 만들기 위해 다른

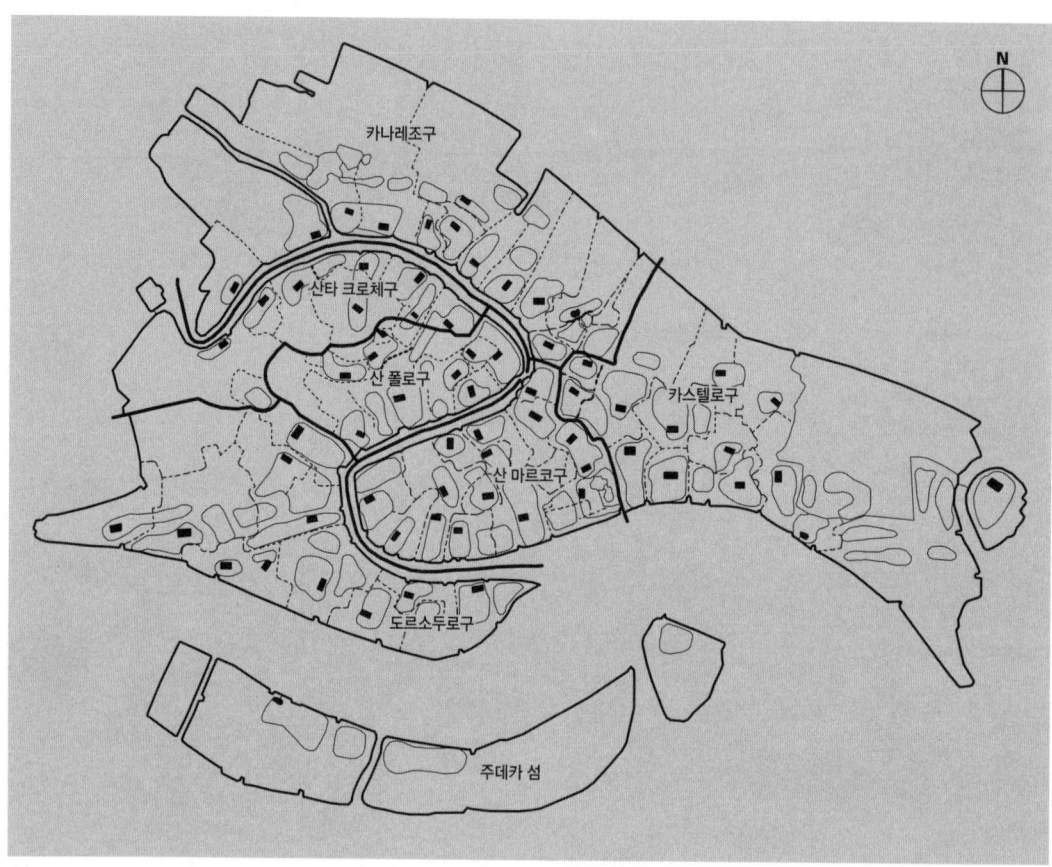

곳으로 발주하는 일이 없었다. 따라서 교구에서는 대부분의 일을 내부에서 처리할 수 있었으므로, 거의 완전한 자립성이 확보되었다고 할 수 있다.

그런데 이러한 교구 중심의 주민공동체는 12세기를 기점으로 변하게 된다. 베네치아에서는 1171년에 '세스티에레(Sestiere)'라고 불리는 새로운 행정구역을 지정했는데, 그 결과 교구의 역할이 종전보다 상당히 축소되었다. 세스티에레는 우리말로 구(區)라고 해석하는 것이 적절할 것 같다. 뒤집힌 S자형으로 흐르는 대운하를 경계로 베네치아는 크게 남북으로 나뉜다. 이렇게 양분된 지역을 다시 각각 세 구로 구분하여 모두 여섯 개로 구성했는데, 세스티에레라는 말은 여섯(sei)의 의미에서 파생되었다.(도판 38)

대운하의 북쪽에 있는 세 구는, 서쪽에서부터 카나레조구(Cannaregio), 산 마르코 성당과 원수 공관이 있어 정치와 종교의 중심이 되는 산 마르코구, 가장 동쪽에 자리하면서 조선소와 항구가 모여 있는 카스텔로구(Castello)이다. 대운하의 남쪽에 있는 세 구는, 경제활동의 중심이 되는 리알토 지구가 있는

38. 교구를 중심으로 하는 베네치아의 다핵적 공간구조. 도시의 윤곽과 교구 및 여섯 구의 경계는 17–18세기의 도시환경을 보여준다.
◯ 11세기에 조성된 육지.
■ 11세기까지 설립된 교구 교회.
⋯⋯ 17–18세기의 교구의 경계.
━ 여섯 구의 경계.

산 폴로구(San Polo), 그 북서쪽에 있는 산타 크로체구(Santa Croce), 그리고 주데카(Giudecca) 섬을 포함한 남부 일대인 도르소두로구(Dorsoduro)이다.

이 육구제(六區制)는 오늘날에도 그대로 유지되고 있다. 12세기에 칠십 개가 넘던 교구는 대부분의 활동을 유지한 채 같은 이름으로 각 구에 편입되었다. 교구제가 시민의 생활을 중심으로 구성되었다면, 육구제는 순수하게 행정상의 필요에 의해 생긴 것이다. 따라서 육구제가 시행되었다고 해서 교구를 중심으로 하는 베네치아인의 생활 패턴이 갑자기 바뀌지는 않았다. 각 교구에서는 종전과 마찬가지로 교회를 중심으로 생활했고, 교구마다 축제가 열렸으며, 정기적으로 장이 섰다. 다만 종전처럼 그 내부에서 대부분의 일을 처리하는 폐쇄적인 자립성은 변화를 맞이했다.

교구제에서 육구제로 이행하면서 베네치아의 공간구조에는 상당한 변화가 발생했다. 많은 다리가 건설되면서 도시의 각 부분이 서로 긴밀하게 연결되었던 것이다. 교구마다 독립해 있을 때에는 내부의 운하 위에 몇 개의 간단한 다리를 놓음으로써 물자이동과 사람의 왕래를 해결했고, 교구 밖으로 가기 위해서는 불편했지만 배를 이용했다. 그러나 각 교구가 여섯 개의 구로 편입되자 배를 이용해 도시의 이곳저곳으로 가는 것이 불편하기도 했거니와 육구제를 시행한 취지에도 맞지 않았다. 따라서 섬과 섬 사이를 연결할 다리의

39. 섬과 섬을 잇는 홍예 다리. 베네치아에는 이런 모양의 다리가 무수히 많다.

40. 1494년에 카르파초(V. Carpaccio)가 그린 〈십자가의 기적〉. 오른쪽에 있는 것이 리알토 다리인데, 이 그림을 통해 당시에는 목조 다리였음을 알 수 있다.

필요성이 증대했고, 그 수는 늘어나게 되었다. 처음 얼마 동안은 나무로 다리를 만들었는데, 평평하지 않고 가운데가 높아서 배가 지나갈 수 있도록 했다.

13세기말을 기점으로 도시의 다리는 대부분 석조로 된 홍예(虹霓) 다리로 변했다.(도판 39) 그러나 리알토 다리만은 이후에도 오랜 기간 동안 중앙부가 개폐되는 목조 다리로 남아 있다가 16세기에야 비로소 석조 다리로 바뀌었다. 대운하를 관통하는 리알토 다리는 좁은 운하에 놓인 다리와는 달리 그 밑으로 큰 배가 지나가야 했는데, 16세기 이전에는 돌로 그렇게 큰 다리를 만들 수 있는 기술이 없었다. 따라서 오랜 기간 동안 목조 다리로 남아 있을 수밖에 없었으며, 여러 차례 화재의 피해를 입는 수난을 겪어야만 했다.(도판 40, 69 참조)

도시에 많은 다리가 생겼다고 해서 운하의 중요성이 감소된 것은 아니었다. 사람과 물자의 이동이 땅 위에서 이루어진 비율이 현저히 늘어난 것은 사실이었지만, 운하는 운하대로의 역할을 계속 이어가야 했다. 앞서 언급한 대로, 베네치아에서 운하의 가장 큰 역할은 물이 들어오고 나가는 생태적 장치였으며, 교통로의 역할은 어디까지나 부차적인 기능이었다. 따라서 다리가 많아졌다고 해서 운하를 메울 수는 없었다. 크게 쓸모가 없는 작은 운하를 메운 경우는 상당수 있었지만, 운하의 수는 종전에 비해 그다지 줄지 않았다.

현재 베네치아에는 백오십 개가 넘는 섬과 백팔십 개에 가까운 운하, 그리고 사백십 개나 되는 다리가 있다. 이렇게 해서 베네치아는 공간적으로 통합된 공화국의 영토가 된 동시에, 오늘날 보는 것처럼 특별한 조직을 가진 도시로 완성되었다. 수로로 둘러싸인 크고 작은 섬들이 오밀조밀하게 모이고, 그 사이를 운하가 꼬불꼬불하게 지나가고, 무수히 많은 다리가 그것들을 연결하는 특이한 조직을 가진 세계 유일의 도시가 된 것이다.

베네치아의 광장과 길

베네치아에는 유럽의 어떤 도시보다도 광장이 많다. 칠십여 개에 달했던 각 교구에는 광장이 적어도 한 개 이상 있었으므로 광장의 수가 교구의 수보다 훨씬 많았다고 볼 수 있다. 광장은 종교 및 일상생활의 중심이었으며 교구를 이루는 섬의 중앙에는 예외 없이 광장이 있었다. 광장의 한 모퉁이에는 교회가 있었고, 교회 옆에는 종탑(campanile)이 있었다. 12세기에 만들어진 종탑 중에는 아직도 남아서 광장의 수직적 중심을 이루는 것이 많다.(도판 41)

이탈리아어로 광장을 의미하는 말은 '피아차(piazza)'이지만, 베네치아에서는 산 마르코 성당 앞의 거대한 산 마르코 광장만이 피아차라고 불린다. 다른 광장은 모두 '캄포(campo)'라고 부르는데, 캄포란 어원적으로 밭이나 전원(田園)을 의미한다. 이렇게 광장을 캄포라고 부른 것은, 도시가 형성되던 초기에는 교회 앞 광장에 수목을 심었거나 가축을 놓아 기르고 있었기 때문이었다.

15세기에 들어와서는 대부분의 캄포가 돌로 포장되었다. 캄포는 교구에 사는 사람들에게 가장 중요한 옥외공간이었다. 미사가 끝난 후에 모이는 사교의 장이었을 뿐만 아니라, 정기적으로 장이 서는 곳도 캄포였으며 축제가 열리는 곳도 캄포였다.

베네치아의 광장들은 그 크기도 다양하다. 일반적으로 섬의 크기가 클수록 광장도 크고, 그 주변에 있는 건물들도 크고 화려하다. 산 폴로 광장이나 산타 마리아 포르모사 광장(Campo Santa Maria Formosa) 같은 것이 큰 규모에 해당한다.(도판 42, 118 참조) 광장이 바로 보이는 한 모퉁이는 교회가 차지

41. 산티 아포스톨리 광장(Campo Santi Apostoli)에 서 있는 종탑. 18세기에 카날레토가 제작한 판화 연작 〈베네치아의 풍경(Le Prospettive di Venezia)〉 중의 하나이다.

했지만, 다른 쪽에는 유력자들의 주택이 들어섰다. 그 밖에도 광장 주변에는 시장, 신용조합, 소규모 조선소, 묘지 등이 자리했다. 그런데 적어도 광장의 한 면은 운하에 면해 있는 것이 일종의 원칙처럼 지켜졌다. 광장에 면한 운하가 오늘날에 매립되어 사라진 곳도 있지만, 과거에는 교구의 유지를 위해서 꼭 필요했다. 사람이든 물자든 모든 수송을 수상교통에 의존할 수밖에 없었던 베네치아에서는, 광장이 운하와 직접 연결되어야 했던 것이다. 광장에서 운하로 내려가는 곳에는 계단을 만들어 선착장으로 이용할 수 있게 했다.

각 교구의 중심에는 광장이 있었지만, 교구 안에는 광장보다 규모가 작은 여러 종류의 옥외공간들이 있었다. 광장의 후면에 있는 중산층 및 서민층의 주거지역에는 '캄피엘로(campiello)' 또는 '코르테(corte)'라고 불리는 크고 작은 옥외공간들이 곳곳에 있어서 주민들의 휴식장소나 어린이들의 놀이공간이 되었다.

캄피엘로는 캄포보다 크기가 작은 광장으로서, '소광장'이라고 부르는 것이 적당할 것이다.(도판 43) 코르테는 주택 안에 있을 때는 '중정'이 되겠지만, 이런 경우에는 '빈터'라고 부르는 것이 적절하겠다.(도판 44) 이러한 소규모 옥외공간들은 보통 삼사층인 주변의 주택에 햇빛과 바람을 제공하는 중

42. 베네치아에서 대표적인 광장 중의 하나인 산타 마리아 포르모사 광장. 카날레토의 판화 연작 〈베네치아의 풍경〉 중의 하나이다.

요한 역할을 했으며 이웃과의 커뮤니티 활동을 위해서 적절하게 사용되었다. 이런 작은 옥외공간들은 운하에 면해 있기도 했지만, 많은 경우 운하와 직접 연결되지는 않았다.

광장의 중앙에는 우물을 설치하여 교구에 있는 모든 가정에 식수를 공급했다. 베네치아에서는 우물을 '포초(pozzo)'라고 부르는데, 엄격한 의미에서 포초는 우물이라기보다 '저수조(貯水槽)'라고 하는 것이 정확하다. 우리가 생각하는 우물의 개념은 땅을 깊이 파서 찾아낸 지하수를 퍼 올리는 장치를 말하지만, 베네치아의 우물은 지하수를 퍼 올리는 것이 아니라 빗물을 저장해 놓고 사용하기 때문에 일반적인 우물과 매우 다르다.

베네치아 사람들이 지하수 대신 빗물을 사용할 수밖에 없었던 이유는 베네치아가 처한 특수한 환경 때문이었다. 땅을 파서 지하수를 퍼 올리면 지반의 침하가 발생한다. 인공지반을 조성하는 데 엄청난 비용과 시간을 투입해야 하는 베네치아인들에게 이는 허용될 수 없었다. 따라서 그들은 나름대로의 방법을 통해서 식수를 마련해야 했으며, 염전개발에서 얻은 기술을 응용해 베네치아식 우물을 고안했던 것이다.(도판 45)[24]

교구 중심에 있는 광장에 우물을 파는 일은 교구민들의 중요한 공동사업이

44. 주택의 전후면에 있는 작은 외부공간인 코르테. 이곳은 주변의 주택에 햇빛과 바람을 제공하고 공동 공간으로 적절하게 사용되었다.

43. 베네치아의 곳곳에 자리잡은 소광장. '캄피엘로'라 부르는 이러한 소광장은 주민들의 휴식 장소나 어린이들의 놀이공간이었다.(p.90)

었다. 우물을 조성하는 과정에 대해서는 시오노 나나미가 쓴 책 『바다의 도시 이야기』에 상세하게 설명되어 있는데, 그것을 요약해 보면 다음과 같다.

우선 광장의 한가운데를 가능한 한 넓게 5-6미터 정도의 깊이로 팠다. 그리고 사각형의 풀장을 만든 다음 이 풀장 안쪽을 중국냄비의 밑바닥 모양으로 점토로 다졌다. 이 점토층은 밑에서 스며드는 바닷물과 위에서 고이는 빗물이 서로 접촉하지 않도록 하는 방벽(防壁)이었다. 이 작업이 끝나면 풀장 내부를 다량의 모래로 채웠다. 그 다음에는 마치 밑 빠진 병처럼 생긴 구조물을 광장의 네 군데 정도에 설치했다. 이 병의 구멍을 통해 빗물이 밑으로 흘러 들어가는데, 빗물은 모래를 통과함으로써 여과되어 점토층의 중앙부에 모인다. 이 중앙부에는 물에 강한 이스트라산(産) 석반(石盤)을 설치하고, 그 위에는 벽돌을 사용하여 둥근 통 모양의 우물을 만들었다. 정수가 된 빗물은 이 통 모양의 우물로 스며들어가 고이게 되고, 퍼 올려지기를 기다리게 된다.[25]

부자들은 그들의 저택 중정에 우물을 설치하여 전용으로 사용했지만 일반 서민들은 대부분 교구 중앙에 있는 광장의 우물을 사용했다. 그런데 캄피엘로나 코르테 등 광장보다 작은 공공장소에도 우물이 설치되어 있는 것을 보면 작은 커뮤니티 단위에서도 우물을 공유했음을 알 수 있다. 어쨌든 서민들은 하나의 우물을 여러 가족이 공동으로 사용했음이 분명하다.

베네치아는 강수량이 비교적 풍부했으므로 우물을 잘 관리하기만 한다면 식수는 충분히 조달할 수 있었다. 그러나 우물물은 아무래도 귀했기 때문에 일상생활에 필요한 모든 물을 우물물로 할 수는 없었다. 따라서 베네치아의 일반 가정에서는 부엌 주변에 큰 물통을 두고 홈통을 통해서 이곳으로 빗물을 모아 세탁·청소·목욕 등 일상생활을 하는 데 사용했다.

우물에서 지상에 드러나 있는 부분 즉 우물머리는 대리석으로 만들었는데, 보통 다각형이거나 원통 모양이었다. 이것은 일종의 예술품으로서, 광장이

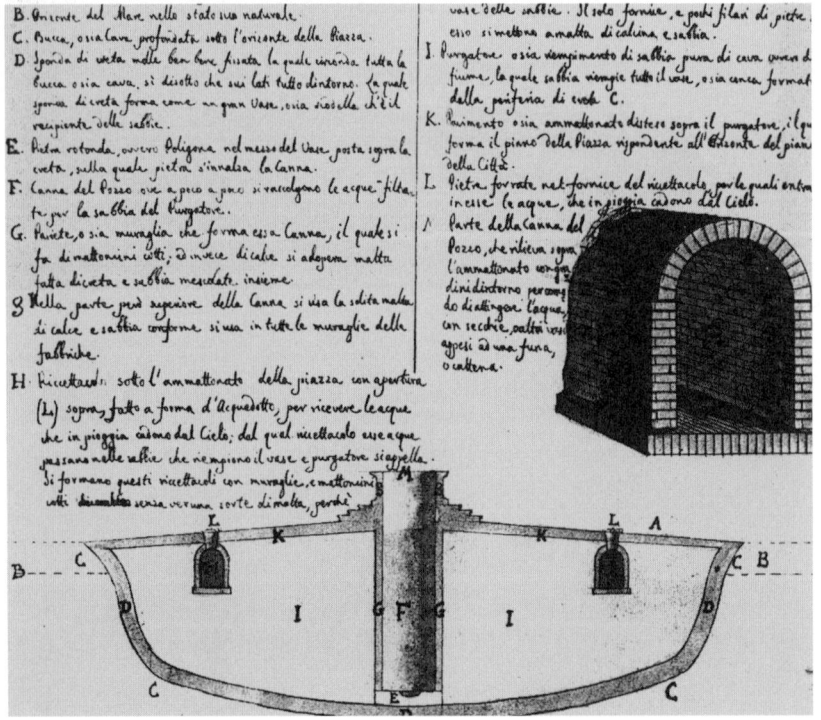

45. 베네치아 특유의 우물 설치 방법에 관한 모식도. 베네치아의 우물은 지하수를 퍼올리는 장치라기보다는 빗물을 저장하는 기능을 가진 저수조에 가까웠다.

46. 한 저택의 중정에 설치된 우물머리로, 매우 정교한 장식이 눈에 띈다. 대리석으로 만든 이러한 우물머리는 중정을 꾸미는 중요한 예술품이었다.

나 중정을 꾸미는 중요한 장식품이 되었다. 상류층 저택의 중정에 있는 우물머리는 매우 정교하게 장식하여 주인의 취향을 과시했다.(도판 46) 반면 광장의 중앙에 있는 우물머리는 모양이 단순하고 장식도 그리 많지 않다.(도판 43 참조)

오늘날 베네치아를 돌아다니다 보면 무수히 많은 우물들을 보게 된다. 지금은 사용하지 않는 이것을 보면, 과거 베네치아 사람들의 독특한 생활상이 떠오른다. 우물은 일상생활의 젖줄이면서 공동생활의 중심이었을 것이다. 19세기에 도시에 수도를 설치하여 대륙으로부터 상수를 끌어오기 시작하면서 우물은 점차 그 역할을 상실했고, 우물머리들도 방치되었다. 베네치아인들의 강한 결속력과 상부상조하던 공동생활의 흔적인 우물은 본래의 역할을 상실했지만 그래도 여전히 베네치아의 크고 작은 외부공간들을 꾸미는 시각적 중심이 되고 있다.

베네치아의 각 교구를 이루는 섬에는 비교적 명쾌한 도로 체계가 형성되어 있었다. 우선 섬을 관통하는 간선도로가 있었는데, 이 도로는 광장을 통과하거나 또는 도로의 끝에 놓인 광장을 향해 뻗어 있었다. 이 간선도로에서 작은 길들이 파생되어 후면의 주거지역이나 운하로 연결되었다. 이것이 베네치아를 이루는 각 섬들의 기본적인 도로 체계였다. 몇몇 섬들의 도로 체계는 마치 물고기의 뼈를 보는 것처럼 명료하고 체계적이었다. 그러나 이렇게 명료하던 도로 체계는 도시 전체로 확장되면서 복잡한 양상으로 변화했다.

오늘날 베네치아의 복잡한 도로 체계는 섬과 섬 사이의 연결관계 및 섬과 운하와의 관계에서 파생된 것이다. 각 섬의 도로 체계는 이웃 섬과 전혀 상관없이 형성되었기 때문에 도시가 공간적으로 통합되면서 자연히 복잡해져 버렸다. 또한 섬 내부에서 명확하던 체계가 미로처럼 얽혀 있는 크고 작은 운하들과 만나면서 그 연결이 부드럽지 않게 되었고, 결국 매우 복잡하게 변했던

47. 17세기에 익명의 작가가 그린 베네치아 조감도의 일부. 복잡한 도로 체계와 운하의 모습이 잘 묘사되어 있다.

것이다.(도판 47)

　베네치아에서 길을 나타내는 말은 그들만의 고유한 방언에서 유래했다. 이는 베네치아가 오랜 기간 동안 이탈리아의 여타 도시들과 다른 고유한 도시 문화를 형성했기 때문이다. 베네치아에서도 라틴어가 교회나 공화국 정부에서 사용하는 공식 언어였지만, 일상생활에서는 일반인들과 상류층까지도 베네치아의 방언을 사용했다. 따라서 길을 뜻하는 단어도 이탈리아의 다른 도시들과 달리, '비아(via)'나 '스트라다(strada)' 등으로 부르지 않고 '칼레(calle)'라는 단어를 주로 사용한다. 칼레는 '통로' 또는 '궤도(track)'의 의미를 가진 라틴어 '칼리스(callis)'에서 유래된 것이다. 이 밖에도 길의 특성이나 위계에 따라서 여러 가지 다른 말로 부르기도 한다.

　예를 들면, '살리차다(salizzada)'는 도시 성립의 초기 단계부터 포장된 주요 도로를 의미하며, 보통 섬을 관통하는 간선도로를 지칭하는 경우가 많다.26 거리를 뜻하는 프랑스어인 '뤼(rue)'에서 파생된 '루가(ruga)'라는 단어도 간혹 사용하는데, 이것 역시 지역의 주요한 간선도로로서 주변에 상점이나 공방 등이 밀집해 있는 상가를 말하는 경우가 많다.

　길을 부르는 또 다른 단어인 '라모(ramo)'는 나뭇가지라는 뜻으로, 칼레에

48. 운하를 따라 설치된 하안도로인 폰다멘타. 폰다멘타는 일정 거리 이상 이어진 경우가 드물고, 일반적으로 다른 형식의 길과 연계되어 있다. (p.95)

서 꺾어 들어서 형성된 좁은 길을 말하며 막다른 골목을 이루는 경우가 많다. 또한 '폰다멘타(fondamenta)'라는 말은 운하를 따라서 이루어진 하안도로를 의미한다.(도판 48) 이런 특이한 길을 제외하면 일반적인 길은 모두 칼레라고 부르는데, 그 수에서도 칼레가 압도적으로 많다.

앞에서 이미 언급한 대로, 미로형의 도로 체계를 가진 베네치아의 공간구조는 이슬람 도시들과 유사한데, 한번 길을 잃어버리면 다시 돌아오는 데 상당한 곤욕을 치른다. 따라서 이슬람 도시들처럼 현지인의 안내 없이 베네치아의 구석구석을 돌아다니기가 꽤 어렵고, 처음 방문하는 사람들은 곧잘 길을 잃어버리곤 한다.

이 도시의 미로형 도로 체계는 셰익스피어의 유명한 희곡 『베니스의 상인(The Merchant of Venice)』에 나오는 대화에도 잘 묘사돼 있다. 악덕 상인 샤일록(Shylock)의 하인 론슬롯(Launcelot)은, 그의 아버지인 고보(Gobbo) 노인이 샤일록의 집을 찾아가는 방법을 묻자 이렇게 대답한다. "다음 모퉁이에서 오른쪽으로 도시고요, 그 다음 길목에서 왼쪽으로 가세요. 또 그 다음엔 그대로 쭉 내려가시다가 슬쩍 한 바퀴 돌면 바로 그 유태인의 집이에요." 이렇게 표현한 길 안내는 오늘날 베네치아의 복잡한 공간 체계를 대변하고 있다. 또한 베네치아는 도시 전체가 사백여 개의 다리로 서로 연결되어 있는데, 이곳을 처음 방문한 사람이 이 다리들을 건너서 멀리 떨어진 목적지를 찾아가는 것도 그리 쉬운 일이 아니다.

그런데 이슬람 도시들과 베네치아는 결정적으로 서로 다른 측면을 가지고 있다. 이슬람 도시의 경우 막다른 골목에 의해서 사람들의 움직임이 막히는 경우가 매우 많은 데 비해, 베네치아는 거의 대부분의 골목들이 서로 이어져 있다. 길이 끊어진 경우가 있다 해도 대부분 물을 향해서 개방되어 있다. 그

50. 건물 아래를 관통하는 터널형 도로 소토포르테고. 밀도가 높은 베네치아에는 이런 터널형 도로가 무수히 많다.

49. 베네치아 특유의 폭이 좁은 길. 양팔을 뻗었을 때 팔꿈치가 좌우의 건물 벽에 닿을 정도로 좁다. (p.96)

물코처럼 복잡하게 통하는 운하라고 해도 굽이굽이 돌아가면 반드시 대운하나 바다로 빠져나갈 수 있듯이, 베네치아에는 곳곳에 샛길이 있어서 막다른 골목이란 것이 딱히 존재하지 않는다. 즉 소광장(캄피엘로)이든 빈터(코르테)이든 반드시 반대 방향을 향해 두 개의 좁은 길이 통하고 있다.

일반적으로 광장 등 옥외공간이 좁으면 그곳으로 통하는 길의 폭도 좁아진다. 베네치아를 다니다 보면 양팔을 뻗었을 때 팔꿈치가 좌우의 건물에 닿을 정도로 좁은 길을 쉽게 발견할 수 있다.(도판 49) 이러한 좁은 길들 중에는 아예 건물 아래를 관통하는, '소토포르테고(sottoportego)'라고 불리는 터널형의 길도 있다.(도판 50)

52. 베네치아의 정치와 종교의 중심인 산 마르코 광장. 화려하고 정교하게 장식된 산 마르코 성당이 전면에 있고, 거대한 종탑이 도시의 수직적 중심을 이루고 있다. (p.99)

베네치아의 상징적 공간: 세 곳의 중심지구

앞에서 언급한 것처럼, 베네치아는 본질적으로 다핵적 도시의 성격을 가지고 있지만, 동시에 여러 섬들이 하나의 도시로서 유기적인 통합을 이루고 있기도 하다. 이것은 12세기에 각 섬을 잇는 다리가 건설되고, 주요 도로가 정비되면서 베네치아가 하나의 도시국가로 통합된 양상과 무관하지 않다. 그러나 이것 못지않게 중요한 이유는, 성격이 다른 세 곳의 중심지구가 일찍부터 도시를 공간적으로 그리고 기능적으로 통합하는 역할을 했기 때문이다.(도판 51) 산

51. 베네치아의 세 중심지구(어둡게 칠한 부분)와 주요 광장들.
① 산 폴로 광장.
② 산 실베스트로 광장.
③ 산 자코모 광장.
④ 산 칸치아노 광장.
⑤ 산타 마리아 포르모사 광장.
⑥ 산 로렌초 광장.
⑦ 산타 마르게리타 광장.
⑧ 산 스테파노 광장.
⑨ 산 안촐로 광장.
⑩ 산 마르코 광장.

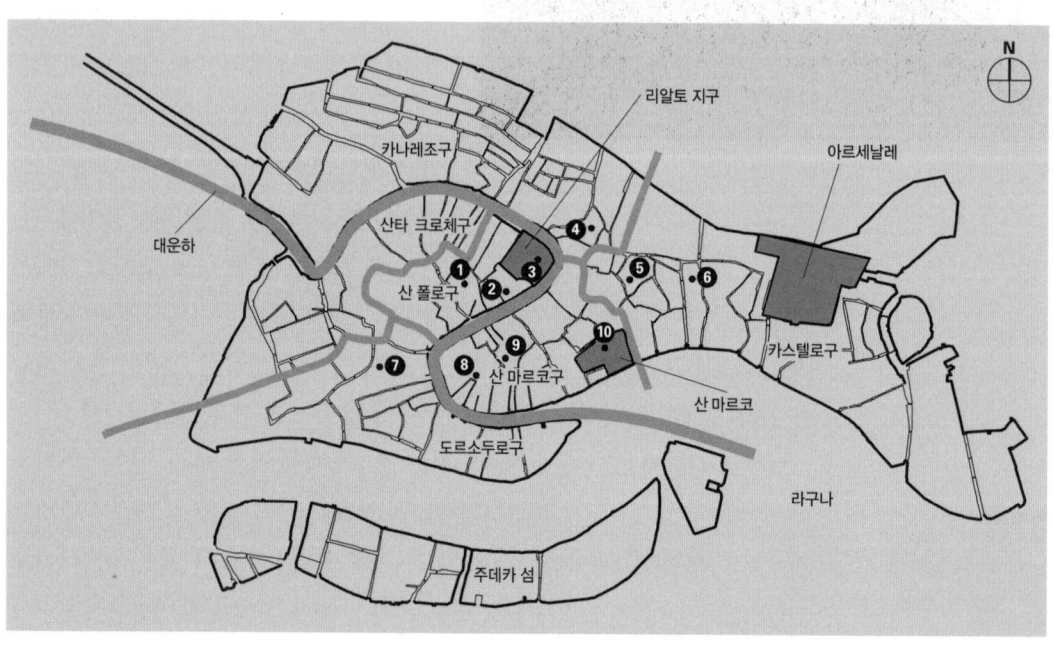

마르코 성당과 팔라초 두칼레 즉 원수 공관이 위치해 있어서 종교와 정치의 중심이 된 산 마르코 광장, 그리고 상업의 중심이 되는 리알토 지구, 마지막으로 조선산업의 중심인 아르세날레가 이 세 곳에 해당한다. 도시의 상징적 중심공간을 형성한 이 세 곳은 도시 전체를 유기적 통합체로 인식하게 하는 데 커다란 기여를 했다.

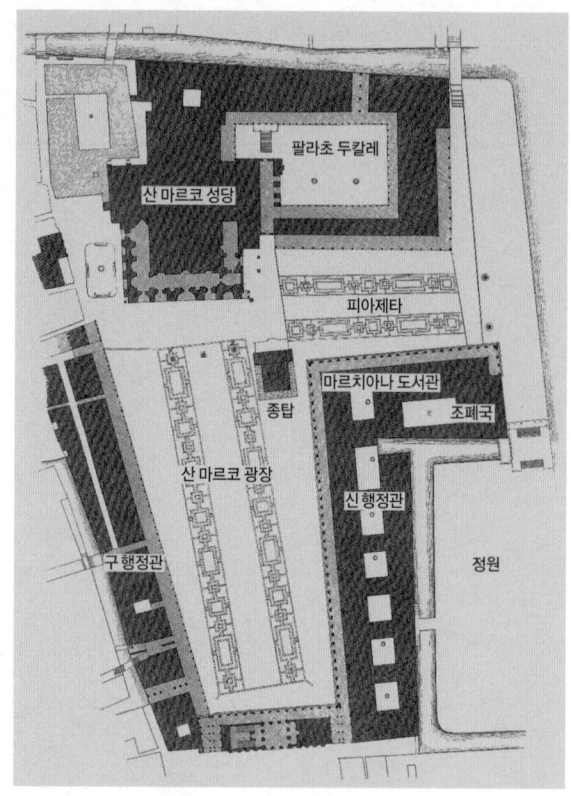

산 마르코 광장은 명실공히 도시의 중심이 되는 곳이다.(도판 52, 53) 베네치아에서 유일하게 '피아차'라고 불리는 산 마르코 광장은 우선 그 크기와 위용에서 보는 사람을 압도한다. 이 장대한 광장은 L자 모양을 하고 있으며, 꺾어진 부분에는 바다를 향해 열려 있는 작은 광장이 있는데 이것은 특별히 '피아제타(Piazzetta)'라고 부른다.(도판 53) 말하자면, 산 마르코 성당의 전면에 있는 피아차가 베네치아의 '거실'이라고 한다면, 바다를 향해 열려 있는 피아제타는 베네

53. 19세기에 작도한 배치도에 묘사된 산 마르코 광장과 그 주변의 주요 건물들.

치아의 '현관'이라고 할 수 있다. 따라서 이 현관에는 도시의 수호 성인인 산 마르코와 산 테오도로(San Teodoro)를 상징하는 두 개의 기둥을 바다를 향해 세웠다.(도판 55)

바다에서 피아제타로 들어서면 오른쪽에는 정치의 중심인 팔라초 두칼레가 있고, 안쪽을 향해서 더 들어가면 산 마르코 성당을 머리로 하는 피아차가 눈앞에 전개된다. 18세기말에 베네치아를 점령했던 나폴레옹이 '유럽에서 가장 아름다운 살롱'이라고 극찬했던 이 광장은 시대의 변화에 따라 여러 가지 건축양식들이 섞여 있지만, 주변이 열주와 아치들로 둘러싸여 전체적으로 고전적인 분위기를 띠고 있다.

명쾌한 모습을 지닌 산 마르코 광장은 유기적이고 복잡한 형상의 도시와는 매우 대조적이다. 이 광장은 공화국 역대 지도자들의 의지와 건축가들의 열정이 결합된 결과물이며, 세심함과 화려함이 공존하는 예술작품이다. 광장

54. 산 마르코 광장에 면해 있는 마르치아나 도서관. 르네상스 양식으로 지은 이 건물은 베네치아 문화의 상징이다.(위)
55. 베네치아의 '현관'인 광장 피아제타에 서 있는 두 개의 원주. 각각 도시의 수호 성인인 산 마르코와 산 테오도로를 상징한다. (아래)

제3장 베네치아의 도시구조: 다핵적 구조와 중심적 구조의 공존 101

을 둘러싸고 있는 건물들은 천 년이 넘는 오랜 세월 동안 차례로 들어섰다.(도판 57)[27]

산 마르코 성당은 비잔틴 양식의 건물이고, 팔라초 두칼레는 이슬람풍의 고딕 양식이다. 그리고 베네치아 문화의 상징인 마르치아나 도서관(Biblioteca Marciana, 도판 54)과 경제력의 상징인 조폐국(造幣局, Zecca)은 르네상스 양식의 건물이다. 이렇게 산 마르코 광장의 주변은 비잔틴과 이슬람 양식이라는 '동방적' 요소와 고전주의라는 '서구적' 요소가 교묘하게 섞여 있어서, 동서 문화 교류의 중심지라 하기에 적절한 곳이다. 또한 이곳은 다양성과 통일성, 그리고 화려함과 우아함이 공존함으로써, 세계에서 가장 아름다운 광장이라는 칭송을 받을 만하다.

산 마르코 광장의 핵은 산 마르코 성당이다. 이 성당은 9세기에 처음 지어졌는데, 여러 차례 개축되면서 오늘날의 모습이 되었다. 이곳에 성당이 들어선 것은, 828년에 베네치아의 두 상인이 알렉산드리아(Alexandria)의 한 수도원에서 성자 마가(산 마르코)의 유골을 구해 우여곡절 끝에 이 도시로 가져 온 것이 계기가 되었다. 그리고 이 사건으로 인해 성자 마가는 베네치아의 수호 성인이 되었다.

처음에 이 성당은 매우 소박했고, 규모도 지금과는 비교되지 않을 정도로 작았다. 또한 그 전면에 형성된 광장도 오늘날의 화려한 모습을 상상할 수 없

56. 산 마르코 성당의 평면구성.
콘스탄티노플의 '열두 사도 교회당'을 모델로 계획한 것으로, 십자형의 평면 위에 다섯 개의 거대한 돔을 얹은 모습이다.

57. 시대에 따른 산 마르코 광장의 변화 과정.
① 9–11세기.
② 12세기.
③ 19세기 중반.

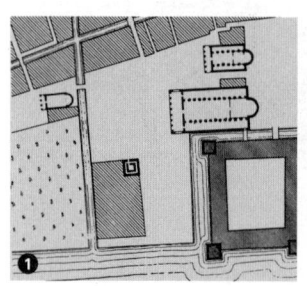
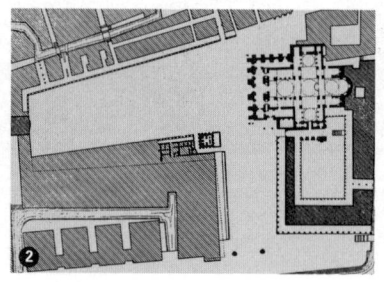
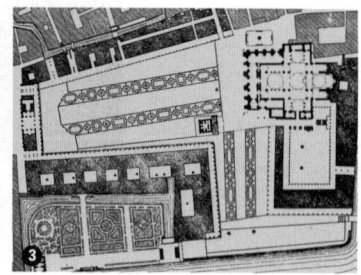

58. 광장을 향해 있는 산 마르코 성당. 비잔틴 양식의 건물로, 내부와 외부를 모두 화려하게 장식했다.

을 만큼 작고 초라했다.(도판 57의 ① 참조) 처음에 지은 교회당은 967년에 불타서 없어졌고, 978년에 새로운 건물을 지었다. 11세기에 들어와서 국가원수였던 도메니코 콘타리니(Domenico Contarini)는 가장 본격적으로 성당을 구축했다. 이것은 베네치아 공화국이 시행한 최초의 위대한 건축사업이었다. 그러나 당시 서구에는 대성당을 짓기 위해 참고할 만한 건물이 없었던 데 반해, 콘스탄티노플을 비롯한 비잔틴 세계에는 찬란한 건축문화가 전개되고 있었다. 콘스탄티노플에는 이미 거대한 성 소피아 성당(Hagia Sophia)이 존재하고 있었으며, 베네치아인의 거류지와 가까운 장소에는 같은 건축가가 개축한 '열두 사도 교회당'이 있었다. 베네치아인들은 이 '열두 사도 교회당'을 모델로 산 마르코 성당을 새롭게 지었는데, 십자형의 평면 위에 다섯 개의 거대한 돔을 얹은 모습이었다.(도판 56) 이후에도 계속해서 정면과 내부에 장식을 첨가했고 조금씩 개조하면서, 15세기말에 이르러 그 모습을 완성시켰다. 그리하여 비잔틴 양식을 골격으로 한 찬란한 대성당이 산 마르코 광장

60. 팔라초 두칼레.
이 건물은 고딕 양식을 취하고 있는데, 외벽 구성과 세부 장식에는 이슬람 양식이 가미되었다.

59. 팔라초 두칼레의 이층에 형성된 로지아의 내부. 광장과 바다를 향해서 완전하게 개방된 모습이다.(p.104)

의 핵심으로 자리잡게 되었다.(도판 58)

베네치아의 중심을 이루는 또 하나의 중요한 건물은 팔라초 두칼레 즉 원수 공관이다.(도판 60) 존 러스킨은 이 건물을 특히 좋아하여, '세계의 중심이 되는 건물'이라고 표현했다. 이 건물은 국가원수를 위한 궁전이라기보다는, 베네치아의 중앙 행정관청으로서 공화국의 내표들이 모여 징사를 논의하던 곳이었다. 이곳에 팔라초 두칼레가 들어선 것은 810년, 즉 공화국의 본거지를 리알토로 옮긴 해였다. 그로부터 약 이십 년 후에는 북쪽에 산 마르코 성당이 이 팔라초의 부속 성당으로 자리잡았다.

처음에 지어진 팔라초 두칼레는 성채(城砦)의 형상이었는데, 장식이 전혀 없어서 중세의 성곽과 그 모습이 다르지 않았다.(도판 57의 ① 참조) 이 건물은 커다란 중정을 둘러싼 정방형의 평면을 가졌고, 세 코너에 작은 탑을 세웠다. 이곳에는 원수의 사적 공적 주거공간과 정부의 각 기관, 회의장, 재판소,

61. 르네상스 양식의 입면으로 둘러싸인 팔라초 두칼레의 중정. 연속된 아치와 부조를 사용해 입면을 우아하게 구성했다.

형무소 등 다양한 기능의 공간들이 중정 주위에 분산되어 있었다.

1170년대에 들어와서 새로운 원수 세바스티아노 지아니(Sebastiano Ziani)는 산 마르코 광장을 확장하고 주변을 대담하게 정비하면서 공관도 크게 개축했다.(도판 57의 ② 참조) 기존의 방어적인 모습을 완전히 버리고, 일층에는 거대한 아치가 연속하는 포티코(portico)를, 이층에는 작은 아치가 촘촘하게 배열된 개방적인 로지아(loggia)를 설치했다.(도판 59) 당시에 완성된 외관은 지금과 차이가 있었는데, 오늘날과 비슷한 외관으로 구성된 것은 14세기 중엽의 개축에 의해서였다. 이후 17세기에 이르는 동안 여러 차례에 걸쳐 공간을 추가하고 변경하면서 오늘날의 모습이 되었다. 결과적으로 이 건물

62. 바르바리의 조감지도 중에서 스키아보니 해변을 묘사한 부분으로, 많은 범선들이 정박해 있는 모습을 표현했다.

63. 18세기에 카날레토가 그린 〈몰로항을 떠날 준비를 하는 부친토로호〉. 예수승천일에 열렸던 베네치아 최대의 축제인 '바다와의 결혼식' 모습을 그린 그림이다.

은 고딕, 르네상스, 이슬람 양식이 교묘하게 섞인 건물이 되었다. 즉 외관은 고딕 양식을, 중정은 르네상스 양식을, 그리고 섬세한 외벽 구성과 세부 장식은 이슬람 양식을 구현한 것이다.(도판 60, 61) 이렇게 완성된 아름다운 장밋빛 건물은 베네치아 공화국의 안정된 정치체제와 번영의 상징이 되었다.

팔라초 두칼레의 전면에서 동쪽으로 가다 보면 라구나를 따라 길고 아름다운 수변 공간이 조성되어 있다. 이곳은 스키아보니 해안으로, 아드리아해에서 베네치아로 접근하면 가장 먼저 눈에 들어오는 곳이다.(도판 35 참조) 이곳은 지중해로부터 운반된 상품을 일차로 하역하는 곳이며, 과거에는 공화

제3장 베네치아의 도시구조: 다핵적 구조와 중심적 구조의 공존

국에서 필요로 하는 창고들이 즐비하게 늘어서 있었다.

베네치아가 해상무역의 강국으로 번영을 누리던 시대에는 무수히 많은 범선(帆船)들이 이곳에 정박하여 번화한 모습을 연출했다.(도판 62) 또한 12세기 이래로 매년 베네치아의 공식적인 축제인 '바다와의 결혼식(Sposalizio del Mar)'이 열리는 중심 장소이기도 했고, 그 밖에도 바다와 관련되는 모든 국가의 의식들이 거행되던 장소이기도 했다.[28](도판 63)

이 수변 공간의 동쪽 끝에는 베네치아의 또 다른 중심 시설인 아르세날레가 자리한다. 아르세날레를 우리말로 번역하면 '조선소 겸 해군기지'가 적당할 것 같다. 베네치아를 비롯해 제노바 · 팔레르모(Palermo) · 이스탄불(Istanbul) · 암스테르담(Amsterdam) 등 중세 이래로 바다와 밀접한 관련을 가지고 발전한 도시에는 모두 이와 유사한 조선시설이 있었다.

15-16세기를 기준으로 본다면 베네치아의 아르세날레는 유럽에서 가장 큰 조선소 겸 해군기지였다. 활발한 지중해 교역을 통해서 공화국의 발전이 정점에 달했던 당시에는 조선소와 항만시설을 잘 갖추는 것이 당연한 일이었다. 어쨌든 9세기에서 17세기에 이르는 기간 동안 베네치아는 유럽에서 조선업의

64. 18세기에 해양학자인 마피올레티(G. Maffioletti)가 그린 아르세날레의 조감도. 방어의 목적으로 라구나에서 깊숙이 들어간 곳에 자리했으나, 운하로 바다와 직접 연결되었다.

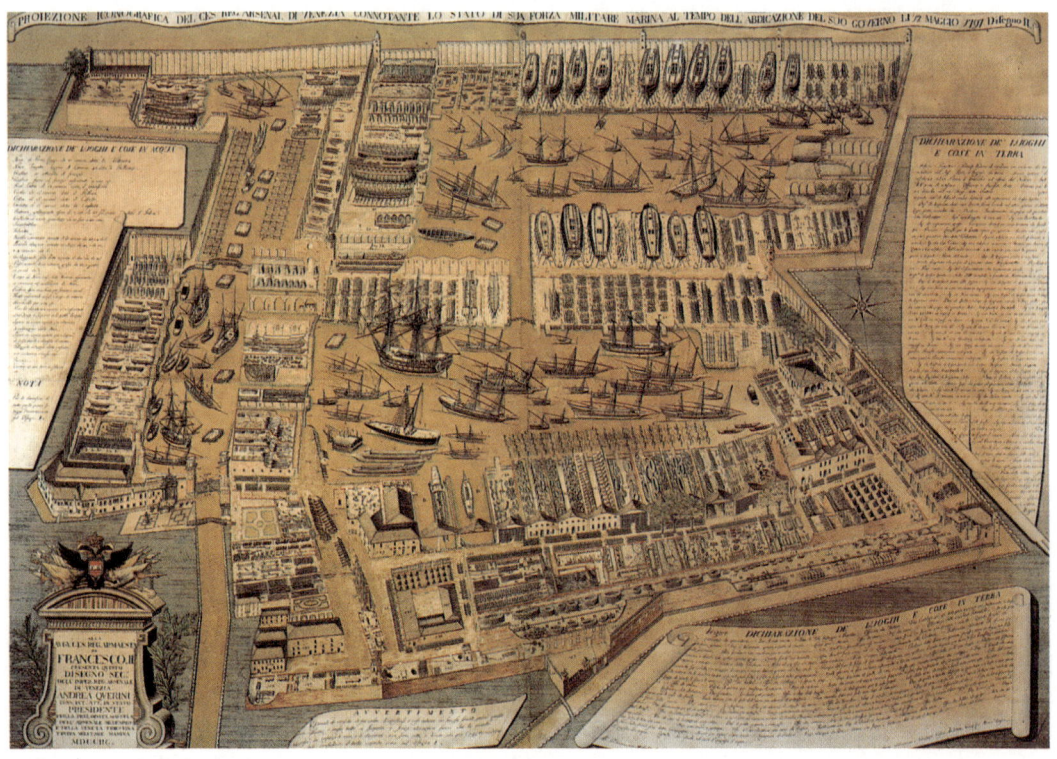

65. 베네치아의 조선소 겸 해군기지였던 아르세날레의 육지 쪽 입구. 외부인을 맞이하는 화려한 입구를 만들어 그 위용을 과시했다.

최선진국이었다. 베네치아의 조선기술은 다른 나라보다 압도적으로 뛰어났는데, 이렇게 될 수 있었던 이유는 왕성한 해상교역 때문이기도 하지만 목재를 대량으로 공급받을 수 있는 지역과 인접해 있었기 때문이었다. 베네치아는 이 지역으로부터 언제든지 값싸고 질 좋은 목재를 공급받을 수 있었던 것이다.

아르세날레는 방어의 목적 때문에 라구나에서 깊숙이 들어간 곳에 자리했지만, 운하를 통해 바다와 직접 연결되었다.(도판 51, 64 참조) 베네치아의 아르세날레는 시각적으로 그리 두드러지지 않았음에도 불구하고 실제로는 도시의 핵심이 되는 매우 중요한 시설이었다. 16세기초의 원로원 공문서에도 이 아르세날레를 '공화국의 심장부'라고 기재하고 있다.

아르세날레가 베네치아에 처음 생긴 것은 1104년이었는데, 이때는 베네치아가 동방무역을 막 시작하던 시기였다. 이후 베네치아가 십자군을 배에 태워 보내는 전진 기지가 되면서, 강력한 함대를 조직하기 위한 배의 수요가 급격히 증대했다. 연이은 국력의 증대는 자연히 아르세날레의 확장을 유도했고, 14세기초에는 기존의 아르세날레 동쪽에 아르세날레 누오보(Arsenale Nuovo) 즉 새로운 아르세날레를 건설했다.

15세기말과 16세기초에도 계속 확장하여 가장 전성기 때 이곳에는 수천 명의 기술자가 일을 했다. 아르세날레는 공화국을 방문하는 국빈들에게 꼭 관람시키는 도시의 자랑거리였다. 그리고 그 주변을 긴 벽으로 둘러싸서 방어의 기능을 강화했으며, 육지 및 해안에서 외부인을 맞이하는 화려한 입구를 조성하여 그 위용을 과시했다.(도판 65) 오늘날에도 이곳은 이탈리아의 해군 기지로 사용되고 있다.

베네치아의 아르세날레는 또 다른 측면에서도 흥미를 끈다. 그것은 아르세

66. 나폴레옹이 베네치아를 정복하기 이전에 있던 곡물 창고. 오늘날에는 이곳에 정원이 조성되어 있다. 바르바리의 조감지도 〈1500년의 베네치아〉의 일부.

날레의 주변지역이 세계에서 최초로 공업지대를 형성했고, 직업에 따른 주거지역의 분화가 있었다는 사실이다. 아르세날레가 자리잡은 카스텔로구는 그곳에서 일하는 노동자들이 모여 살고 있어서 일찍부터 서민층 주거지가 넓게 형성되어 있었다. 그리고 이러한 주거지역에는 노동자들의 직종이나 관련 활동에서 따 온 거리의 이름들이 오늘날까지도 남아 있다. '폭격수(爆擊手)의 거리' '기마병(騎馬兵)의 거리' '납(鉛)의 거리' '닻의 거리' '방패의 거리' '돛의 거리' 등이 바로 이러한 것들이다. 말하자면, 아르세날레의 주거지역은 특정 직종에 종사하는 사람들의 거주지가 명확하게 구분되어 있었다는 것이다. 근대 도시계획의 특징 중 하나를 조닝(zoning) 즉 지역의 분화라고 한다면, 베네치아는 수세기 전에 이미 그것을 실현했다고 할 수 있다.

이제 산 마르코 광장에서 시선을 서쪽으로 돌려 카날 그란데 즉 대운하를 살펴보자. 과거에는 대운하로 진입하는 초입부에도 여러 가지 항만시설들이 자리하고 있었다. 지금은 코레르 박물관(Museo Correr)으로 쓰고 있는 신행정관(Procuratie Nuove)의 옆에는 공화국의 거대한 곡물창고가 있었는데, 그 모습은 바르바리의 조감도에 잘 나타나 있다.(도판 66)

이 곡물창고는 나폴레옹이 베네치아를 정복한 후에 헐어 버려 지금은 그 흔적을 찾을 수 없다. 베네치아를 점령한 나폴레옹은 도시의 가장 중심부에 자신을 대리하는 총독의 궁전이 있기를 원했다. 그는 우아한 신행정관을 지목하여 이탈리아의 지배를 상징하는 궁전으로 삼았는데, 라구나 쪽으로 시원한 조망을 얻기 위해 곡물창고를 없애 버리고 그곳에 정원을 조성했다.

산 마르코 광장에서 라구나를 건너 대운하의 반대쪽 초입부를 보면 머리 위를 금빛 원구(圓球)로 장식한 아름다운 건물이 있다. 이 건물은 동방의 여러 나라로부터 아드리아해를 거쳐서 운송되는 물자를 관리하던 '바다의 세관'이다.(도판 67) 한편, 육지로부터 하천이나 운하 또는 육상교통을 통해 들어오는 물자는 리알토에 있는 '육지의 세관'에서 관리했다. 이 '바다의 세관' 주변에도 대량의 물자를 취급하는 창고들이 상당수 있었는데, 이렇게 베네치아의 대운하는 그 초입부에 대규모의 항만시설을 두고 있었다. 그러나 실제로는 대운하에 면한 모든 건물들이 항만시설의 기능을 갖추었다고도 할 수 있다. 대운하에 면해 건축된 상인귀족들의 상관(商館)은 물건을 싣고 내리는 부두의 기능, 물건을 보관하는 창고의 기능, 물건을 거래하는 시장의 기능을 동시에 수행했기 때문이다.

뒤집힌 S자의 곡선을 그리면서 도시의 중심부를 관통하는 대운하는 베네치아의 간선수로라고 할 수 있다. 길이 5킬로미터에 달하는 이 대운하의 중앙부에는 리알토(Rialto) 지구가 위치해 있다.(도판 51 참조) 리알토는 어원

67. 라구나와 연결되는 대운하의 초입부. 삼각형의 건물이 '바다의 세관'이다.

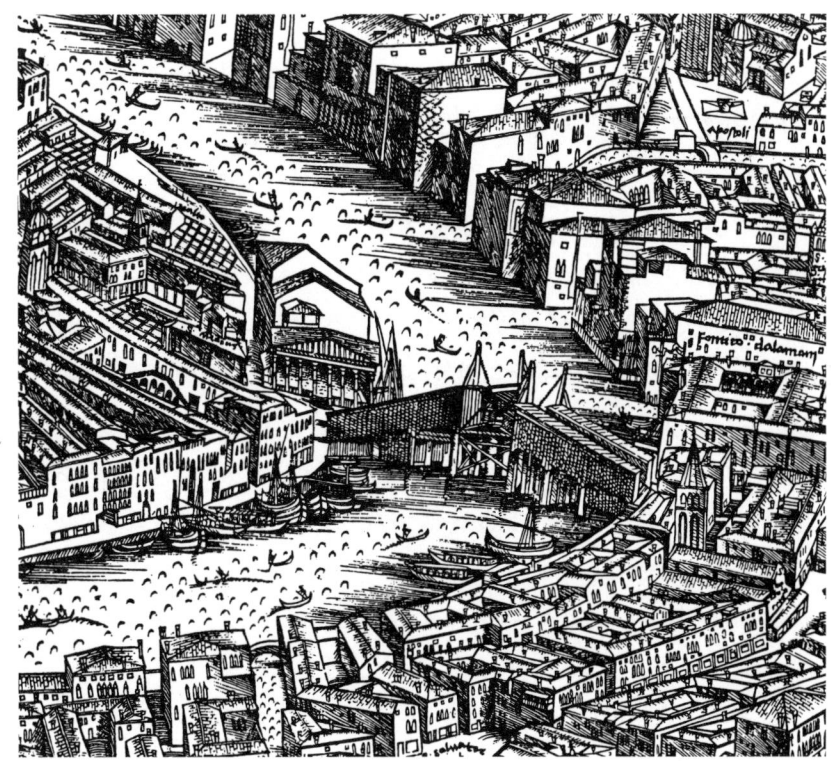

69. 바르바리의 조감지도에 묘사된 리알토 다리. 15세기까지 리알토 다리는 목조 다리였다.

이 '리보 알토(Rivo Alto)'로서 '높은 지대'라는 뜻이다. 이곳은 말 그대로 다른 장소에 비해서 수면 위로 가장 분명하게 드러나 있기 때문에 이곳을 중심으로 도시가 건설되기 시작했다. 따라서 리알토는 베네치아에서 가장 먼저 시설이 정비된 곳으로서, 그 역사는 산 마르코 광장보다도 길다. 실제로 리알토의 중심에 있는 산 자코모 교회(Chiesa di San Giacomo)는 5세기경에 창설되었는데, 지금의 건물은 11세기에 건축되었지만 교회 자체는 베네치아에서 가장 오래되었다.(도판 68)

리알토는 오랜 세월 동안 베네치아에서 상업의 중심지였다. 오늘날 리알토 시장에는 식료품과 생선 그리고 관광객을 위한 토산품과 기념품을 파는 상점들이 주로 들어서 있지만, 과거 공화국의 전성기에는 동서 문화를 잇는 국제무역의 중심지이자 국제금융의 중심지였다. 교회 앞의 광장도 다른 캄포와 달리 우아하게 조성되었는데, 산 마르코 광장과 유사하게 열주랑으로 둘러싸인 형식이었다.

대운하는 리알토를 끼고 갑자기 방향이 바뀐다. 리알토를 ㄱ자로 감싸면서 대운하가 흐른다고 할 수 있는데, 운하의 폭도 이 지점에서 가장 좁아진다.

68. 리알토 지구의 중심에 있는 산 자코모 교회와 그 전면의 광장.
5세기경에 창설된 산 자코모 교회는 베네치아에서 가장 오래된 교회이다.(p.112)

제3장 베네치아의 도시구조: 다핵적 구조와 중심적 구조의 공존

따라서 이곳이 다리를 놓기에 가장 좋은 장소였다. 그러나 이곳에서 폭이 좁아진다 해도 대운하는 그 폭이 워낙 넓고 배의 왕래가 매우 많아서 다리를 놓기가 쉽지 않았다. 지금은 대운하를 가로지르는 세 개의 다리가 있지만, 1854년에 이르기까지 대운하에 놓인 다리는 리알토 다리(Ponte di Rialto)가 유일했다.[29] 최초의 다리는 12세기 후반에 놓았다고 전해지는데, 그 모습은 정확히 알 수 없지만 상당히 원시적인 형태였을 것으로 유추된다.

1400년대에 들어와서 산 마르코 광장과 리알토 시장의 공간적 연계가 중요한 문제로 대두되면서 새로운 다리를 건설해야 한다는 요구가 높아졌다. 이러한 요구는 1432년경에 실현되어, 중앙부가 개폐되는 목조 다리가 건설되었다. 이 다리는 무너지고 다시 고치기를 여러 차례 반복했는데, 1472년에 새로이 수리한 다리의 모습은 1500년에 바르바리가 그린 조감도와 1494년에 비토레 카르파초(Vittore Carpaccio)가 그린 유명한 회화 〈십자가의 기적(*Miracolo della Reliquia della Croce al Ponte di Rialto*)〉에 잘 묘사되어 있다.(도판 40, 69 참조)

16세기에 들어서면서, 베네치아의 번영과 국부를 과시할 수 있는 석조 다리를 건설해야 한다는 여론이 비등했다. 연약한 지반에 육중한 돌로 다리를 놓는 것은 당시로서는 모험에 가까운 일이었지만, 정부는 다리를 놓기로 결정했다. 드디어 1554년, 이탈리아 각지에서 활동하고 있는 저명한 건축가들에게 다리 건설을 위한 설계안을 의뢰했다. 이것은 일종의 설계경기였는데,

70. 1554년 건축가 팔라디오가 리알토 다리를 건설하기 위한 설계경기에 제출했던 계획안. 격식을 갖춘 르네상스 양식의 다리로, 우아하고 장중하게 계획되었다.

71. 오늘날의 리알토 다리. 건축가 안토니오 다 폰테가 설계한 것으로, 경쾌하고 역동적인 느낌을 준다.

미켈란젤로·비뇰라(Jacopo Vignola)·산소비니(Francesco Sansovini)·팔라디오·스카모치(Vincenzo Scamozzi) 등 당대 최고의 건축가들이 설계안을 제출하여 경쟁을 벌였다.(도판 70) 그러나 결국 우여곡절 끝에 무명의 건축가 안토니오 다 폰테(Antonio da Ponte)의 안이 채택되었다. 그가 제출한 설계안은 경쾌하고 역동적인 하나의 아치를 사용해 대운하를 한번에 가로지르는 강력한 계획이었다. 1588년에 기초를 다지기 시작해서 1591년에 다리가 완성되었다. 이렇게 완성된 다리는 새로운 시대를 알리는, 물 위의 개선문이었다.(도판 71) 새로운 다리는 때마침 도래한 인본주의의 물결, 그리고 이상도시를 그리는 혁신적인 기운과도 일치했다.

한편, 새로운 다리는 중앙을 들어올릴 수 없었기 때문에 범선이 통과할 수 없었다. 이것이 대운하의 성격을 바꾸어 버렸는데, 도시의 간선수로 역할을 하던 대운하는 화려한 건물이 즐비한 도시의 상징적 무대장치로 변했다. 당시에는 조선기술의 발달로 범선이 대형화했기 때문에 대운하로 직접 들어가는 것도 사실상 불가능했다. 따라서 이는 이미 예상된 일이었다고도 할 수 있겠다.

제4장

베네치아 주거유형의 변천

베네치아 주택의 개방적 구성

베네치아의 건물을 이탈리아의 다른 도시들과 비교해 보면, 건물들이 매우 개방적이라는 점에서 차이를 발견할 수 있다.(도판 8, 9 참조) 이러한 개방성은 피렌체와 비교해 보면 금방 드러난다. 우선 같은 목적을 위해 지은 건물만 비교해 보아도 확실히 다르다는 것을 알게 된다. 베네치아의 팔라초 두칼레와 피렌체의 팔라초 베키오(Palazzo Vecchio)는 모두 공화국의 정청(政廳)으로서 거의 같은 시대에 만들어진 건물이다. 내부에 담은 기능도 비슷한데, 국가 지도자의 공관, 각종 행정기관, 의사당, 재판소가 있고 감옥까지 있는 것도 유사하다.

팔라초 두칼레는 붉은색과 흰색의 대리석으로 장식되어 매우 밝고 경쾌한 모습이다. 일층 전면은 회랑으로 구성하여 완전히 개방했으며, 이층도 개방되어 내부가 훤히 들여다보인다.(도판 59, 60 참조) 이에 반해 팔라초 베키오는 마치 요새와 같이 구성되었다.(도판 72) 일층 창문은 매우 높은 곳에 있는데, 그것도 크기가 작고 철책으로 덮여 있어 접근하는 사람에게 위압감을 준다. 최상부에는 톱니모양의 패러핏까지 있어서 건물이라기보다는 성채의 느낌이 강하다. 그 이유는, 전쟁과 귀족간의 투쟁이 끊이지 않았던 피렌체에서

72. 피렌체의 팔라초 베키오. 건물이 요새처럼 구성되어 베네치아의 팔라초 두칼레와 대조적인 느낌을 준다.
ⓒ Massimo Listri.

는 아름다움만을 생각하고 건물을 지을 수 없었기 때문이었다. 메디치 가문을 비롯한 유력자들은 아름다움과 더불어서 방어를 염두에 두고 건물을 지었다.

　피렌체의 경우 15세기까지 도시의 경관을 지배하는 건축양식은 탑상주택이었다. 따라서 대다수의 건물은 개구부가 극히 제한되었으며, 결과적으로 무겁고 폐쇄적인 경관이 조성되었다. 비단 피렌체뿐만 아니라 내륙에 있는 대부분의 도시들은 무표정하고 무거운 분위기의 건물이 주류를 이루었다. 그런데 베네치아는 다른 도시의 주택들과는 달리 일찍부터 밝고 개방적인 외관을 형성해 왔다. 이러한 개방성은 상류층의 주택뿐만 아니라 서민들의 주택에서도 표출되었다. 검소해 보이는 소규모 서민주택들도 자신의 존재를 숨기지 않으면서 경쾌한 도시의 풍경을 구성하는 중요한 요소였다. 또한 베네치아에 있는 주택들은 장식 체계에서도 풍요로워서 도시를 밝고 경쾌하게 만드는 데 큰 역할을 했다. 러스킨은 그의 책 『베네치아의 돌』에서 베네치아의 풍요로운 장식 체계에 대해 상세한 스케치를 남겼다.(도판 28 참조)

베네치아에 개성있고 독특한 주택들이 들어서게 된 배경은 크게 두 가지로 요약된다. 하나는 역사적 문화적 배경으로서, 일찍부터 지중해 주변에서 전개된 다양하고도 수준 높은 문화의 자극을 끊임없이 받았다는 점이다. 베네치아는 고대 로마의 건축문화를 기반으로 비잔틴과 이슬람의 문화를 다양하게 흡수했다. 개국한 초기부터는 비잔틴 문화의 영향을, 그리고 13세기경부터는 이슬람 문화의 영향을 받았다. 이 두 문화의 영향으로 인해서 베네치아의 건축은 개방적이고 섬세한 외관을 가질 수 있었다. 또한 14세기에서 15세

73. 팔라초 파르세티(Palazzo Farsetti)의 주층에 자리한 중앙 홀. 이곳은 연회와 파티, 접견 등 사교활동을 위한 공간인 동시에 주택에서 가장 중요한 상징적인 공간이다.
ⓒ Paolo Marton.

기에 이르는 동안은 고딕 양식의 영향을 강하게 받았고, 16세기 이후에는 르네상스 문화가 전개되면서 다양하면서도 경쾌하고 활력있는 특유의 건축문화를 형성했다.

베네치아의 주택이 개방적 구성을 가지게 된 두번째 배경은, 물로 둘러싸인 특이한 자연환경이다. 개펄과 저습지 위에 구축된 베네치아는 건물의 기초를 견고히 하는 기술을 지속적으로 발전시켰고, 그 결과 운하에 직접 면해서 건물을 짓는 것이 가능하게 되었다. 이렇게 물에 바로 면해 있는 건물이 많고, 배가 도시의 주요 교통수단이 되었기 때문에 건물은 자연스럽게 개방적인 성격을 지니게 되었다. 말이나 마차에서 발생하는 소음과 먼지도 없어서, 이 도시에서는 건물이 외부로 개방되어도 내부 환경이 크게 침해받지 않았다. 또한 물로 둘러싸여 안전은 자연히 보장되었고, 독재를 막기 위해 교묘하게 고안된 정치구조에 의해 귀족들 사이에서 정치적인 분쟁도 거의 없었으므로, 주택은 외부에 대해서 폐쇄적일 필요가 없었다. 따라서 베네치아의 주택들이 개방적인 성격을 띤 것은 당연한 일이었다.

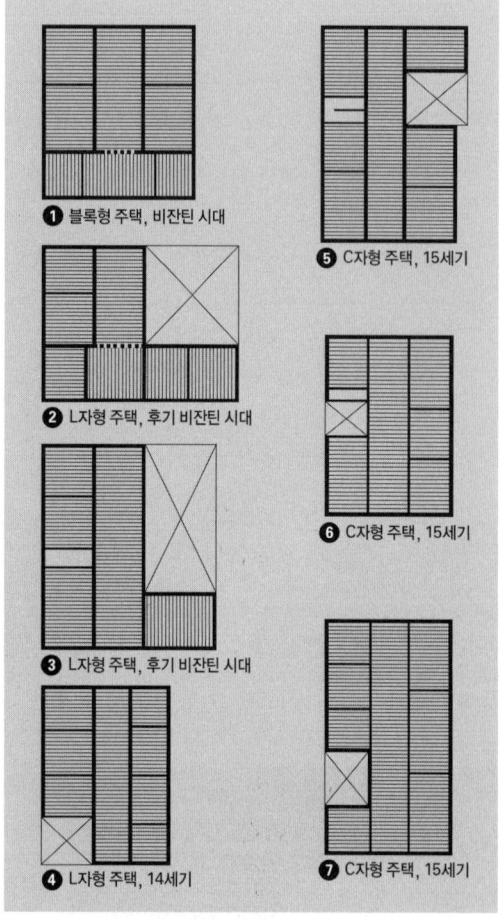

❶ 블록형 주택, 비잔틴 시대
❷ L자형 주택, 후기 비잔틴 시대
❸ L자형 주택, 후기 비잔틴 시대
❹ L자형 주택, 14세기
❺ C자형 주택, 15세기
❻ C자형 주택, 15세기
❼ C자형 주택, 15세기

74. 시대에 따른 베네치아 주택의 평면구성.
비잔틴 시대 초기부터 르네상스 시대 후기에 이르는 동안 주택의 공간구성이 변화하는 과정을 보여준다.

주택이 물에 면해 있는 조건은 주택의 평면구성에도 크게 영향을 미쳤다. 베네치아의 많은 주택들은 물에 면한 쪽과 육지에 면한 쪽 모두에 입구가 있다. 특히 귀족 계층의 주택에서 이러한 공간구성은 필수적인 조건이었다. 이러한 구성은 많은 화물을 반입할 때나 손님을 초대할 때, 그리고 배에 직접 오르내리는 데에도 필요했던 것이다. 따라서 건물은 운하에 면한 전면과 육지에 연결된 후면을 잇는 중앙 홀을 중심으로 좌우 대칭으로 구성되었다.

일층에서 이 중앙 홀은 상업활동을 위한 공간이었는데, 좌우 양쪽에 창고와 서비스 기능을 가진 공간이 놓였다. 이층도 일층과 마찬가지로 중앙에 주택의 앞뒤를 잇는 커다란 공간이 있는데, 이곳이 주택에서 가장 중요한 상징적인 공간이 된다.(도판 73) 이곳은 연회와 파티, 접견 등이 이루어지는 사교활동을 위한 공간이다. 이 이층 중앙에 있는 홀은 외부의 정면을 연속 아치로 장식하여 개방적이고도 화려하게 꾸몄다. 이러한 공간구성이 상류층과 중산층 주택의 기본적인 구성이었다.

물론 처음부터 이러한 공간구성으로 건물을 지었던 것은 아니었다. 베네치아에서는 비잔틴 시대 초기부터 르네상스 시대 후기에 이르는 수백 년 동안 주택의 공간구성이 차례로 변화했으며, 동시에 주택의 입면도 시대의 흐름에 따라서 다양한 모습으로 변했다.(도판 74) 이제부터 그 변화의 과정을 살펴보기로 한다.

비잔틴 시대 초기의 주거형식

9세기에서 11세기에 걸친 도시형성의 초기에는 조각조각 흩어진 작은 섬들이 운하를 매개로 서로 연결됨으로써 '섬들의 집합체'라는 도시의 면모를 갖추었다. 이러한 독특한 도시구조를 바탕으로 베네치아는 12세기에 비잔틴 시대로 접어들었다. 이때 종래에 나무로 짓던 건물의 축조방식이 벽돌이나 돌을 사용하는 방식으로 바뀌면서 바야흐로 도시는 새로운 모습을 갖추게 되었다. 건물의 축조를 위해 이렇게 돌이나 벽돌을 사용한 이유는 습지 위에 건물을 구축하는 기술이 발달했기 때문이었고, 동시에 해상무역의 전성시대가 도래함으로써 주택의 규모와 형식이 달라져야 했기 때문이었다.

이 시대에 도시의 주도권을 장악한 계층은 상인귀족들이었는데, 이들에게는 물자를 반입하고 반출하기에 편한 건물이 필요했기 때문에 주택은 운하와 긴밀한 관계를 가져야 했다. 물론 당시의 기술 수준으로는 주택이 물에 직접 접해 있을 수는 없지만, 그 이전의 주택과 비교하면 건물은 물과 더욱 밀접한 관계를 가진 형식으로 변화했다.

이때 새로이 도입된 주거형식은 운하에 면해 형성된 주거복합체였다. 이것은 운하를 향해 凹자형으로 놓인 건물로서, 중앙에 중정이 있고 그 주변에 여러 가족이 거처하는 공간이 있는 일종의 집합주택이었다. '상관(商館)'이라고 할 수 있는 이 주거형식은, 베네치아 팔라초의 전신(前身)에 해당한다고도 할 수 있다. 이러한 주거복합체에서는 상인귀족이 거처하는 주요 건물은 안쪽에 있고, 고용인들의 가족이 거주하는 공간과 서비스용 공간은 중정 주변에 자리했다. 이는 상인귀족이 중심이 되는 새로운 사회체제를 반영한 것이었다.

또한 이 시기에는 베네치아 주거지역에서 발견할 수 있는 중요한 특징 즉 귀족과 고용인들이 같은 지역에 섞여서 거주하는 현상이 이미 정착했다고 할 수 있다. 상인귀족의 주택을 중심으로 그 주변에 고용된 사람들의 주택이 모여서 자리잡은 결과, 여러 계층이 한 주거지역에 혼재하는 양상이 뚜렷해진 것이다. 그런데 당시만 해도 고용주와 고용인의 주택이 공간적으로 분리된 것은 아니었고, 한 주거복합체 속에서 공동으로 거주하는 형식이 일반적이었다. 그리고 이 주거복합체의 중앙에 넓게 마련된 중정에는 여러 가족이 사용할 수 있는 우물을 설치했으며, 따라서 쾌적한 조건을 갖춘 독립된 생활환경을 조성할 수 있었다.

이렇게 중정을 둘러싸면서 형성된 주거복합체는 운하를 따라서 여기저기에 들어섰다. 특히 산 마르코 광장과 리알토 다리를 연결하는, 오늘날 관광의 중심지이자 과거 베네치아의 중심부였던 곳에 이러한 형식의 건물들이 자리잡았다. 그런데 이렇게 건물들이 들어서는 양상을 보면 다소 재미있는 측면을 발견할 수 있다. 그것은 이러한 건물들이 대운하 주변이 아니라 섬 내부의 소운하를 따라서 자리했다는 점이다. 그 이유는, 당시까지만 해도 대운하는 반자연적이면서 반인공적인 수로에 불과했기 때문이었다.

12세기에는 다핵적이고 분산적인 도시구조 때문에 대운하가 도시의 간선

75. 코르테 델 밀리온의 중정에 면해 있는 아치 상부의 부조 문양. 12세기 비잔틴 시대의 유물이다.

수로라는 의식이 미처 형성되지 못했다. 대운하가 간선수로의 역할을 하게 된 것은 13세기 이후의 일이었다. 또한 당시의 수준 낮은 건설기술 때문에 수량(水量)이 많은 대운하 주변으로는 건물을 구축하기가 용이하지 않았다. 따라서 대운하 주변보다는 물을 다루기 쉽고 집을 짓기에도 편한, 섬 내부의 소운하 주변이 더욱 선호되었다. 대운하 주변에 건물들이 들어서기 시작한 것은 상당한 세월이 지난 이후였다.

중정을 둘러싼 주거복합체의 사례를 가장 잘 보여주는 곳은 산 조반니 그리소스토모(San Giovanni Grisostomo)라는 지역이다.(도판 76) 지금은 오랜 세월 탓에 쇠락한 주거지역을 이루고 있지만, 12-13세기만 해도 이곳은 베네치아의 역사를 풍미하던 가문들, 이를테면 아마디(Amadi) 가문이나 모로시니(Morosini) 가문, 폴로(Polo) 가문이 각각 독립된 중정을 중심으로 주거복합체를 이루었던 베네치아의 중심지구였다. 그 중에서도 마르코 폴로 가문이 거주

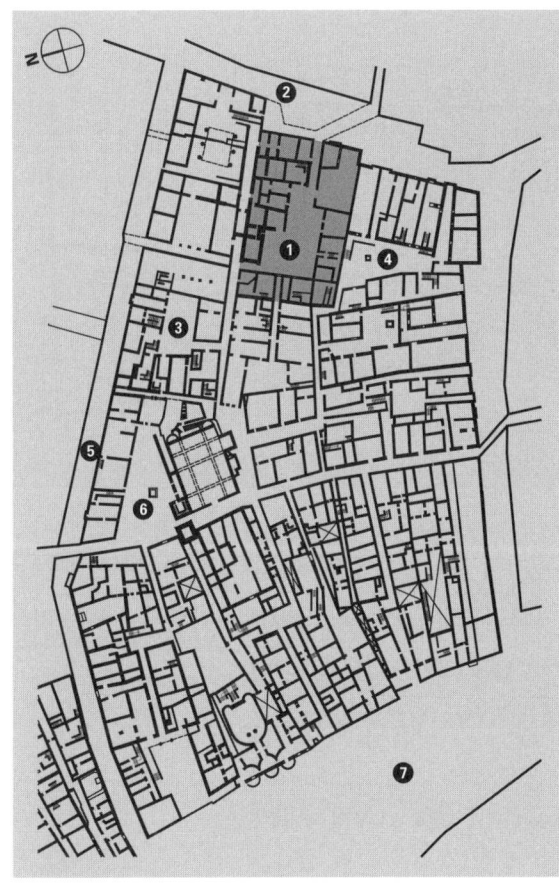

76. 산 조반니 그리소스토모 지구의 연속 평면도.
① 코르테 델 밀리온. ② 산 리오 운하. ③ 코르테 델 테아트로.
④ 코르테 모로시니. ⑤ 산 조반니 그리소스토모 운하.
⑥ 산 조반니 그리소스토모 광장. ⑦ 대운하.

하던, 코르테 델 밀리온(Corte del Milion)이라 불리는 집합주택이 주목할 만하다.(도판 76의 ①) 중정에는 동물과 식물 모양의 부조가 있는 12세기 비잔틴 양식의 아치를 비롯해 오래된 건축요소가 많이 남아 있다.(도판 75)

지금은 운하에 바로 면해서 건물이 있고, 운하로부터 터널을 통과하면 중정으로 이르게 되어 있지만, 이 부분은 이후에 증축한 것이다. 원래는 운하에 면해서 널찍한 전정(前庭)이 있었고, 건물은 부지 안쪽에 凹자 모양으로 자리했던 것으로 보인다. 가장 안쪽에 있는 건물의 이층부에 당시에 만든 아치와 코니스(cornice)가 있는 것으로 보아서 이와 같이 추측할 수 있다.

이러한 형식의 주거복합체와 유사한 사례를 찾을 수 있는 곳이 산티 조반니 에 파올로(Santi Giovanni e Paolo) 지구이다.(도판 77) 이곳은 동서로 흐르

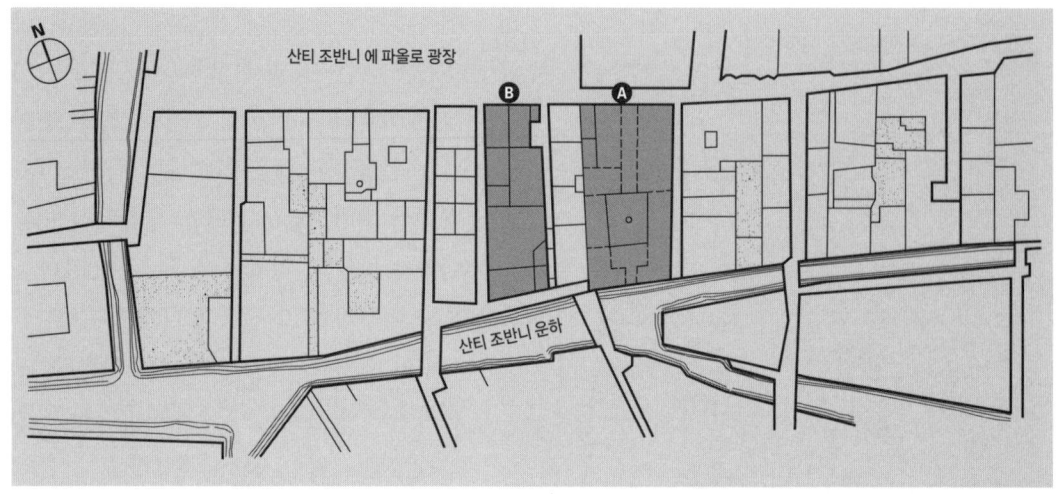

는 운하에 면해 여러 덩어리의 도시조직들이 연이어서 자리잡고 있다. 이 중에서도 가장 오래된 듯한 분위기를 가진 건물이 코르테 보테라(Corte Botera)라 불리는 주거복합체다.(도판 77의 Ⓐ) 이 건물은 원래 콘타리니(Contarini) 가문의 주택이었는데 이후 개조와 용도변경을 계속하면서 원래의 모습을 많이 잃어버렸다.

　이곳에서 발견할 수 있는 가장 오래된 건축요소는 맨 안쪽 건물의 정면에 조성된 비잔틴 양식의 큰 아치다. 현재 운하에 면해 있는 이 건물의 외관은 르네상스 양식이고, 중정을 둘러싼 열주랑은 고딕 양식이다.(도판 78) 원래는 부지의 가장 안쪽에 운하를 향해 주요 건물이 자리했고, 이 건물로부터 양 날개가 돌출한, 전체적으로 凹자 형상의 건물을 조성했다. 건물의 오른쪽 날

77. 산티 조반니 에 파올로 지구. Ⓐ는 코르테 보테라이고, Ⓑ는 칼레 코르테 베니에라를 중심으로 하는 주거복합체이다.

78. 코르테 보테라의 중정. 운하에 면해 있는, 전면에 보이는 건물이 고딕 시대에 증축된 것이다.
ⓒ Mimmo Fabrizi.

개에는 이층으로 오르는 외부 계단이 설치되어 있다. 운하를 향한 주요 건물에는 상인귀족의 가족이 거처했고, 양쪽 날개 부분에는 고용인들의 가족이 거처했을 것이라 생각한다. 그런데 고딕 시대로 접어들면서 운하에 바로 면한 부분에 건물을 증축했고, 따라서 완전한 ㅁ자형 구성을 가진 주택이 되었다.(도판 79) 이후에도 계속해서 개조가 진행되면서, 원래의 공간구성을 추정하기가 어렵게 되었다.

앞서 언급한 두 사례를 통해 도시가 건설되던 초기인 12세기경의 주거환경을 유추해 볼 수 있다. 즉 내부의 운하를 따라서 주거복합체들이 연이어 자리 잡았고 이곳에 귀족 계층과 서민층이 섞여서 거주했다. 주거의 형식은 이층 정도의 규모에 凹자 형상이었으며, 중앙에는 중정이 있고, 주요 건물은 운하에 직접 면하지 않은 부지의 가장 안쪽에 놓여 있었다. 외부에 대해서는 폐쇄적이면서 내부에서는 자립적인 이러한 공간구성은 초기 비잔틴 시대인 12세기에 일반적이었고, 13세기까지도 그대로 지속되었다고 생각한다. 그러나 12세기말부터 대운하에 면한 곳에 팔라초가 들어서면서부터 주거형식도 변하기 시작했다.

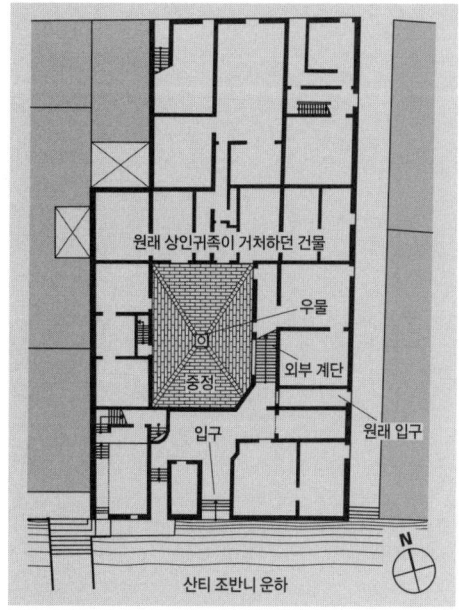

79. 코르테 보테라의 오늘날의 평면구성. 고딕 시대에 이르러 운하에 면한 부분에 건물을 증축함으로써 ㅁ자형 평면구성이 되었다.

비잔틴 양식 팔라초의 등장

12세기말부터 베네치아에는 귀족 계층을 위한 새로운 주거형식이 등장했다. 새로이 등장한 이 주거형식은 팔라초이며, 엄밀히 말해 '카사 폰다코(casa fondaco)'라고 하는 저택이다. 폰데고는 베네치아에 있던 상관을 지칭하는 말이다. 12세기부터 외국과의 교역이 활발해지면서 베네치아와 교류하는 나라들은 베네치아에 상관을 지었는데, 이를 '폰다코' 또는 '폰테고(fòntego)'라고 불렀다. 상인귀족들도 이와 유사한 형식으로 그들의 상관 겸 저택을 지어서 이를 '카사 폰다코'라고 불렀다. 그런데 카사 폰다코는 특히 비잔틴 시대의 초기에 지어진 상인저택을 지칭하는 말이며, 비잔틴 시대 중기부터는 상인저택을 보통 팔라초라고 불렀다. 흔히 알다시피 '카사(casa)'는 집을 의미하는 이탈리아어의 일반명사이다. 카사 폰다코를 우리말로 풀이하여 상관이라고 하는 이유는, 이런 종류의 건물은 주거기능과 함께 상업활동을 위한 접객과 상담, 거래 등 공적인 기능을 동시에 수용했기 때문이다.

막대한 부를 축적한 베네치아의 대상인들은 도시의 중심부를 이루는 대운하에 면해서 상관을 건설하기 시작했다. 공화국의 상선함대(商船艦隊)가 해외에서 실어 오는 화물이 각 상관으로 운반되었는데, 이들을 하역하기 위해서는 운하에 직접 닿아 있는 현관과 넓고 개방적인 공간이 필요했다. 결국 주택·하역장·거래소·창고의 기능을 하나로 통합시킨 건물이 카사 폰다코였다.

카사 폰다코 즉 초기의 베네치아 팔라초들은 상업의 중심지인 리알토와 가까운 대운하 주변에 주로 들어섰다. 이 건물들은 비잔틴 건축의 영향을 많이 받았기 때문에 비잔틴 양식의 팔라초로 분류한다. 비단 팔라초뿐만 아니라 12-13세기의 베네치아 건축은 전반적으로 비잔틴 건축의 영향을 받았으므로, 당시의 건축양식을 특별히 지칭하여 '베네치아풍의 비잔틴 양식'이라고 한다. 이러한 양식의 팔라초는 베네치아의 주거건축에서 중요한 기초가 되었으며, 이를 바탕으로 15세기말에 이르는 약 사백여 년 동안 베네치아는 그곳만의 독특한 건축양식을 완성시켜 나갔다.

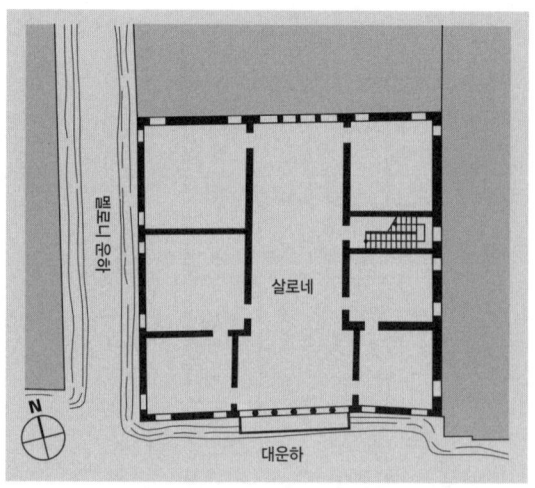

80. 대운하에 면해 자리한 팔라초 부시넬로(Palazzo Businello)의 이층 평면으로서, 초기 비잔틴 양식 팔라초의 사례를 보여준다. 12-13세기에 이 건물을 지어 17세기에 개축했다.

12세기말부터 시작된 베네치아의 팔라초 건축은 14세기 이후에 활발하게 전개되어 18세기까지도 지속되었다. 각 시대의 변화에 따라 팔라초들은 그 양식상의 특징을 각각 달리했고, 따라서 이들이 늘어선 대운하는 오늘날과 같이 다양하고 화려한 외관을 형성하게 되었다.(도판 81) 대운하에 면해 형성된 팔라초들은 유럽에서 가장 아름다운 도시경관을 연출하는 주역이다. 이곳 팔라초들의 변화에 관해서는 다음 장에서 상세히 다루기로 한다.

마레토는 초기 비잔틴 양식의 팔라초를 그 공간구성의 형상에 의거해서 '블록(block)형' 주택으로 규정했다.(도판 74의 ① 참조) 이 주택들을 '블록형'이라고 특징지은 까닭은, 이후에 전개된 시기의 주택에서 보이는 코르테 즉 중

81. 대운하를 향해 늘어서 있는 다양한 외관의 대규모 팔라초들.

정이 없고, 빈틈없이 완전한 사각형으로 공간이 구성되었기 때문으로 보인다.

그런데 그 이름이 어떻든 간에 비잔틴 양식의 팔라초는 베네치아의 주거사(住居史)에서 매우 중요한 의미를 지닌다. 왜냐하면 이때 베네치아 주거건축의 기본적 공간구성인 '삼렬구성'이 도입되었기 때문이다. '삼렬구성'이란 주택의 각 층 중앙에 축을 이루는 주요 공간을 두고, 그 좌우에 부수적인 공간들을 좌우대칭으로 배열하는 방식을 말한다. 이러한 공간구성은 이후 베네치아 주거건축에서 변하지 않는 형식이 되었다.

초기 비잔틴 양식 팔라초의 공간구성을 살펴보자.(도판 80) 일층의 전면에는 개방적인 뽀르띠코가 상품의 하역을 위한 공간으로 자리잡고 있다. 이 포디코를 지나 안으로 들어가면 '안드로네(androne)'라고 부르는 큰 홀이 중앙에 있고, 이 공간의 좌우 측면에는 창고와 사무실이 있다. 일층이 상업활동을 위한 공적 공간이라 한다면, 이층은 생활을 위한 공간이다. 계단을 올라가면 전면의 로지아를 포함하여 T자형의 거대한 공간이 중앙에 자리하고 있다. '살로네(salone)' 또는 '포르테고(pòrtego)'라고 부르는 이 공간은 접객과 파티 등을 하는, 주택에서 가장 중요한 공간이다. 그 주변에는 침실 등 생활을 위한 사적 공간들이 있다. 이렇게 주택의 중심에 축을 이루는 홀이 자리잡고 그

82. 산 실베스트로 지구의 이층 연속평면도. 대운하를 향해 비잔틴 양식의 팔라초가 연이어 있다.
① 마도네타 운하.
② 멜로니 운하.
③ 팔라초 도나.
④ 팔라초 파파도폴리.
⑤ 팔라초 부시넬로.
⑥ 산 실베스트로 광장.
⑦ 대운하.

주변에 여러 공간이 배열되는 공간구성을 삼렬구성이라 하며, 이를 기본으로 베네치아의 주거건축이 변화하고 발전했다.

비잔틴 양식의 팔라초는 외관 또한 매우 개방적인 양상이다.(도판 140 참조) 이후 상세히 설명하겠지만, 이러한 개방적인 외관은 고대 로마의 빌라 건축과 비잔틴 및 이슬람 건축으로부터 큰 영향을 받았다. 사각형의 평면으로 자체의 완결성을 가졌던 비잔틴 양식의 팔라초는 보통 뒤편에 후정(後庭)을 조성했다. 비잔틴 시대에는 이 후정 주변에 여러 부속 건물들이 있어서 고용인들이 거처하거나 화물을 보관하는 창고로 사용했다. 당시만 해도 도시의 공간구성이 느슨했기 때문에 팔라초의 뒤편에 이런 여유 공간들이 많았으리라고 추정할 수 있다.

도판 82는 리알토 다리에서 가까운 산 실베스트로(San Silvestro) 지구의 이층 평면을 그린 것이다. 비잔틴 양식의 흔적을 가진 팔라초가 대운하에 면해서 열 채 가까이 나란히 서 있는데, 이 시대의 전형적인 도시구성의 원리를 오늘날에도 그대로 읽을 수 있다.

L자형 주택의 등장

13세기 후반에서 14세기 초반 사이에는 베네치아에 또 다른 주거형식이 등장했다. 양식적인 측면에서 본다면 후기 비잔틴 시대에서 초기 고딕 시대에 해당한다. 새로 등장한 주거형식은, 주택의 전면이 운하에 면해 있고 후면의 한 쪽 코너에 커다란 코르테 즉 중정이 있는 형식이다.(도판 83) 마레토는 이러한 주거유형을 L자형 주택이라고 규정했다.(도판 74의 ②-④참조)

이러한 주거형식이 등장한 배경은 여러 가지로 생각해 볼 수 있는데, 우선 사회적인 배경을 들 수 있고, 더욱 중요하게는 도시구조의 변화를 들 수 있다. 13세기 후반에 이르러 베네치아에도 신분의 다양한 분화가 발생했다. 즉 소수의 상인귀족이 주도하는 사회에서 탈피해 소귀족이나 중산층도 상당한 세력을 가지기 시작했다. 따라서 이들도 본인의 지위에 걸맞는 주택을 소유하고자 했는데, 그 형식은 대운하에 면한 대규모 상관이 될 수는 없었다. 왜냐하면 그들의 경제력으로는 대운하에 면해 있는 주택을 소유하기가 어려웠기 때문이었다. L자형 주택은 이러한 소귀족이나 중산층의 요구에 대한 하나의 해답이 될 수 있었다.

또한 L자형 주택의 등장은 당시의 도시환경과 관련지어 생각해 볼 필요가 있다. 대운하 주변이 정비되는 것과 때를 같이하여 그 동안 불규칙적으로 조직을 형성했던 지구 내부의 주거지역들도 운하를 따라서 연속적인 표면을 형성하기 시작했다. 따라서 이러한 도시환경에 맞춰서 이전과는 다른, 새로운 공간구성과 배열방식을 가진 주거형식이 등장했던 것이다.

베네치아에서 13세기 후반은 일종의 전환기였다. 당시의 베네치아는 도시화라는 사회적인 움직임이 팽배하기 시작했고, 그것에 대응하는 주거형식 또한 새롭게 요구되었다. 말하자면, 이전까지는 운하에 면해서 전정(前庭)을 두거나 또는 건물의 뒤편에 후정을 두는 경향이 있었지만, 점차 운하를 따

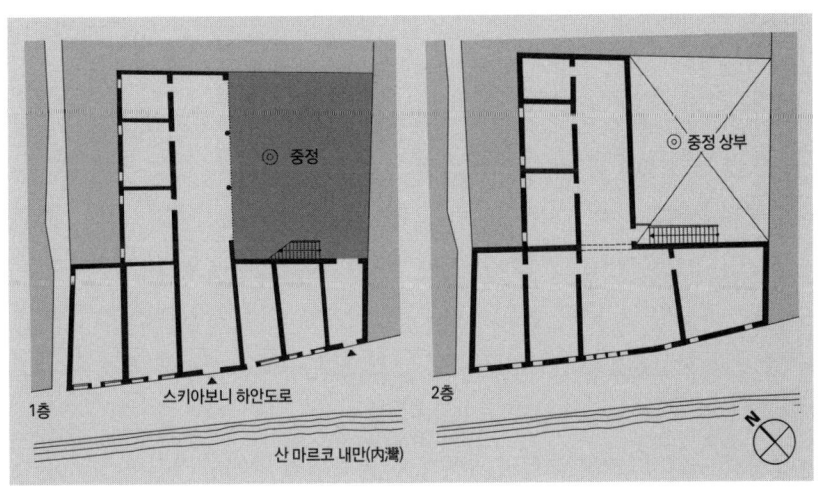

83. 스키아보니 해안에 면해 있는 L자형 주택. 하안도로에 면한 부분에는 연속적인 파사드를 형성했고, 주택의 내부에는 중정이 자리하고 있다.

라서 연속적인 표면을 형성하기 시작했던 것이다. 또한 토지의 효율적 이용이라는 사회적 요구 때문에, 주택 주변에 적당히 위치해 있던 마당과 같은 사적 공간들이 주택 속으로 흡수될 수밖에 없었다. 결국 내 것과 남의 것의 구분을 분명히 하면서, 도시는 한층 간결한 토지이용을 실현했다. L자형 주택의 성립은 이러한 도시화의 과정과 분리해서 생각할 수 없다. 이러한 과정을 통해 베네치아는 고밀도의 유기적인 도시구조를 본격적으로 형성하게 되었고, 고딕 시대로 발을 내딛게 되었다.

산 마르코 광장 부근의 카노니카 운하(Rio di Canonica)에 면한 두 채의 주택은 후기 비잔틴 시대에 등장한 L자형 주택의 전형적인 사례다.(도판 84) 이 주택들은 고딕과 르네상스 시대를 거치면서 여러 차례 개조되어 외관이 상당히 변했지만, 공간은 분명한 L자형으로 구성되어 있다. 운하에 면해 나란히 자리한 이 두 주택은 구성이 너무나 흡사하여 마치 쌍둥

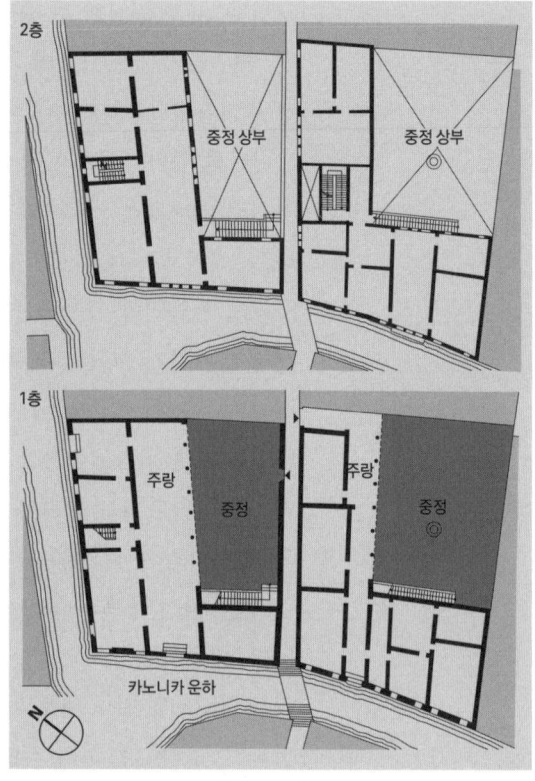

84. 카노니카 운하에 면해 있는 두 채의 L자형 주택. 두 주택 모두 운하에 면해 연속적인 파사드를 형성했고, 주택의 뒤편에 중정이 있다.

이 건물을 보는 듯하다. 두 주택 모두 운하에 면해서 부지 전체에 파사드가 형성되어 있고, 그 뒤편의 부지 남쪽에는 커다란 코르테가 자리하고 있다. 그러나 왼쪽 주택이 오른쪽 주택보다 공간구성이 더욱 간결하다.

그런데 이 두 주택은 당시 베네치아에서 일반화하기 시작한 삼렬구성을 엄격하게 취하지 않았다. 다만 왼쪽 주택의 경우, 중정을 포함하여 주택 전체를 세 덩어리로 분할한다면, 중앙의 긴 홀을 중심으로 좌우에 공간이 위치한 삼렬구성과 유사해진다. 그러나 좀더 정확하게 말하면, 이 주택은 삼렬구성과 이열구성이 혼합되었다고 할 수 있다. L자형 주택은 대부분 이러한 구성이다. 왼쪽 주택의 경우, 운하에서 내부로 들어가면 큰 홀이 있는데, 그 왼쪽에는 창고 등 상업활동에 필요한 공간이 있고, 오른쪽에는 중정이 있다. 이층도 기본적으로 이와 유사하게 구성되었다.

13세기 후반에 L자형 주택이 등장한 배경에 대해 앞에서 제시한 것과 유사

하게 마레토도 해석한 바 있는데, 그는 이 주택이 등장한 배경을 다음과 같이 두 가지로 들고 있다.

첫째는, 고용인의 숙소와 창고 등을 포함하는 후정의 기능이 간소해지면서 이 공간의 크기가 축소되었고, 그것을 건물의 일부로 수용하는 것이 가능해졌다는 점이다. 둘째는, 종래의 엄격하던 고전적인 형태가 점차 힘을 잃어 가고 중세 특유의 비대칭적이며 유기적인 형태가 일반 건축물에 등장했는데, 그러한 추세가 주택의 공간구성에 영향을 주었다는 점이다.

주목해야 할 것은, L자형 주택이 중정형 주택이라는 점이다. 비잔틴 시대 이후 베네치아의 주택에서 가장 특기할 만한 특징은 코르테 즉 중정의 도입인데, 조밀한 도시조직 속에서 쾌적한 주거환경을 유지하기 위한 수단으로 코르테의 도입은 어쩌면 필연적이었다. 중정형 주택에서 네 면이 중정을 둘러싸는 형식은 고밀화를 유지하기에 가장 유리한 조건이었다. 그러나 베네치아의 L자형 주택은 일단 한 면이 운하나 도로에 접해야 했기 때문에 내부에 중정을 담으면서도 밖으로는 개방적인 외관을 형성해야 했다.

L자형 주택은 중앙에 파티오(patio, 열주랑으로 둘러싸인 개방적인 중정)가 있는 스페인의 주택과도 유사하므로 그곳의 영향을 받지 않았을까 하고 유추할 수도 있지만, 파티오가 있는 스페인의 주택 또한 이슬람으로부터 영향을 받았다. 따라서 L자형 주택도 결국 이슬람 문화권의 도시형 주택에서 영향을 받은 측면이 다분하다. 앞서 언급한 대로, '서구 속의 오리엔트 도시'라고 불리는 베네치아에는 이슬람의 영향을 곳곳에서 볼 수 있는데, 주택 내부의 중정도 그 중 하나라고 할 수 있다.

L자형 주택에서도 중정의 위치와 방위의 관계를 유의해서 볼 필요가 있다. 밀도가 높은 곳에 지은 주택의 경우에 중정의 위치는 환경적으로 이상적인 곳에 자리잡기가 쉽지 않은데, 베네치아의 L자형 주택들은 방위와 밀접한 관계를 가지면서 건축되었다. L자형 주택의 코르테는 남쪽에 자리한 사례가 매우 많다. 즉 부지의 북쪽에 건물을 세우고 남쪽에 공터를 남기는 경향이 강했던 것이다. 부지의 조건이 허락하지 않는다면 적어도 동쪽에 중정을 두었다. 물론 이것도 불가능한 경우가 있었다. 그러나 어디까지나 '거주성'을 중시하여 채광과 일조 등이 좋은 쪽으로 중정을 두었다.

이러한 경향은 11-12세기에 소운하에 면해서 형성되었던 주거복합체에도 적용되었다. 앞서 살펴보았던 코르테 델 밀리온과 코르테 보테라의 경우에도, 코르테는 부지의 동남쪽 또는 남쪽에 자리잡아 환경조건이 가장 좋은 곳에 위치해 있다.(도판 76, 79 참조) 말하자면 중정형 주택의 기본적인 존재방식에 충실하게 따르고 있는 것이다.

따라서 L자형 주택의 등장은 좌우대칭을 강조하는 고전적인 블록형이 붕괴하면서 생겨난 현상이라기보다는, 오히려 도시주거의 발생적(發生的) 현상에 가깝다고 해야 할 것이다. 중정을 도입함으로써 주택은 도시의 고밀화에 순응했고, 동시에 환경적으로 우수한 주거환경을 조성할 수 있었다. 도시조직의 측면에서는, 운하 쪽으로 파사드를 형성해야 한다는 요구를 수용하면서 내부와 외부를 모두 중요시하는 양자절충의 공간구성이 필요했는데, 그 결과 생겨난 것이 L자형 주택이라고 할 수 있다. 또한 부지의 북쪽에 건물을 놓고 남쪽에 중정을 두는 방식은 이미 도시에 존재했으므로, 이를 긍정적으로 계승했다고도 할 수 있다. 이와 함께, 당시에 막 등장하기 시작한 귀족계층 팔라초의 영향도 무시할 수 없다. 당시에는 대운하에 면해 정면성을 강조한 상관이 등장했고, 좌우대칭의 삼렬구성 또한 정착했다. 따라서 L자형 주택은 방위, 도시조직, 자연조건, 다른 건축과의 관계 등 여러 요소들이 서로 작용하여 성립된 새로운 주거형식이라고 할 수 있다.

14세기 도시구조의 변화에 따른 주거유형의 변화

14세기에 베네치아는 고딕 시대로 접어드는 동시에 건설의 황금시대를 맞이했다. 이 시기에 이르러 베네치아는 오늘날 우리가 보는 것과 같은 모습, 즉 운하와 길의 네트워크가 훌륭하게 연결된 '물의 도시'를 구축하게 되었다. 14세기초의 베네치아는 이미 유럽에서 가장 중요한 상업도시 중의 하나였다. 1300년에는 인구가 십이만 명을 기록했는데, 이 규모는 1969년에 조사한 인구와 같은 수치였다. 당시 이러한 규모를 가진 도시는 피렌체·밀라노·나폴리·팔레르모가 있었고, 이탈리아 밖에서는 파리뿐이었다.

인구의 급격한 증가와 함께 중산층이 견고하게 형성되었으며, 도시는 더욱 고밀화하고 주거형식도 더욱 다양해졌다. 또한 운하에만 의존하던 구조에서 탈피하여 섬 내부에 있는 광장과 도로가 서로 연계되는 연속적인 도시공간을 형성했다. 도시의 표면을 형성하는 데에도 변화가 발생했다. 13세기까지는 동방의 영향을 받아 비잔틴 양식을 발전시켰지만, 14세기부터는 북유럽과의

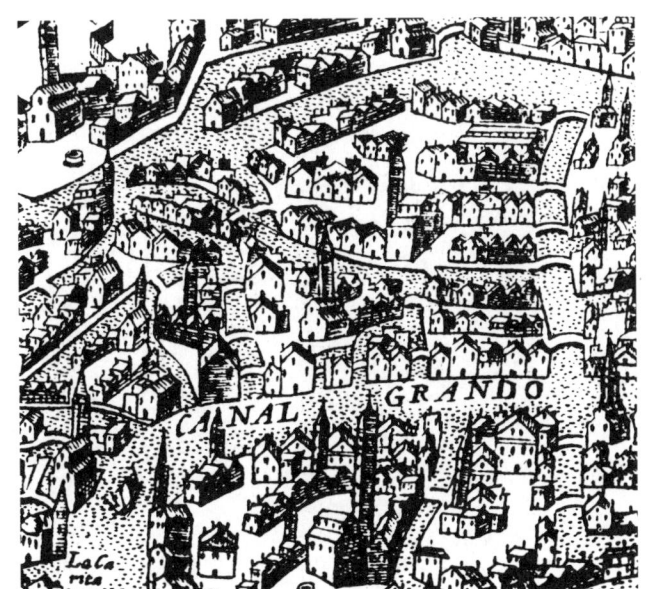

85. 1572년에 브라운(G. Braun)이 제작한 지도에 나타나 있는 고딕 시대 베네치아의 주거지역. 각 지구의 공간구성은 구심성과 원심성의 원리가 동시에 반영되어 있다.

교역을 통해 고딕 양식을 받아들였고, 이를 독자적으로 화려하게 전개시켜 나갔다.

고딕 시대는 도시형성의 안정기라고 할 수 있다. 이전에는 어수선하던 도시조직이 체계적으로 구성되어 완전히 자리를 잡았기 때문이다. 라구나 위에 인공적으로 형성된 수십 개의 섬에는 중앙에 공간적인 핵이 자리하면서 '구심적(求心的) 구조'가 형성되었다. 중심을 이루는 요소는 교회당과 그 전면의 광장 즉 캄포가 되고, 그곳에서 운하를 향해 도로망이 뻗어나가면서 섬은 일체화된 조직을 형성했다.

각 지구 내에서 주민들의 생활도 캄포를 중심으로 적극적으로 통합되기 시작했다. 따라서 각 지구의 공간구조의 형성에는 구심성과 원심성이 동시에 작용했다.(도판 85) 구심성이 광장을 중심으로 하는 일상생활의 힘이라면, 원심성은 운하를 향한 주변 지역과의 교통 및 교역에 작용하는 성질이다. 이 원심성의 끝에는 운하에 면해 있는 귀족 계층의 팔라초가 있었다. 그러나 중산층 및 서민층의 생활은 섬의 내부에서 발생했기 때문에 수변 공간인 운하보다는 길과 광장이라는 육지의 도시공간을 더욱 중요하게 인식했다.

이러한 도시구조의 형성은 물론 주택지 개발과 함께 진행되었다. 고딕 시대의 전기에 해당하는 14세기에는 L자형 주택이 일반화했다. 이 당시에 일반화한 L자형 주택은 코르테를 축소시켜 간결하게 만든 형식으로서, 13세기 후반에 처음 등장했을 때보다 더욱 응축된 공간구조를 가졌다. 코르테는 주거공간과 더욱 밀접해졌고, 부지와 건물은 완전하게 일치했다. 그리하여 내부 공간에서 삼렬구성을 수용하여 더욱 합리적이면서도 세련된 도시형 주택이 되었다. 또한 비잔틴 시대 후반에 일층·중이층(中二層)·주층(主層, 이층)·다락으로 구성되는 상관의 전형적인 수직 방향의 공간구성법이 L자형 주택과 함께 정착했다.(도판 149 참조)

고딕 시대 초기에 형성된 주거지역을 보면 당시 도시화의 새로운 경향과 그 속에 자리잡은 주택의 존재방식을 파악할 수 있다. 이후에 상세하게 살펴보게 될 주거지역의 한 부분을 미리 보기로 하자.(도판 86) 이 지구는 산 칸치아노(San Canciano) 지구인데, 베네치아에서는 매우 오래된 주거지역으로 고딕 시대 전기에 형성된 주택들이 많이 밀집해 있다. 운하에 평행하게 놓인 도로와 운하 사이에는 상당한 깊이를 가진 부지가 있는데, 그곳에 거의 같은 규모와 형식을 갖춘 네 채의 L자형 주택들이 두 채씩 서로 등을 마주하고 있다.

여기서 특기할 사항은, 운하에 면한 주택과 도로에 면한 주택이 모두 같은 형식으로 지은 팔라초라는 점이다. 이것은 당시의 관점에서는 획기적인 일이었다. 즉 물과 전혀 관계를 갖지 않는 주택이 등장했는데, 이는 운하에 면해야 한다는 베네치아 주택의 원칙이 바뀌었음을 보여준다. 말하자면 이 시기에는 물에

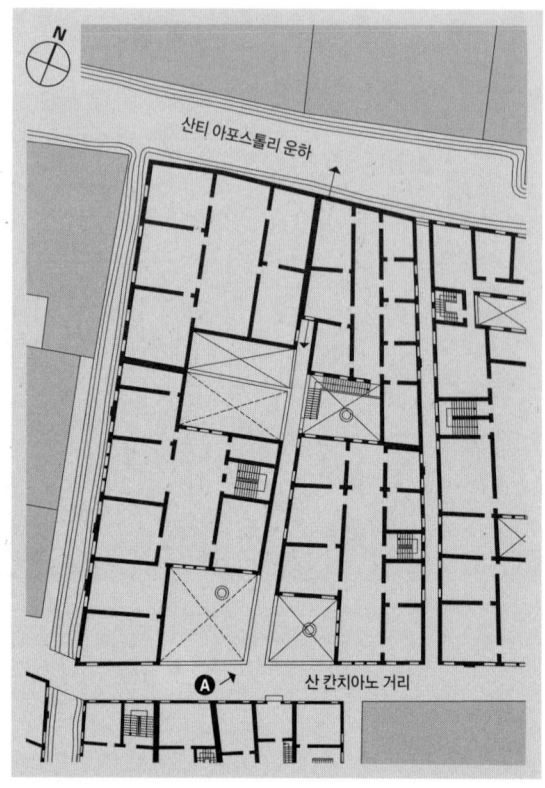

86. 산 칸치아노 지구의 북쪽에 있는, L자형 주택 네 채의 연속평면도. 두 채는 운하에, 그리고 두 채는 길에 면해 있다.

접해 있어야 한다는 것이 베네치아의 주택에서 절대적인 조건이 아니었다는 의미다. 그리고 광장과 도로가 정비되면서, 육지 내부의 공공장소에 면해서 주택을 구축하는 것도 운하에 면하는 것만큼 중요했음을 뜻한다. 이는 도시조직이 운하와 도로라는 양대 구조로 정착되면서 생겨난 현상이었다.

이렇게 베네치아에는 두 개의 표면을 가진 도시조직이 형성되면서 소귀족과 중산층의 주택들은 운하로부터 벗어났다. 따라서 산 칸치아노 지구에서 보이는 것처럼 광장이나 주요 도로를 향해 주택들이 연속적으로 자리잡았고, 아치 창으로 아름답게 장식한 파사드를 형성하기 시작했다.

그런데 L자형 주택은 도시의 연속적인 경관을 형성하는 데 어느 정도 문제를 야기했다. L자형 주택은 운하와 도로 양쪽에 각각 파사드를 두는 경우에 완전하게 동등한 도시경관을 형성할 수 없었다. 도로에 면한 L자형 주택은 정면의 한쪽에 코르테를 두어 그 부분은 낮은 담장을 설치했기 때문에 주택

87. 산 칸치아노 지구에서 L자형 주택이 도로에 면해 있는 부분.
도판 86의 Ⓐ지점에서 화살표 방향으로 바라본 모습이며,
뾰족한 톱니 모양의 장식이 붙은 벽이 코르테를 둘러싼 담장이다.

은 완전하게 통일감있는 파사드를 형성할 수 없었던 것이다.(도판 87) 결국 산 칸치아노 지구와 같은 모습으로 L자형 주택이 일반화하던 시기는 연속적인 도로의 경관을 형성하는 데 일종의 과도기였다.

L자형 주택이 밀집해 있는 또 다른 지역인 산타고스틴(Sant'Agostin) 지구를 보자.(도판 88) 이곳 역시 기본적으로는 산 칸치아노 지구처럼 전기 고딕 시대의 주택이 밀집해 있는데, 이전의 사례보다 도시화가 더욱 진행된 상황을 보여준다. 따라서 주택의 형태와 존재방식도 상당히 다르다.

우선 교회의 남쪽에 있는 주택 네 채를 보면(도판 88에서 어둡게 칠한 부분) 코르테는 모두 사람의 왕래가 적은 좁은 골목길에 면해 있다. 사람의 왕래가 많은 큰 운하나 광장, 그리고 도로 쪽에는 코르테를 두지 않았는데, 그 결과 건물의 외벽은 전체적인 연속성과 통일성을 추구하여 완성도를 높였다.

이 지역에서 눈여겨봐야 할 특징이 또 있다. 이곳에도 산 칸치아노 지구처럼 서로 등을 마주하고 있는 주택이 여러 채 있는데, 이들의 공간구성에서 특이한 점이 보인다. 도로나 운하에 면해 있는 주택들은 코르테를 공간적으로 작게 응축시켜 주택의 뒤편에 두었으며, 내부공간은 명쾌한 삼렬구성(또는 이열구성)을 취했다. 내부의 이러한 공간구성은 주택의 외부에도 그대로 표출되어 중심이 강조되는 좌우대칭적인 외관을 형성했다. 말하자면, 운하를 향한 주택뿐만 아니라 도로나 광장을 향한 주택도 같은 모습의 외관을 형성했던 것이다.

산타고스틴 지구에서는 주택들이 촘촘하게 붙어서 공간의 낭비를 전혀 허용하지 않는데, 여기서 코르테의 위치 그리고 이웃집과의 관계는 눈여겨볼 만하다. 이곳에서는 주택이 서로 등을 대고 있든 또는 나란히 놓여 있든 코르테가 붙어 있는 경우가 많다. 이렇게 하면 지상부는 담장으로 공간이 구획되

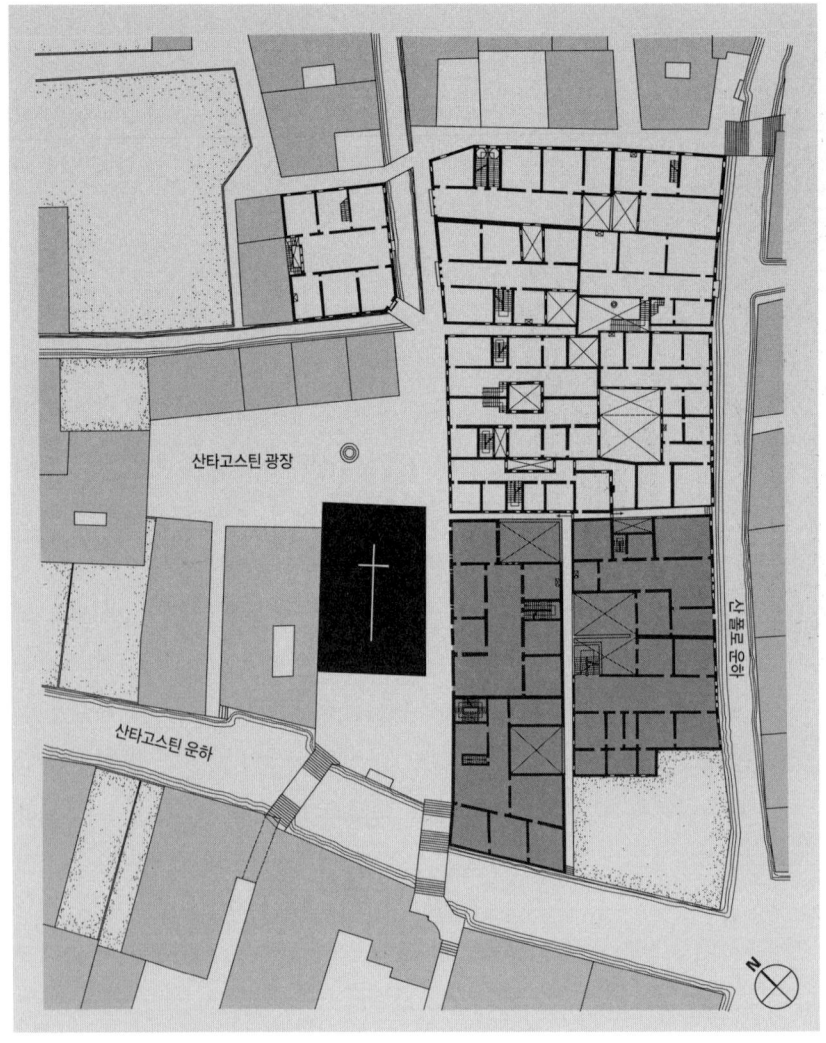

88. 산타고스틴 지구에 있는 주택의 연속평면도. 안쪽의 좁은 골목길에 위치한 코르테와 그것이 서로 연계하는 방식이 흥미롭다.

지만, 그 상층부는 두 배의 공간적 효과를 얻는 동시에 채광과 통풍의 측면에서도 상당히 유리했을 것이다.

이렇게 코르테를 서로 붙이는 시도는 베네치아인들이 추구한 공간구성의 유연성을 단적으로 보여준다. 이곳에서는 도시적 환경적 조건에 유연하게 대응한 노력을 읽을 수 있는데, 이러한 유연성은 고딕 시대로 접어들면서 그 수법이 눈에 띄게 발달했다. 한정된 토지 속에서 밀도 높은 환경을 형성할 수밖에 없었던 베네치아에서는 효율적으로 공간을 사용하는 방법을 슬기롭게 찾아냈던 것이다. 그리고 이렇게 주택들이 코르테를 서로 붙일 수 있었던 것은 주거환경에 대한 상호 조절기능이 작용했기 때문이라고 해석할 수 있다.

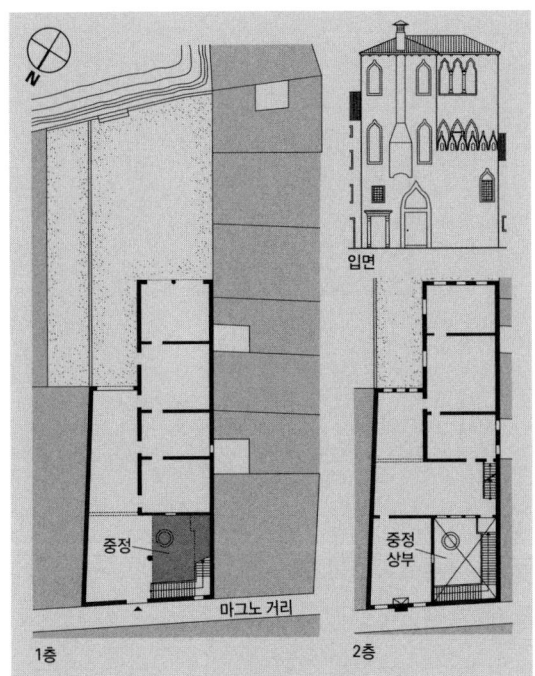

89. 마그노 거리에 면해 있는 삼층 주택의 일이층 평면과 입면.
두 가족이 거주하는 소규모 집합주택의 사례다.

즉 한 가족은 이웃과 협력하여 좀더 나은 환경을 구현하려는 호혜적인 노력을 했고, 동일한 개발업자가 두 동 이상의 주택을 지을 때에는 한정된 토지를 최대로 활용하기 위해서 이러한 방법을 사용했을 것이다.

14세기 베네치아의 주거환경에서 파악할 수 있는 또 다른 특이 사항은 주택의 수직적 분화에 관한 것이다. 15세기 이후에는 도시의 고밀화 현상이 가속화하면서 한 주택을 두 가족이 아래위로 나누어 사용하는 방식이 일반화했다. 이러한 수직적 공간분화는 14세기에 이미 시작되었는데, 도시 곳곳에서 그 흔적을 찾을 수 있다. 여기서는 두 가지 사례를 통해 그 구체적인 방법을 살펴보기로 한다.

도판 89의 주택은 마그노 거리(Calle Magno)에 면해 있는 삼층 규모의 주택인데, 이곳에는 두 가족이 거주한다. 기본적으로 L자형 주택이며 코르테는 도로 쪽에 있다. 일층에서 입구로 들어서면 오른쪽에 코르테와 외부 계단이 있고, 안쪽으로 더 들어가면 한 가족이 거주하는 공간이 있다. 계단을 따라 이층으로 오르면 다른 가족이 거주하는 공간이 있고, 계속해서 삼층으로 이어진다. 일층의 전면 공간은 두 가족이 공동으로 사용한 것으로 보인다.

도판 90의 주택은 산타 마리아 마테르 도미니 광장(Campo Santa Maria Mater Domini)에 면해 있는데, 수직석 공간분화의 또 다른 사례를 보여준다. 이 주택은 일층이 둘로 나뉘어 있고, 이층과 삼층을 각각 한 가족씩 독립적으로 사용했다. 왼쪽의 주택은 코르테가 도로 쪽에 있으며, 계단을 오르면 이층으로 연결되었다. 반면 오른쪽의 주택은 코르테가 운하 쪽에 있는데, 코르테에 있는 계단을 통해 삼층으로 올라가게 되어 있다. 두 주택 모두 도로와 운하로부터 진입이 가능했다.

이렇게 14세기의 베네치아에는 고밀화에 대응하여 새로운 주거형식이 등장했다. 이 새로운 주거형식은 그것이 위치한 장소의 상황에 맞게 유연하게

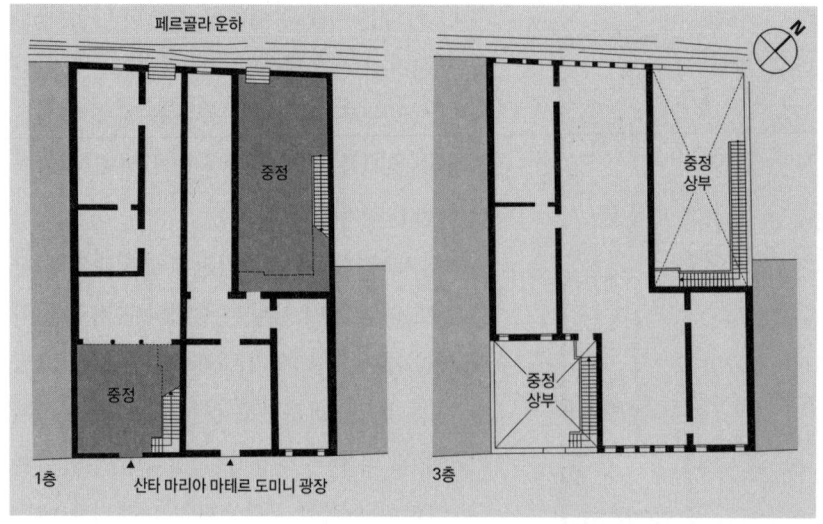

90. 산타 마리아 마테르 도미니 광장에 면해 있는 삼층 주택의 평면도. 일층을 둘로 나누어 별도의 코르테를 두고, 이층과 삼층을 각각 한 가족씩 독립적으로 사용했다.

적응되고 변형되었으며, 결과적으로 성숙하고 세련된 주거환경이 자리잡기 시작했다. 이와 동시에 새로운 도시조직에 순응한 시민들의 새로운 생활양식이 생겨나게 되었다. 이는 고밀도의 환경을 이룬 도시 속에서 사적 생활의 충족과 공적 생활의 확립이라는 두 가지의 요구에 대해 적절히 균형을 맞춘 생활양식을 의미한다.

'내 것'과 '공동의 것'을 적절히 구분하고 규정하는 것은, 한정된 토지 내에서 고밀도의 주거환경을 형성할 수밖에 없었던 중세의 도시에서 공통으로 해결해야 할 문제였다. 주위가 물로 둘러싸인 베네치아에서는 이러한 문제에 대한 해답을 더욱 독자적으로 찾아야 했고, 베네치아인들은 수준 높은 해결책을 고안해냈던 것이다.

C자형 주택의 등장과 주거형식의 완성

15세기는 베네치아의 도시형성 역사에서 발전의 정점에 이른 시기로 기록된다. 도시의 경제적인 번영은 활발한 건설활동으로 이어졌고, 도시의 구석구석에 이르기까지 건설의 열기로 충만했다. 이러한 과정에서 베네치아의 주택은 또 다른 형식적인 변화를 겪었다.

마레토가 C자형 주택이라고 명명한 주거형식은 15세기에 새롭게 등장했다.(도판 74의 ⑤-⑦ 참조) C자형 주택은 L자형 주택과 달리 중정이 주택의 측면 중앙에 자리하여 알파벳 C자와 유사한 형상으로 평면이 구성된 주택을

말한다.(도판 91)

베네치아 주택의 완성형으로 등장한 이 C자형 구조는 귀족 계층의 거대한 팔라초에서부터 중산층의 검소한 주택에 이르기까지 일정 규모 이상의 주택에 대부분 적용되었다. 또한 C자형 주택은 대운하나 소운하, 그리고 도로와 광장에 면해서 차례로 건축되었다. 따라서 이 시대에는 귀족 계층과 중산층의 주택이 공간구성에서 큰 차이가 없었으며, 다만 규모에서만 차이가 있었다. 이열구성인가, 삼렬구성인가의 차이는 여전히 존재했지만, 이것 역시 본질적으로는 규모의 차이에서 기인했다.

14세기부터 베네치아에는 삼렬구성 주택과 더불어 이열구성 주택이 많이 등장했는데 C자형 평면은 이열구성 주택과 삼렬구성 주택 모두에 적용되었다. 이열구성의 주택인 경우 본질적으로는 삼렬구성 주택과 평면구성에서 크게 다른 점이 없었기 때문에 C자형 평면을 적용하는 데 별 문제가 없었다.(도판 92)

베네치아에 이열구성 주택이 많이 등장한 것은 결국 부지 문제 때문이었다. 베네치아 주택의 최대 특징은 운하와 도로를 연결하는 중앙 홀이 있는 것이다. 그런데 중산층이나 서민층 주택의 경우 폭이 충분히 넓은 대지를 확보하지 못해 정상적인 삼렬구성으로 짓기 어려웠다. 이런 경우에는 좁은 삼렬구성 대신 이열구성을 택했다. 말하자면 억지로 삼렬구성으로 만들면서 좁은 홀을 가지는 것보다는 이열구성으로 충분히 넓은 홀을 얻는 방법을 선호

91. 카나레조 운하에 면해 있는 C자형 주택인 팔라초 테스타(Palazzo Testa)의 평면도.(왼쪽)
92. 이열구성으로 지은 C자형 주택. 가파로 운하(Rio del Gaffaro)에 면해 있는 주택의 평면도이다.(오른쪽)

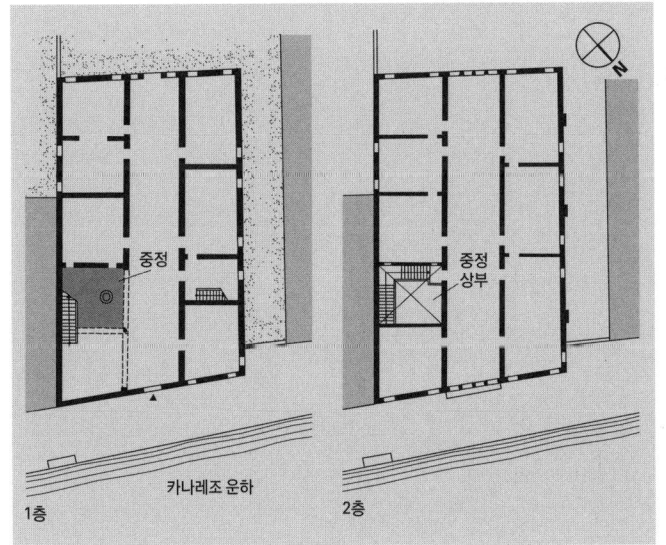
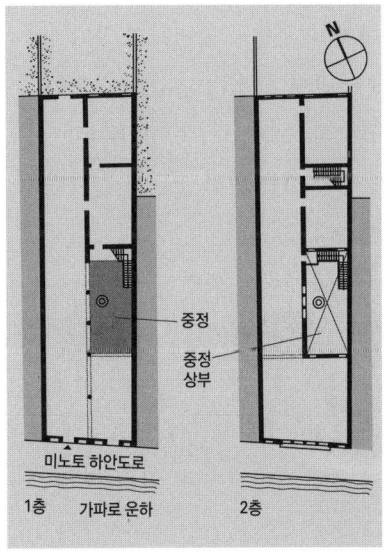

했던 것이다. 이 경우, 한쪽은 앞뒤를 관통하는 홀이 되고 다른 한쪽은 침실 등이 있는 공간으로 구성된다.

이러한 이열구성 주택은 후기 비잔틴 시대부터 등장했는데, 특히 공간구성의 유연성이 증대한 고딕 시대에 광범위하게 보급되었다. 도판 93은 산 바르나바 광장(Campo San Barnaba) 주변지역의 연속평면도이며, 이열구성과 삼렬구성 주택이 섞여 있는 모습을 보여준다. 이렇게 베네치아에서는 C자형 평면을 취한 이열구성과 삼렬구성의 주택이 일반적인 유형으로 확립했고, 이후 수세기에 걸쳐 이 두 유형이 함께 지속되었다.

마레토는 C자형 주택의 성립 과정에 특별한 관심을 가지고 그것을 상세하게 분석했다. 그는, C자형 주택은 도시화의 진행에 따라 L자형 주택이

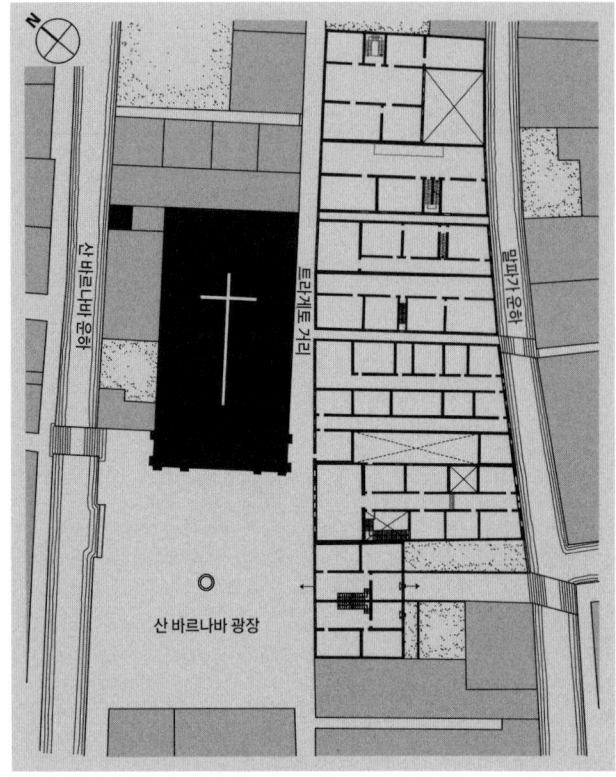

93. 산 바르나바 광장 주변지역의 연속평면도. 이열구성과 삼렬구성의 C자형 주택이 섞여 있다.

발전 변형되어 형성되었다고 규정했다. 그리고 두 가지의 사례를 통해 이러한 변형 과정을 설명하고 있다.

첫번째 사례는 14세기에 피에타 운하(Rio della Pieta)를 향해 건축된 작은 규모의 주택이다.(도판 94) 이 주택은 원래 운하를 향해 전면이 형성되었고, 측면의 길에 면한 코너에 커다란 코르테가 있는 전형적인 초기의 L자형 주택이었다. 그런데 시간이 지나면서 코르테의 일부분을 증축하여(빗금 친 벽체) 중정이 주택의 측면 중앙에 있는 C자형 주택이 되었다.

두번째 사례는 산 로렌초 운하(Rio di San Lorenzo)에 면해 있는 주택이다.(도판 95) 이 주택 역시 14세기에 건축했을 당시에는 후면의 코너에 코르테가 있는 L자형 주택이었는데, 주택을 뒤로 증축하면서(빗금 친 벽체) C자형 주택으로 변했다. 이 두 사례에서 보이는 변형 과정은 모두 14세기에서 16세기에 이르는 동안 발생한 것이다. 마레토는 이 사례를 통해 L자형에서 C자

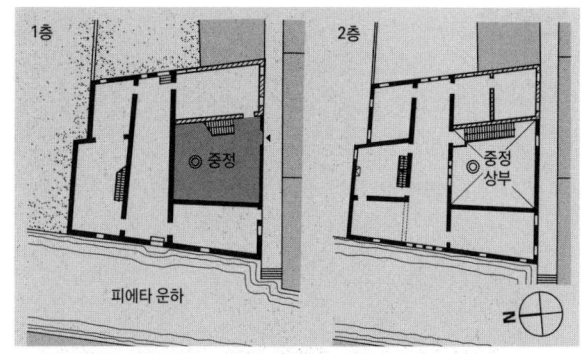

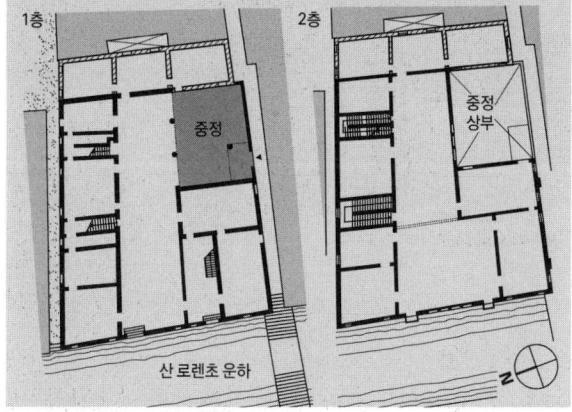

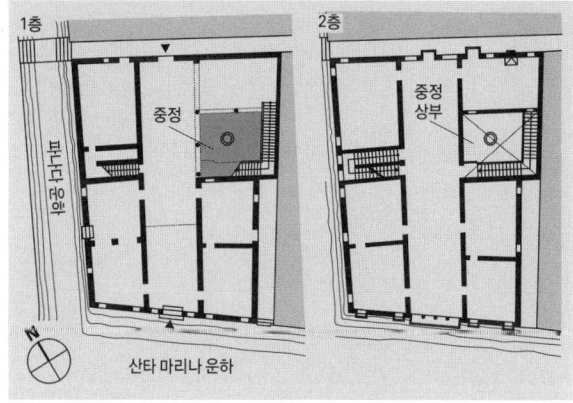

94-95. 피에타 운하에 면해 있는 소규모 주택(위)과 산 로렌초 운하에 면해 있는 주택(가운데)의 평면도. 두 주택 모두 원래는 L자형 주택이었는데, 빗금 친 벽체를 구축하여 C자형 주택으로 변했다.
96. 전형적인 C자형 주택인 팔라초 피사니의 평면도.(아래)

형 주택으로의 변화는 필연적이었음을 주장했다. 또한 C자형 주택은 갑자기 등장한 주거유형이 아니라 수세기에 이르는 진화의 과정을 통해 성립되었다고 규정했다.

이렇게 주거유형에서 변화가 진행된 이유에 대해서는 차차 규명하기로 하고, 우선 C자형 주택의 공간구성부터 살펴보자. 도판 96의 팔라초 피사니(Palazzo Pisani)는 전형적인 C자형 주택의 공간구성을 보여준다. 우선 운하와 육지를 연결하는 중앙 홀을 축으로 삼렬구성을 취한 것이 가장 큰 특징이다.

이 주택은 파사드와 수직으로 위치한 네 개의 벽체에 의해서 공간이 명쾌하게 구분되었다. 이때 네 벽체가 내력벽(耐力壁, 건물의 무게를 지탱하기 위해 설계된 벽)으로 작용하기 때문에 파사드는 하중에서 해방되어 개방적인 구성을 가질 수 있었다. 일층에는 운하와 육지를 연결하는 홀이 중앙 축을 형성했고 그 양쪽에 연속해서 창고 등이 자리잡았다.

중정을 감싼 계단을 통해서 주층(主層)인 이층으로 접근할 수 있는데, 다른 계단도 있지만 이 계단이 주요 계단이었다. 조용하면서도 간결한 이 중정은 베네치아의 중·상류층이 획득한 최고의 생활공간이었다. 또한 이 공간은 복잡한 도시에서 자연의 쾌적함을 누릴 수 있는 중요한 생활장치였다.

중정 주변에는 보통 아치로 주랑(柱廊)을 만들고, 바닥은 벽돌로 포장하여 세심하게 장식했으며, 그 중앙에는 화려하게 조각한 우물을 설치했다.(도판

97) 그리고 ㄱ자로 꺾은 계단을 사용해 극적인 공간 효과를 연출했는데, 난간 또한 조각으로 화려하게 장식했다.(도판 98) 중정에는 나무를 심거나 조각상을 설치했으므로 이곳은 작은 정원인 동시에 일종의 갤러리이기도 했다.

이층도 일층과 마찬가지로 삼렬구성이며, 중앙 홀을 중심으로 그 양쪽에 침실과 식당 등을 배열했다. 이 중앙 홀은 당시의 귀족들에게 꼭 필요한 공간으로서, 상거래를 위한 접객 또는 사교와 파티의 장소로 사용했다. 이러한 내부의 기능은 외부에 그대로 표출되었고, 홀이 있는 중앙부는 연속 아치를 사용해 개방적으로 구성했다. 그리고 그 좌우에는 간소한 창을 설치하여 중심이 강조되는 좌우대칭의 구성을 명확히 했다. 베네치아의 C자형 주택은 내부의 기능이 외부의 형태와 긴밀한 관계를 가진다는 측면에서 현대건축과 유사한 특징을 지닌다.

C자형 주택이 베네치아에서 일반화한 과정을 이해하기 위해서는 도시조직과의 관련성 속에서 살펴보는 것이 필수적이다. 앞에서 예를 든 팔라초 피

97. 팔라초 골도니(Palazzo Goldoni)의 중정. 베네치아인들에게 이러한 중정은 복잡한 도시에서 여유를 느낄 수 있는 중요한 공간이었다.

98. 1847년에 셀바티코(A. Selvatico)가 제작한 판화에 묘사된 C자형 주택의 중정. 난간을 화려한 조각으로 장식한 계단은 중정에 극적 공간을 연출했다.

사니의 경우를 보면, 남쪽의 정면과 서쪽의 측면은 운하에, 북쪽은 협소한 도로에, 동쪽은 이웃 주택에 면해 있는 매우 밀집한 조직 속에 자리하고 있다. 이처럼 C자형 주택은 L자형 주택보다 더욱 밀도 높은 주거환경을 형성하는 것이 가능했다. 결국 C자형 주택은 도시의 인구가 급격히 늘어남에 따라 토지의 효용성을 극대화시킬 수밖에 없는 시기에 자연스럽게 등장한 주거유형이다.

C자형 주택의 큰 특징은 중정을 주택의 중심에 담고 있기 때문에 부지와 건물의 윤곽이 완전히 일치했으며, 따라서 고밀도의 집합방식에 매우 유리하다는 점이다. 또한 앞뒤 양면 모두에 파사드를 형성할 수 있어서 건물은 운하와 육지에 대해 대등한 관계를 가질 수 있었다. 팔라초 피사니처럼 넓은 운하에 면한 경우에는 운하를 향해 파사드를 조성했지만, 상황이 그렇지 못한 경우에는 길이나 광장을 향해 파사드를 조성하는 것이 가능했다. 즉 도시가 지닌 입지조건에 따라서 취사선택할 수 있었던 것이다. 예를 들어, 15세기에 건축된 팔라초 페사로(Palazzo Pesaro)는 후면이 좁은 운하에 면해 있고 전면은 산 베네토 광장(Campo San Benetto)에 면해 있어서, 파사드가 자연히 광장을 향해 조성되었다.(도판 100, 101)

고딕 시대로 접어들면서 베네치아에서는 수변 공간에 비해 육지에 있는 공공장소의 중요성이 더욱 증대했다. 그리고 광장처럼 넓은 공공장소에 면한 대지는 좁은 운하에 면한 대지보다 더욱 유리한 조건을 가지게 되었다. 15세기로 접어들면서 대운하를 비롯해 넓은 수변 공간에 접해 있는 대지를 구하기가 점점 어려워졌다. 따라서 고딕 시대 후기에 이르러 육지 쪽에 있는 생활공간의 가치가 더욱 커졌고, 앞뒤 어느 쪽으로도 파사드를 형성할 수 있는 주거유형이 필요했다.

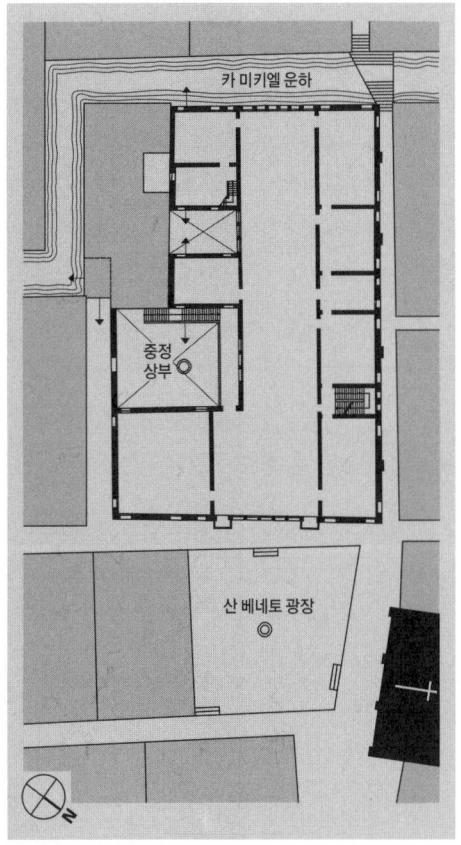 

100. 팔라초 페사로의 이층 평면과 주변. 후면이 좁은 운하에 면해 있어서 자연히 파사드가 광장을 향해 조성되었다.(왼쪽)
101. 산 베네토 광장에서 바라본 팔라초 페사로.(오른쪽)

99. 팔라초 소란초 반 악셀. 파나다 운하와 산 칸치아노 운하가 만나는 곳에 위치하며, 양쪽 모두에 당당한 파사드를 형성하고 있다.(p.144)

    C자형 주택의 형성은 이러한 요구에 의해서 성립되었다. 실제로 광장을 둘러싸고 있는 주택군을 보면 그 뒤편에 운하가 있는 경우가 많지만 대부분 광장 쪽으로 정면을 구성했다. 이 책 7장의 도판 175에 나타나 있는 산 안촐로 광장(Campo San Anzolo)을 보자. 광장의 서쪽에는 네 동의 크고 작은 팔라초가 연이어서 자리하고 있다.(도판 175에서 ⑧, ⑨, ⑩, ⑪로 표시한 건물) 그 중에서 남쪽 끝에 있는 소규모의 팔라초를 제외하면, 나머지 주택 세 채가 모두 광장 쪽으로 정면을 형성했다.

    C자형 주택은 비교적 단순하고 명쾌한 형식으로 유형화했지만, 각각의 장소에 순응하면서 여러 가지 변화와 변형을 도출했다. 도시를 구성하는 기본 요소인 주택은 단순한 공간적 구성을 바탕으로 하지만, 이들이 집합하게 되면 교묘하고도 유기적인 양상을 연출한다. 이러한 양상 속에서 도시는 다양하고 풍부하면서 매력적인 공간을 형성하게 된다. 이것이 베네치아의 고딕시대 즉 14-15세기에 진행된 건축활동의 커다란 의의라고 할 수 있다.

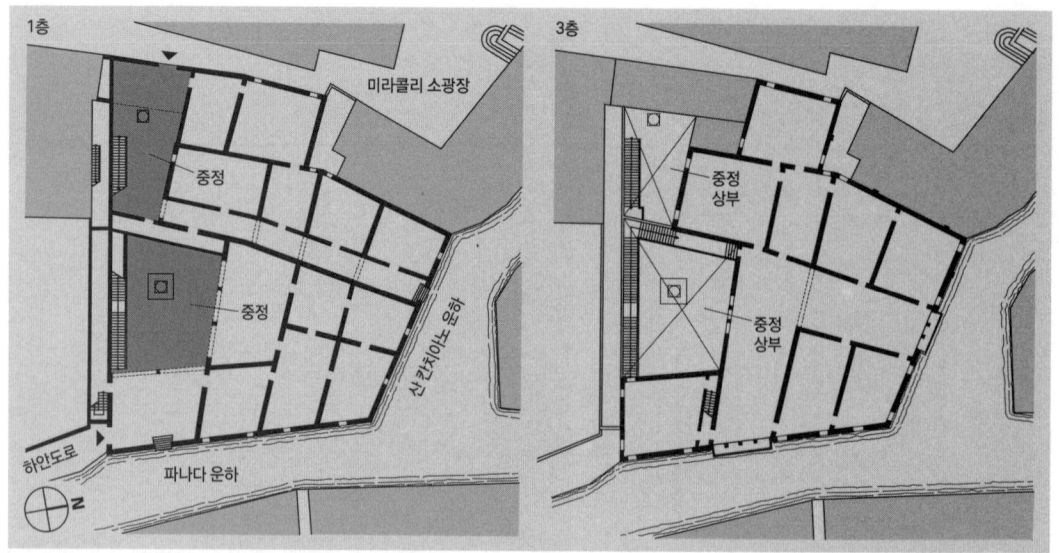

102. 팔라초 소란초 반 악셀의 평면도. 변형된 C자형 평면으로서, 상류층 두 가족을 위한 교묘한 공간구성을 보여준다.

C자형 주택 중에서 장소의 상황에 유연하게 순응하여 우리의 흥미를 끄는 사례를 하나 살펴보자. 팔라초 소란초 반 악셀(Palazzo Soranzo Van Axel)이라는 이름의 이 주택은 산 칸치아노 운하(Rio di San Canciano)와 파나다 운하(Rio della Panada)가 만나는 코너에 위치했으며, 1479년에 완성된 것으로 추정한다.(도판 99) 이 주택은 두 운하가 둔각으로 교차하는 특이한 장소에서 복잡한 대지조건에 교묘하게 순응하고 있는데, 베네치아인들이 그 동안 축적시켜 온 계획적 기법들이 유감없이 구사되었다.(도판 102)

이곳에는 상류층의 두 가족이 거주했다. 평면을 보면 일층은 중앙을 가로지르는 벽으로 공간을 양분했고, 분리된 각각의 공간에는 계단이 설치된 코르테가 있다. 파나다 운하 옆으로 난 하안도로를 통해서 진입하면 커다란 코르테가 있는데, 이곳에서 ㄱ자로 꺾인 장대한 계단을 타고 삼층으로 올라갈 수 있다. 한편, 작은 코르테는 섬 내부로 난 길 즉 칼레를 통해서 진입하며 역시 ㄱ자형 계단을 타고 이층으로 올라갈 수 있다. 이층과 삼층은 각각 한 가족이 점유하는 생활공간인데, 변형된 C자형 평면으로서 그 공간구성이 매우 교묘하다. 평면은 두 운하 모두를 향해서 삼렬구성을 취했고, ㄱ자로 꺾인 거대한 홀이 주택의 중심을 이루고 있다. 또한 이 건물은 두 운하를 향해 당당한 파사드를 형성했다. 그리고 두 가족 모두 전용 현관을 통해 운하에서 진입할 수 있었다. 이는 베네치아가 아니면 발견할 수 없는 사례로서, 주변 환경에 유연하게 적응한 도시주거의 진수를 보여준다.

르네상스 시대의 도래와 파사드의 변모

르네상스 문화는 15세기 초반 피렌체에서 시작되어 이탈리아 전역으로 퍼져 나갔다. 그러나 그것이 베네치아에 도착하기까지는 상당한 기간이 걸렸다. 베네치아의 경우 정치적 경제적으로 가장 정점에 있을 때 고딕 양식을 받아들였고, 그것을 특유의 패턴으로 발전시켰기 때문에 고딕 문화가 열등하다고 생각할 여지가 없었다. 또한 주로 바다에서 생활하던 베네치아의 귀족들은 고전에 대한 관심이 다른 도시들보다 비교적 적었다.

이렇게 고딕 문화의 분위기에 젖어 있던 베네치아는 16세기에 들어와서야 르네상스의 건축문화를 받아들였다. 그런데 르네상스를 늦게 받아들인 베네치아는 그것의 마지막 무대가 되었다. 피렌체에서 시작한 이탈리아 르네상스는 로마로 그 본거지를 옮겼다가 마지막으로 베네치아에 와서 꽃을 피웠다. 말하자면 피렌체에서 르네상스 문화가 시들해진 이후에 베네치아가 이를 계승하여 독특한 양식으로 발전시켰던 것이다. 베네치아인들의 경제력과 진취성 그리고 정치적인 안정성은 르네상스 문화를 발전시키는 데 바탕이 되었다. 그리고 베네치아의 르네상스 문화는 건축에서 더욱 두드러졌다.

베네치아의 건축에 처음으로 르네상스 양식을 도입한 것은 롬바르도(Lombardo) 가문의 건축가들이었다.[30] 그들이 수행한 일은 대부분 고딕 양식의 건물을 외부만 르네상스식으로 개조하는 것이었는데, 결과적으로 건축의 공간구성은 과거와 크게 달라진 것이 없었다. 고딕 시대에 정착한 C자형 주택은 확고한 주거형식으로 자리잡고 있었으며, 주택의 공간구성은 중앙 홀을 중심으로 하는 삼렬구성을 그대로 유지했다.

결국 베네치아에서 주택의 평면형식은 C자형이 완성형이었다고 할 수 있다. 르네상스 양식이 도시에 정착하면서 소수의 귀족 계층 팔라초가 C자형 평면을 포기하기도 했지만, 이러한 특이한 사례를 제외하면 C자형 주택은 계속 유지되었다. 건물의 파사드도 이 공간구성을 그대로 반영하여, 중앙에는 연속 아치로 구성된 개구부를 배열하고 좌우 양쪽에는 작은 창들을 배치한 전봉석인 '삼분할(三分割)' 형식으로 구성했다.(도판 103) 그리나 벽채에는 벽기둥, 원형 아치, 틀 장식 등을 사용했고, 각 층을 구분하는 수평재인 엔타블러처(entablature)도 분명하게 적용하여 고전적 색채를 강하게 표출했다.

103. 전형적인 르네상스풍의 삼분할 구성을 갖춘 팔라초 콘타리니(Palazzo Contarini).

　이렇게 건축의 혁신이 오로지 외관에만 한정되는 경향이 농후했던 르네상스 시대에도 베네치아의 주택사에서 상당히 중요한 변화가 발생했다. 물론 앞에서 언급한 대로 이 변화는 소수의 주택에만 해당했지만, C자형 주택을 특징짓던 계단 즉 코르테를 둘러싼 외부 계단이 사라지는 경우도 있었다. 대신 삼렬구성의 측면 한쪽에 독립된 계단실을 만드는 방식이 도입되었다. 그리고 아주 드문 경우였지만 코르테를 없애기도 했고, 위치를 옮겨서 주택의 후면 중앙에 놓기도 하는 등의 변화가 발생했다.

　과거의 전통적인 C자형 주택에서 코르테는 대체로 채광과 통풍에 유리한 남쪽 또는 동쪽에 자리했지만, 그 위치는 주택의 전체 구성에 크게 지배받지 않았다. 그러나 르네상스 시대로 접어들면서 이러한 유기적인 성격은 무시되었고, 축을 중심으로 하는 대칭적 구성 및 건축의 기하학적 조화가 주택에 적용되었다.

104. 건축가 세를리오가 제시한, 중세풍 건물(위)을 르네상스 양식의 팔라초(아래)로 전환하는 방식.

16-18세기의 베네치아에서 건물 전체를 완전히 신축하는 일은 드물었다. 대운하에 면해 있는 부호들의 대저택을 제외하면, 주택을 신축하기보다는 기존의 주택을 개조하는 것이 보통이었다. 즉 건물의 구조를 그대로 두면서 새로운 양식의 파사드를 적용했고, 계단이나 현관 홀을 개조하거나 내부의 천장과 벽을 새롭게 단장했다.

이는 무엇보다도 경제적인 이유 때문이었다. 돌이나 벽돌로 지은 건물을 모두 헐어 버리고 다시 짓는 것은 매우 비경제적인 일이었다. 그리고 무엇보다 베네치아의 경우는 건물의 기초를 중요하게 고려해야 했다. 연약한 지반 위에 건물이 들어선 이곳은 각 건물 밑에 무수히 많은 말뚝을 박아서 기초를 조성했는데, 이렇게 특수한 기초를 조성하는 데 전체 공사비의 약 삼분의 일이 소요되었다. 또한 16세기 이후에는 지중해 지역의 목재 부족 현상이 심각했다. 따라서 건물을 다시 짓는 경우에도 기존의 기초를 다시 사용할 수밖에 없었으므로 지상의 벽체는 그 위치를 바꿀 수 없었다.

소귀족들에게는 과거 고딕 시대에 지은 건물을 완선히 버릴 만한 이유도 없었다. 도시의 건설활동이 최고조에 달했던 이 시대의 주택은 그들의 생활은 물론이고 도시의 입지조건에도 잘 맞는 합리적이고 기능적인 주택이었던 것이다. 다만 그것이 지닌 재산상의 가치를 지속시키고 시대의 유행에도 크게 뒤떨어지지 않기 위해서 원래 주택의 외관에 르네상스의 용모를 덧입히는 것이 필요했을 뿐이었다.

르네상스 시대와 그 이후에 행해진 오래된 건물의 개조에 대해서는 건축가 세를리오(Sebastiano Serlio)의 이론이 상당한 지식을 제공했다. 세를리오는 그의 『건축서(L'Architettura)』에서 새로운 건축의 설계 방법을 설명했는데, 이것이 베네치아의 건축 장인들에게 상당한 영향을 주었다.[31]

예를 들면, 중세풍의 개구부를 가진 복잡한 주택을 좌우대칭의 우아한 르네상스식 건물로 전환하거나(도판 104), 높이가 다른 두 채의 작은 건물을 정연한 입면을 가진 건물로 통합하는 등 오래된 건물을 새롭게 바꾸는 방법들을 구체적으로 내놓았다. 특히 그가 제시한 고전적인 창의 구성 수법은 '세를리아나(Serliana)'라는 이름으로 베네치아에서 크게 유행했다.[32]

'세를리아나'는 중앙을 강조하는 대칭형의 개구부로서, 가운데에 넓은 반원의 아치 창을 설치하고 그 양쪽 옆에는 수평의 인방

105. 세를리오가 고안한 개구부 '세를리아나'. 아치를 중심으로 하는 좌우대칭형 창의 구성 수법으로, 베네치아에서 크게 유행했다.

(lintel, 문 또는 창의 아래나 위를 가로지르는 수평 부재)을 가진 창을 배열하는 방식이다.(도판 105) 이러한 개구부는 16세기 후반부터 베네치아에서 크게 유행했는데, 이후 18세기 영국을 비롯한 유럽에서는 이 창을 '베네치아식 창(Venetian Window)'이라고 불렀으며, 19세기까지 그 유행이 이어졌다. 세를리오는 그의 책에서 '세를리아나'를 사용하여 팔라초의 정면을 구성하는 방법을 여러 개 제시했고, 베네치아의 건축 장인들은 이를 즐겨 채택했다.(도판 106)

르네상스 시대에 베네치아의 일반 귀족들은 이층과 삼층의 중앙에 '세를리아나'를 조성하여 전체적으로 우아하면서도 단정한 파사드를 구성하는 방식을 선호했다. 이는 베네치아의 전통적인 삼분할 구성을 그대로 답습한 것이었다. 결국 내부는 고딕 시대에 정착된 삼렬구성의 평면을 취하면서 외부는 삼분할 구성의 르네상스식 파사드로 꾸민 팔라초가 상류층 주택의 완성형으로 나타난 셈이다.

'세를리아나'가 귀족들의 주택에 광범위하게 보급된 가장 큰 이유는, 이것이 기존 주택의 공간구성에 잘 부합했기 때문이었다. 말하자면, 베네치아 주

택의 전통적인 공간구성을 크게 바꾸지 않고 르네상스의 모습을 갖추는 데 '세를리아나'가 그 크기와 비례에서 가장 적당했던 것이다. 또한 '세를리아나'는 커다란 아치에 의해서 중심에 강한 악센트를 줄 수 있어서 전통적인 파사드의 표현 효과를 더욱 높일 수 있는 이점도 있었다. 도판 107은 대운하에 면한 주택들을 그린 그림인데, '세를리아나'로 장식된 주택들이 나란히 자리하여 독특한 경관을 이루고 있다.

당시에 '세를리아나'가 유행했던 또 다른 중요한 이유는, 16세기에 보급되기 시작한 프레스코(fresco, 갓 회칠한 벽면에 수채화를 그리는 화법) 벽화의 영향 때문이었다. 베네치아에서는 15세기말에 팔라초의 외벽을 프레스코 벽화로 화려하게 장식하는 것이 유행했다. 특히 상류층 주택은 가족의 사회적 지위와 새로운 문화에 대한 교양을 표현하기 위해 외벽을 프레스코 벽화로

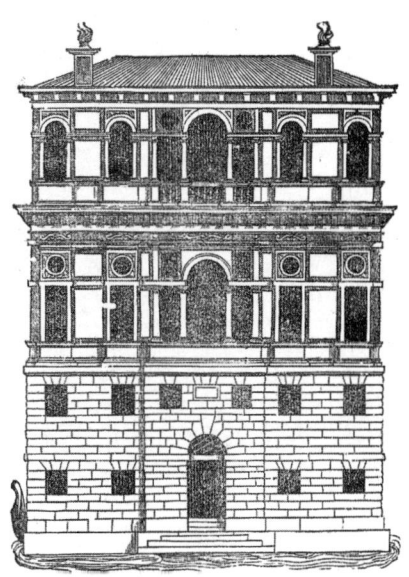

106. 세를리오의 『건축서』에 수록된 팔라초 정면부의 구성기법.(위)
107. 대운하를 향해 나란히 자리잡은, '세를리아나'로 장식된 팔라초들. 1828년에 모레티가 제작한 판화 연작 〈베네치아 대운하의 조망〉의 일부다.(아래)

108. 16세기에 대운하에 면해 지은 팔라초 바르바리고(Palazzo Barbarigo). 상류층의 사회적 지위와 교양을 표현하기 위해 외벽을 프레스코 벽화로 화려하게 장식했다.

장식했다.(도판 108) 이 방식은 비잔틴 시대 이래로 건물의 외관을 다채롭게 구성하려는 경향이 반영된 것이라 할 수 있다. 15세기말에서 16세기초에 이르는 기간에는 색대리석을 사용하여 건물을 장식하는 것이 유행했지만 워낙 비용이 많이 들었던 관계로 프레스코 벽화가 이를 대신했던 것이다. 건물의 외벽을 채색하기 위해서는 창과 창 사이에 넓은 벽면이 필요했고 중앙을 응축되게 강조하는 '세를리아나'는 이러한 목적에도 부합했다. 따라서 '세를리아나'는 프레스코 벽화가 도시에 정착된 1550년 이후에 더욱 성행했다.

제5장

베네치아 주거지역의 공간구조와 다양한 주거형식

역사가 켜켜이 쌓인 베네치아의 주거지역

이제까지 베네치아에서 진행된 주거형식의 변화 과정을 살펴보았다. 오늘날 베네치아의 도시조직 속에는 도시가 성립되던 초기부터 오랫동안 변화해 온 다양한 형식의 주거들이 광장과 도로 그리고 운하와 유기적으로 관계를 맺으면서 교묘하게 모여 있는데, 이것이 바로 베네치아의 주거지역을 매력적인 연구대상으로 만드는 요인이다.

베네치아에 있는 어떤 주거지역을 봐도 그곳에는 역사의 흔적들이 켜켜이 쌓여 있어서 세심하게 살펴보면 그 흔적들을 추적해낼 수 있다. 이 장(章)에서는 베네치아에 있는 몇 개의 지구(地區)를 대상으로 그곳에 자리잡은 주거의 다양한 모습들을 살펴보도록 한다. 여기서 지구라고 하면 과거 베네치아가 여섯 개의 구(區)로 통합되기 이전의 교구를 의미하는 것으로서, 베네치아 주민들이 자족적인 생활을 영위하던 공간의 단위를 말한다. 조각보를 구성하는 조각들처럼 교구의 교회를 중심으로 독립적으로 존재하던 수십 개의 지구들은, 도시의 성장과 함께 내부적으로 조밀한 공간조직을 형성해 왔다. 그리고 이와 동시에 다른 지구들과도 긴밀하게 연결되어, 오늘날에는 서로 간의 경계를 찾는 것도 어렵게 되었다.

베네치아의 주거환경을 지구 중심으로 살펴보려는 이유는, 여러 모습의 주거들을 '다양성'과 '변화'라는 측면에서 들여다보려는 의도도 있지만, 그것보다는 베네치아만의 독특한 도시조직의 메커니즘을 살펴보기 위해서이다.

앞서 언급한 대로, 베네치아는 이탈리아의 어느 도시에서도 발견할 수 없는 독특한 주거형식과 공간구조를 형성했다. 상류귀족 계층의 주거와 중산층 및 서민층의 주거가 섞여서 자리잡았고, 그것들이 운하 및 도로와 다양한 관계를 가지면서 전반적으로 밀도가 매우 높은 환경을 유지하다 보니 주거지역이 형성되는 방식에서도 독자적인 메커니즘을 가질 수밖에 없었다. 또한 그 메커니즘 속에는 오랫동안 진행되어 온 주거형식의 변화 과정이 층층이 녹아 있다. 대다수의 지구는 자족적으로 발전해 왔기 때문에 주거형식의 변화 또한 다양하게 발생했다. 따라서 베네치아에서 주거지역의 공간조직은 '연속과 변화' 그리고 '지속과 변형'이라는 개념으로 특징지을 수 있다.

베네치아의 각 지구는 광장 즉 캄포를 중심으로 형성되었다. 이탈리아의 다른 도시들도 마찬가지지만, 베네치아에서 광장이 형성된 역사는 도시형성의 역사와 그 궤를 같이한다. 캄포는 교구가 형성된 초기에도 있었지만, 처음부터 완전한 형상을 갖춘 것은 아니었다. 초기의 광장은 오늘날과 같은 모습이 아니라 수목이 자라고 가축을 풀어놓고 기르던 시골풍의 공간이었다. 당시의 광장은 수로에 면한 주택들 후면부에 형성된 널찍한 마당 정도로 보는 것이 적절할 것이다. 광장을 밭이나 전원을 의미하는 캄포라고 부르는 이유도 바로 이 때문이다.

도시에 고밀화가 진행되면서 광장은 차차 건물로 둘러싸였고, 건물이 광장을 향해 파사드를 형성하면서 광장의 외관은 우아하게 정리되었다. 15세기에 들어오면서 대부분의 광장은 돌로 포장되어 지구의 본격적인 중심 공간으로 자리하게 되었다. 이렇게 광장이 제 모습을 가지는 과정과 베네치아의 주택이 C자형 주택으로 완성되는 과정은 시간적으로 일치한다. 광장의 형성 과정은 지구의 형성 과정과 일치하고, 이것은 주거형식의 변화 과정과도 깊은 관계를 가진다. 따라서 각 지구의 공간구조와 그곳에 자리잡은 주거형식의 다양함을 살펴보기 위해서는 당연히 광장을 중심으로 이야기를 전개해야 하는 것이다.

지금부터는 광장을 중심으로 지구가 형성된 과정과 그 메커니즘을 우선 살펴보고, 세 지구를 선정하여 그곳에 자리한 주거형식의 변천 과정과 다양성을 살펴보려고 한다. 현재 베네치아에 존재하는 여러 지구 즉 과거의 교구들 중에서 산 칸치아노 지구, 산 폴로 지구, 그리고 산타 마르게리타(Santa Margherita) 지구를 선정했다. 앞의 두 지구는 리알토에서 그리 멀지 않은 곳에 있어서 베네치아의 중심부를 이루며, 산타 마르게리타 지구는 중심에서 약간 떨어져 있어서 서민주거지역의 성격을 띠고 있다.(도판 51 참조) 세 지구 모두 베네치아가 성립되던 초기 단계에 교구가 형성되어 시대를 따라 계속해서 성장해 왔기 때문에 이들을 통해서 각 교구의 공간적 성장 과정을 구체적으로 살펴볼 수 있을 것이다.

베네치아의 지구형성 과정과 공간구조

그렇다면 베네치아에 있는 칠십여 개의 지구는 어떤 과정을 통해서 형성되었으며, 그 공간구조는 어떤 모습이었을까. 교구의 형성 과정은 무라토리에 의해 밝혀졌다. 그는 1950년대 베네치아에 있는 각 지구의 건축과 도시조직을 연구한 결과, 오래된 주거지역을 세 그룹으로 구분했다.

우선 첫번째 그룹은, 리알토가 공화국의 수도가 되기 전부터 이미 사람들이 거주하고 있던 지역으로서, 베네치아의 근원적 주거지라고 할 수 있는 곳이다. 리알토 지구를 포함한 지금의 도시 중심부인 이 지역에는 열네 개의 교구가 형성되었다. 앞에서 언급한 것처럼, 이곳의 정주지에는 나무로 벽체를 만들고 초가로 지붕을 얹은 주택들이 여기저기 산재해 있었다.

두번째 그룹은, 리알토로 수도를 이전한 이후 즉 9세기에 새로 형성된 스무 개의 교구이다. 다시 언급하겠지만, 이곳에 교구가 형성된 당시 모습은 오늘날의 베네치아 주변에 있는 한적한 어촌의 모습을 연상하면 된다. 즉 운하를 따라서 건물들이 나란히 있고, 운하와 수직으로 형성된 여러 개의 작은 길을 따라서 주택들이 듬성듬성 자리한 매우 단순한 구성이다. 물론 이때의 주택들도 나무로 만들었다.

세번째 그룹은, 10세기 이후에 형성된 서른여덟 개의 교구로서, 교구가 형성된 당시부터 중앙의 광장을 중심으로 건물들이 연속적으로 자리잡은 전형적인 중세의 주거지역이었다. 그리하여 12세기에는 베네치아에 모두 일흔두 개의 교구가 있었고, 이 수는 19세기 초반까지 그대로 지속되었다. 도판 109는 베네치아 교구의 단계적 형성 과정을 보여준다.

9세기경 즉 도시가 형성되던 초기에 각 교구의 모습은 어땠을까. 당시의 모습을 알기 위한 가장 쉬운 방법은 베네치아 주변에 있는 작은 섬들의 공간구조를 살펴보면 된다. 베네치아 주변에는 작은 섬들이 여러 개 있는데, 이 섬들은 도시화의 과정을 겪지 않았기 때문에 베네치아의 초기 모습을 유지하고 있다.

도판 110은 베네치아에서 북동쪽으로 7킬로미터 정도 떨어진 부라노(Burano) 섬을 그린 지도이다. 한적한 어촌 마을인 부라노 섬은 규모로 본다면 베네치아의 작은 교구가 세 개 정도 모인 크기다. 섬의 중앙을 Y자로 관통하는 운하가 있고, 그 좌우에도 운하가 하나씩 있다. Y자의 아랫부분에 해당하는 수로는 오늘날 큰길로 바뀌었다.

이 섬 또한 베네치아의 다른 지역과 마찬가지로 수로를 따라서 주택들이 연속하고 있는데, 주택이 수로에 바짝 붙어 있지 않고 그 사이에 좁은 길을 둔 것이 특징이다.(도판 111) 그리고 수로와 직각이 되는 방향으로 곳곳에 작은 통로들을 형성했는데, 이 통로에 면해 작은 주택들이 연속적으로 들어서면서 섬의 내부로 확장해 들어갔다. 이 통로들이 끝나는 곳에는 한적한 녹

109. 13세기부터 20세기에 이르는 베네치아 영토의 단계적 확장 과정.
① 1200년.
② 1500년.
③ 1700년.
④ 1960년.

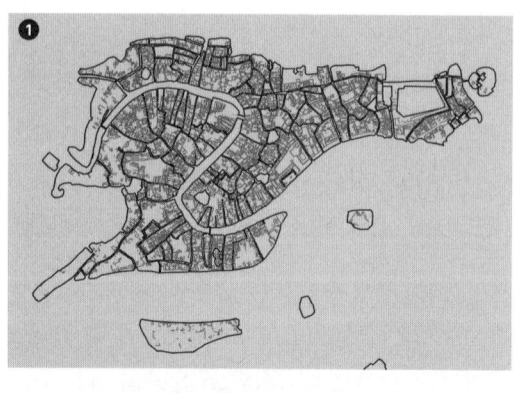
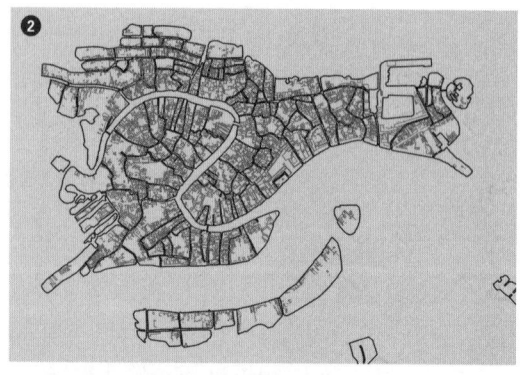
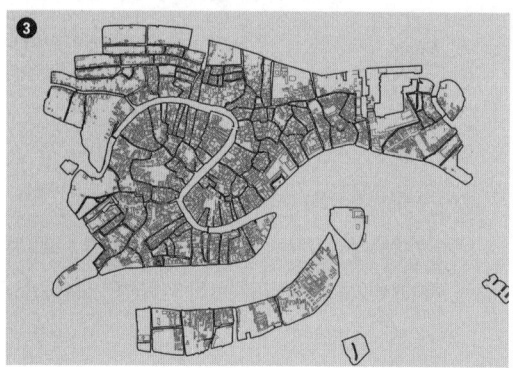
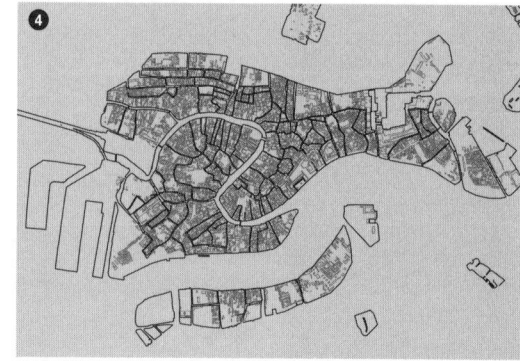

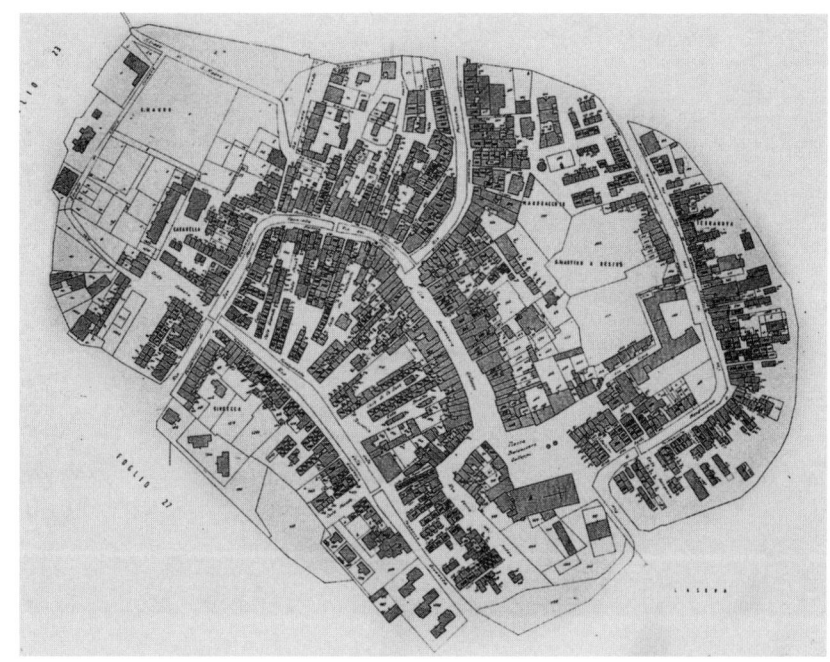

110. 1950년대의 부동산 지도에 묘사된 부라노 섬의 공간구조. 베네치아에서 7킬로미터 정도 떨어진 이 섬은, 베네치아 지구형성 과정의 초기 내지는 중간 단계 정도의 공간구조를 간직하고 있다.

지가 매우 불규칙한 모습으로 형성되었다.

전체적으로 토지이용은 수로에 면한 쪽에 치중되어 있고, 그 반대편 즉 섬의 내부는 녹지로 방치되어 있다. 주민들의 여가생활은 주로 여기서 이루어졌다. 만약 이곳에서 도시화가 더욱 진행되었다고 가정해 보면, 이 방치된 땅들의 일부는 광장이 되고 그 주변으로 건물들이 들어서면서, 광장을 중심으로 구심적 토지이용을 했을 것이다. 이 섬의 경우 세 개 정도의 광장이 형성되었을 것이라 추정한다. 또한 광장과 수로를 연결하는 직선 도로들이 방사형으로 형성되었을 것이다. 이러한 점들을 비추어 볼 때 부라노 섬은 아마도 베네치아의 지구형성 과정에서 초기 내지는 중간 단계 정도라 할 수 있을 것이다.

9세기의 베네치아 공간구조에 대해서는 카니지아가 구체적으로 연구했다. 카니지아는 1950년대의 베네치아에 있는 건물의 기초, 주택의 경계, 도로와 운하의 모양 등 여러 자료를 바탕으로 초기의 모습을 추정했다. 도판 112는 카니지아가 9세기의 베네치아 공간구조를 묘사한 지도의 일부이다.

당시의 공간구조를 살펴보면, 주택들이 운하를 따라 연속해서 자리한 모습이 오늘날 부라노 섬의 모습과 흡사하다. 다만 당시의 주택들은 나무로 구축했으며, 그 규모도 오늘날과 비교하면 눈에 띄게 작다. 이때 도시의 대부분은

111. 부라노 섬을 관통하는 운하와 그 주변에 자리한 주택들. 주택을 운하에 바짝 붙이지 않고 그 사이에 좁은 길을 두었다.

나무로 만든 담장으로 둘러싸서 방어를 강화했다. 도판 112에서 굵은 선으로 표시한 것은 당시의 담장이다. 이때 한 가구가 차지한 필지의 면적은 보통 12×24미터로 추정한다. 이는 리알토가 도시화하기 이전에 이곳에 있던 농토의 기본단위가 240×240로마피트 즉 대략 72×72미터였다는 사실을 바탕으로 하며, 이러한 크기의 농토가 주택으로 전환하면서 열두 개 정도의 필지로 분할된 결과, 한 필지의 크기는 12×24미터 정도가 되었다. 그리고 이전에 농토가 아니었던 땅도 이러한 규모를 기준으로 분할된 것으로 추정하고 있다.

그 당시에는 필지의 구획이 먼저 있었는지, 아니면 주택이 자리잡은 이후에 필지의 구획이 있었는지는 분명하지 않다. 아마도 각 교구를 지배하던 귀족 계층이나 교회가 필지를 구획하여 일반시민들에게 임대해 준 것으로 추정하는데, 땅에 대한 구분은 시간이 지나면서 명확해졌을 것으로 보인다. 당시의 주택은 그 규모가 작아서 필지의 대부분이 공터로 남아 있었다. 주택은 운하에 면한 一자형 주택이거나 운하와 직각으로 만나는 一자형 주택이 기본적인 형식이었다.

카니지아는 9세기 이후에 베네치아의 주거형식이 변화하는 과정을 도판 113과 같이 정리했다. 이 다이어그램은 그가 바르바리의 조감지도를 분석한 결과 추정한 것이다. 처음에 주택들은 수로에 직접 닿아 있지 않았는데, 공간이 증식함에 따라서 수로에 면하는 양상으로 바뀐 동시에 건물의 재료도 벽돌과 돌로 바뀌었다.

앞서 정리한 것과 같이 주거형식은 L자형 주택에서 C자형 주택으로 진화하는 것이 기본적인 변화 과정이었다. 그러나 이러한 변화 과정도 일정 규모 이상의 주택에 해당했고, 서민들이 거주한 작은 주택들은 그것과 다른 양상으로 변화해 갔다. 이 책의 7장 즉 베네치아의 서민주택을 다루는 부분에서 자세히 설명하겠지만, 서민들의 주거는 대규모 주택의 뒤편에 자리잡거나 또는 운하와 광장을 연결하는 좁은 도로에 면해서 촘촘히 들어섰다.

주택들은 수로를 따라서 자리잡았기 때문에 주택들이 모여서 만들어낸 윤곽선도 당시 수로의 모습대로 완만한 곡선인 경우가 많았다. 이러한 선형은 이후에 광장의 평면이 곡선 형상을 가지게 된 원인이 되었다. 다음에 언급할

112. 카니지아가 추정한 9세기경 베네치아의 공간구조. 1950년대에 만들어진 지도 위에 그린 것이다.

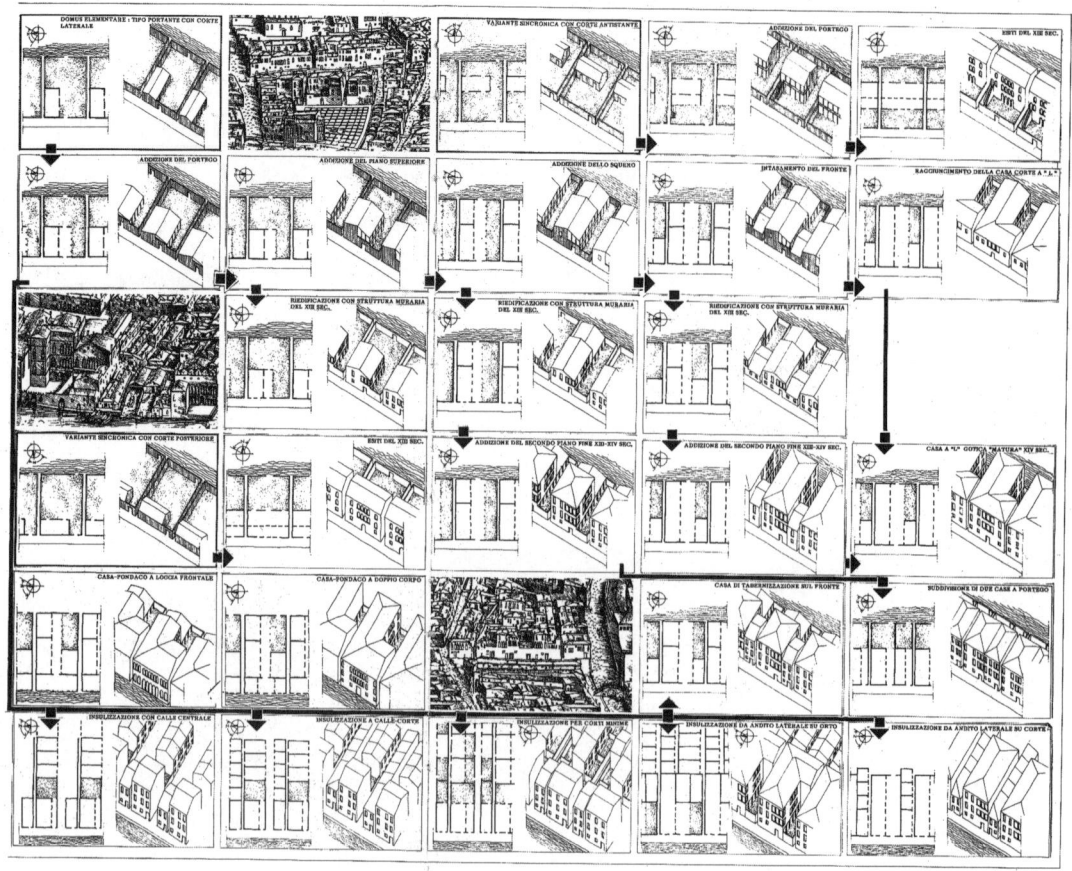

113. 카니지아가 바르바리의 조감지도 〈1500년의 베네치아〉를 분석하여 그린, 베네치아 주택의 진화 체계에 관한 다이어그램.

산 폴로 광장이나 산타 마르게리타 광장을 이루는 면들이 곡선인 것도 바로 이 때문이다.

이후 저습지의 간척이 활발해진 시기에는 인공적으로 조성된 운하가 직선 형상이었기 때문에 주택들도 직선형으로 모였다. 처음에 주택들이 운하를 따라 자리잡으면서 후면의 공간을 녹지로 방치하는 일극구조(一極構造)로 주거지가 형성되었다. 그런데 각 지구의 밀도가 상승하면서 점차 주택이 서로 등을 맞대게 되었고, 자연히 주거지도 양극구조(兩極構造)로 변화했다. 이렇게 양극구조로 형성된 주거지인 경우, 한 면은 운하에 그리고 다른 한 면은 도로나 광장에 면했다. 주거지 안에서 한 주택의 규모가 매우 크면 전면은 운하에 그리고 후면은 도로에 면하는 양극구조를 취할 수 있었지만, 일반적인 주택들은 운하 아니면 도로에 면할 수밖에 없었다.

이렇게 베네치아의 주거지가 양극구조를 취하는 것은, 앞서 설명한 대로 광장의 형성과 깊은 관계를 가지는 동시에 지구 내의 도로 패턴과도 관련이 있다. 광장의 형성과 함께 그것을 관통하는 간선도로가 지구의 중앙부에 놓였고, 이것과 주변의 운하를 연결하는 좁은 도로들이 비교적 일정한 간격으로 형성되었는데, 그 사이에 양극구조를 가진 주택들이 자리잡았던 것이다. 이러한 도로들은 폭이 매우 협소해서, 소토포르테고를 형성하여 건물을 관통하는 경우가 많았다. 광장과 간선도로, 세가로(細街路)의 연계는 베네치아의 각 지구들을 특징짓는 독특한 공간구조로서 마치 물고기의 뼈와 같은 모습을 하고 있다.

산 칸치아노 지구

산 칸치아노 지구는 베네치아에서 가장 먼저 형성된 지구 중의 하나로서, 9세기에 성립되기 시작해 고딕 시대 초기 즉 14세기에 오늘날의 모습을 갖추었다. 카나레조구의 동남쪽 끝에 위치해 있으며, 리알토 다리와 아주 가깝다.(도판 51 참조) 이 지구는 중심부에 큰 광장이 있는 지구들과는 다른 공간구조를 지닌다. 즉 중앙의 커다란 광장 대신에 네 개의 작은 광장들이 분산되어 있고, 이들이 서로 유기적으로 연계하면서 다소 불규칙한 공간구조를 형성했다.(도판 114)

특이하게도 이 지구에는 두 개의 교회가 있는데, 하나는 산 칸치아노 교회이고 다른 하나는 산타 마리아 노바 교회(Chiesa di Santa Maria Nova)이다. 각 교회와 연계하여 광장이 하나씩 있는 동시에 소광장인 캄피엘로도 하나씩 자리잡았다. 따라서 이곳에는 그리 크지는 않지만 네 개의 광장이 있으며, 그 공간이 연결된 관계가 다소 복잡하다. 이러한 특이한 공간구조를 가지게 된 이유는 지구형성의 역사적 과정을 통해서 설명해야 할 것이다.[33]

원래 이 지구는 사운네를 동서로 가로지르는 운하에 의해서 **남쪽**과 **북쪽** 두 개의 지구로 나뉘어 있었다. 북쪽은 산 칸치아노 지구로서 그 중심은 864년에 설립된 산 칸치아노 교회였다. 남쪽은 산타 마리아 노바 지구로서 그 중심은 10세기에 건립된 산타 마리아 노바 교회였다. 이렇게 분리되어 있던 두 지구는 도시형성의 황금기였던 14세기에 그 중앙을 가로지르는 운하가 매립되면서 하나로 통합되는 과정을 겪었다.

도판 114에서 굵은 점선으로 표시한 선은 원래 운하가 지나가던 자리를 나타낸다. 운하의 매립과 함께 이웃하는 섬들을 다리를 통해서 연결했고, 광장

들과 연계된 도로망도 정비했다. 그 결과 이 지구는 14세기에 오늘날의 공간구조를 갖추게 되었다. 따라서 이 지구를 엄격하게 부른다면 '산 칸치아노-산타 마리아 노바 지구'가 되는데, 편의상 산 칸치아노 지구라고 불린다. 두 지구가 서로 통합함으로써 비교적 규모가 작았던 산타 마리아 노바 교회는 그 존재가 미약해졌고, 결국 허물어져 오늘날에는 공터로 남게 되었다.

이 지구의 서쪽 끝은 부정형으로 길게 돌출되어 대운하에 면한다. 대운하로부터 지류가 분리되어 지구의 북쪽을 경계짓는 산티 아포스톨리 운하(Rio dei Santi Apostoli)는 베네치아에서 오래 된 운하 중의 하나로, 곡선형이다. 이 운하는 예로부터 리알토와 무라노 섬을 연결하는 항로로서 전략적으로 매우 중요한 역할을 했다. 따라서 오래 전부터 이 운하 주변으로 주택들이 위치했고, 9세기부터는 건물이 연속해서 자리잡기 시작했다.

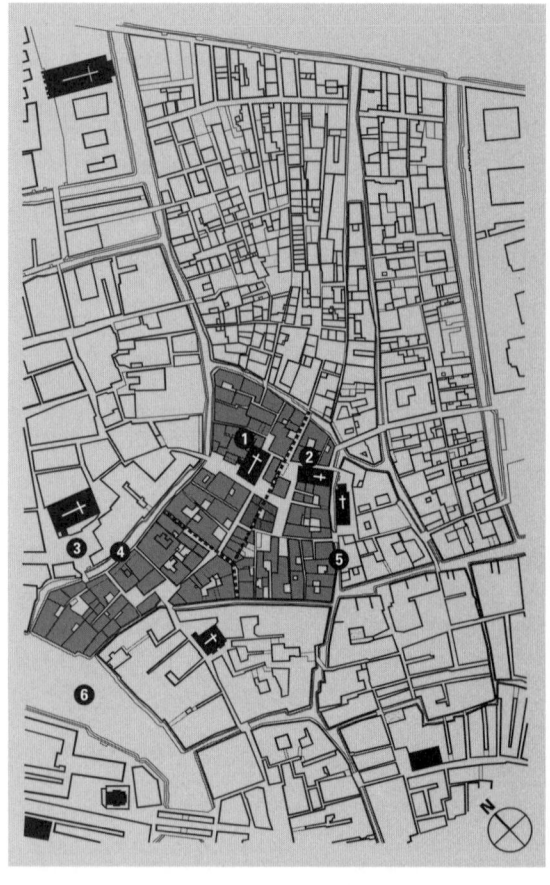

114. 산 칸치아노 지구(어둡게 칠한 부분)와 그 주변부.
••••• 원래 운하가 있던 자리.
① 산 칸치아노 교회. ② 산타 마리아 노바 교회. ③ 산티 아포스톨리 광장. ④ 산티 아포스톨리 운하. ⑤ 미라콜리 운하. ⑥ 대운하.

이러한 공간구조의 흔적은 지구의 북쪽을 이루는 주택들에 남아 있는데(도판 115의 Ⓐ), 평행한 좁은 길들은 그때의 공간조직이 그대로 이어져 내려온 결과다. 도판 115에서 어둡게 칠한 부분은 9세기에 목조 주택들이 있던 곳이다.

한편 지구의 남쪽 즉 과거 산타 마리아 노바 지구에는 10세기경부터 미라콜리 운하(Rio dei Miracoli)에 면해서 주택들이 듬성듬성 들어서 있었다.(도판 115의 Ⓑ) 그런데 이 지구에는 비잔틴 시대에 일반화했던 중정을 둘러싼 주거복합체의 흔적이 보이지 않는다. 비잔틴 시대의 대규모 귀족주택들은 현재 매립된 가가틴 운하(Rio del Gagatin)의 왼쪽에서부터 대운하에 이르는 구획에 주로 형성되었다. 따라서 이곳에 남아 있는 주택들은 주로 고딕 시대 이후에 건축된 것들이다.

이러한 지구의 발전 과정을 염두에 두면서 그 공간구조와 주거형식을 살펴보자.(도판 116) 이 지구에는 두 개의 주요한 도로인 산 칸치아노 거리(Salizzada San Canciano)와 미라콜리 거리(Calle dei Miracoli)가 지구의 골격을 형성했는데, 14세기에 이들이 정비됨으로써 섬의 주요 도로 체계가 완성되었다. 전자는 산티 아포스톨리 운하와 평행하게 지나가고, 후자는 산 조반니 그리소스토모 운하(Rio di San Giovanni Grisostomo)와 평행한 공간 체계를 이룬다. 두 경우 모두 길과 운하 사이에는 50미터 정도의 거리를 유지하고 있다.

여기서 이 50미터라는 수치는 그저 우연히 만들어진 것이 아니다. 이것은 14세기에 성행하던 주거형식과 그 집합방식에 근거하고 있다. 이때는 L자형 주택이 도시조직 속에 적절히 자리하면서, 그것이 집합하는 방식도 새로운 패턴으로 정착해 가는 시기였다. 즉 두 채의 L자형 주택이 서로 등을 마주하면서 자리잡기 시작했는데, 두 주택 중에서 한 주택은 운하에 면하고 다른 한 주택은 도로에 면하는 방식으로 점차 일반화했다. 따라서 50미터라는 거리는 이러한 주거형식을 염두에 두고 필지의 크기, 주택 내부의 공간배열 등 여러 측면을 동시에 고려하여 성립된 것이다.

그런데 이들 도로와 운하 사이에 형성된 공간조직은 그 근원을 9세기 목조 주택들의 배열방식과 필지구조에 두고 있다. 앞에서 살펴본 도판 115의 Ⓐ 즉 산티 아포스톨리 운하와 산 칸치아노 거리 사이에 있는 이 구획은 지구형

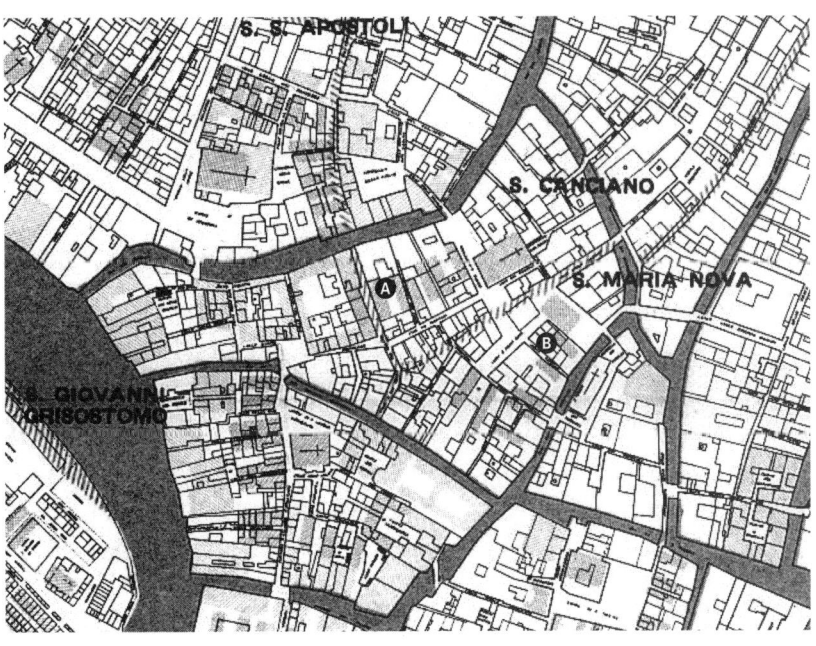

115. 무라토리가 파악한 산 칸치아노 지구의 공간조직의 변화. 9세기에 이곳에 자리했던 목조 주택들의 배열방식과 필지구조를 근간으로 오늘날 지구의 공간조직이 형성되었다.(도판 5의 일부)

제5장 베네치아 주거지역의 공간구조와 다양한 주거형식 163

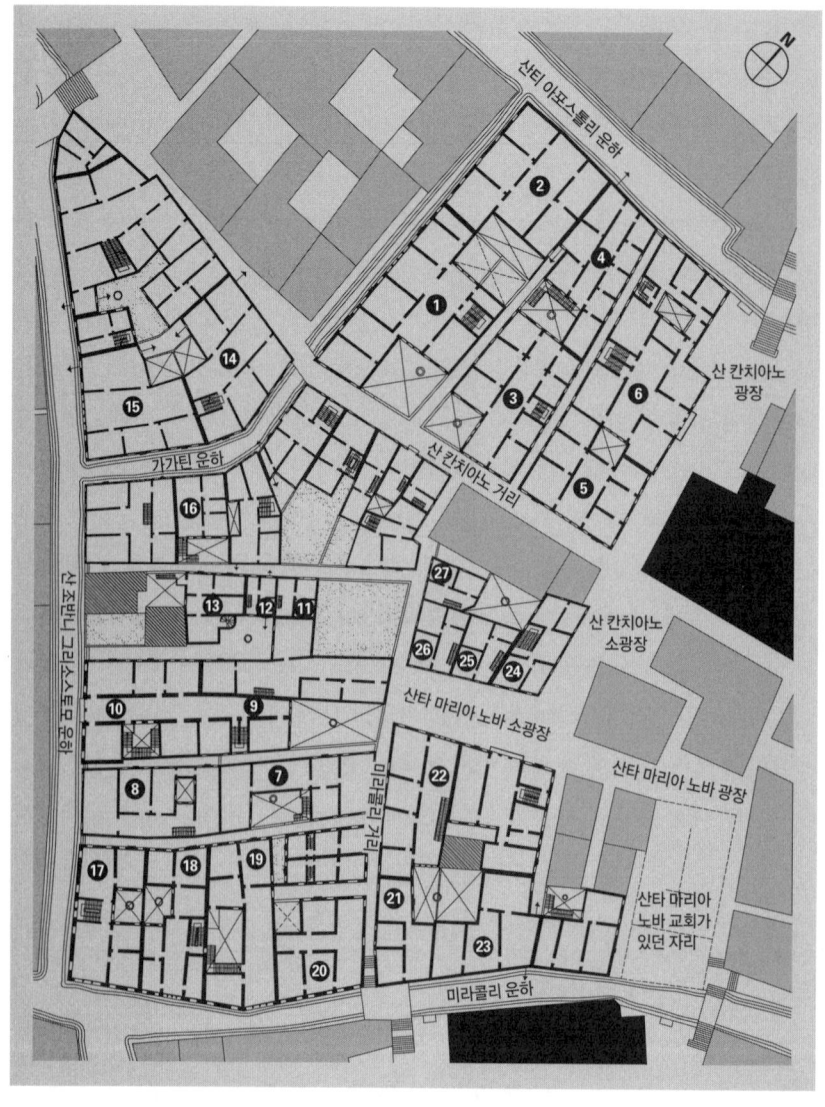

116. 산 칸치아노 지구에 있는 주택의 이층 연속평면도. 마레토가 조사하여 작성한 도판을 바탕으로 다시 작도한 것이다.

성의 가장 초기 단계인 9세기에 공간구조가 형성되었다.(도판 86 참조) 산티 아포스톨리 운하에 면해서 목조 주택이 연속해 있었고, 그 사이에는 좁은 도로들이 형성되었다.

운하와 수직으로 놓인 이러한 좁은 도로는 역사가 오래된 지구에서 흔히 발견할 수 있으며, 이는 9세기의 필지구조에 근거한다. 이러한 공간구조가 지구형성의 초기 단계에 자리잡으면서 지구의 확장과 발전을 위한 배경이 되었다. 그리하여 초기 고딕 시대에 이를 바탕으로 계획적인 주택건설을 진행한 결과, 도판 116과 같은 오늘날의 공간조직을 형성하게 되었다.

도판 116을 통해 이 지구에 위치한 주택들을 좀더 자세히 살펴보자. ①과 ②, ③과 ④는 서로 등을 맞대고 건축된 주택으로서, 14세기에 지어진 L자형 주택들이다. 그 코너에는 각각 코르테가 있으며, 주택 ④는 코르테에 있는 외부 계단을 통해 주층으로 진입할 수 있게 되어 있다. 한편 주택 ⑤, ⑥은 새로운 양식의 영향을 받아 외관과 내부공간을 변형한 것이다. 주택 ⑥은 주변의 주택들이 자리한 방향에서 구십 도 회전하여 파사드가 광장을 향하도록 구성했다. 또한 주택의 내부에 있는 두 개의 작은 코르테는 채광과 통풍 등을 위한 기능적 장치일 뿐, 팔라초에서 볼 수 있는 풍요로운 중정 공간의 전통은 상실된 것으로 보인다.

①-④의 주택을 다시 살펴보면, 도시화의 요구에 따라 획득한 새로운 성과와 함께 파사드의 구성에서 L자형 주택이 가진 한계를 동시에 엿볼 수 있다. 이 시기에 나타난 획기적인 사항은, 주택 ①, ③과 같이 지구 내부의 주요 도로에 면한 본격적인 팔라초가 등장한 것이다. 상인귀족들의 주택인 경우, 이전까지는 상관으로서의 기능이 우위를 점했는데, 점차 그 기능이 바뀌면서 운하보다는 길과 광장에 면한 주택을 선호하는 경향으로 변화했다. 운하에 면한 주택 ②, ④는 주택 ①과 ③ 사이에 난 좁은 도로를 통해서 육지 쪽에서도 진입이 가능하므로 운하와 육지 양쪽에 입구가 있는 양극구조의 전통을 유지했다. 그러나 주택 ①, ③은 이러한 양극구조을 취하는 것이 불가능했으며, 다만 양극구조에서 파생된 '삼렬구성'의 공간구조를 견지했다.

여기서 주택 ③과 ⑤ 사이의 길이 눈에 띄는데, 이 길은 동선상의 필요에 의해 존재하는 것이 아니라, 건물 사이에 공간을 둠으로써 채광과 통풍에 도움을 주려고 한 것이다. 주택 사이에 존재했던 이러한 여유있는 공간들은 고딕 시대 후기로 가면서 점차 없어졌고, 벽을 공유하는 조밀하고 간결한 공간 구성으로 변하게 되었다.

눈을 돌려 미라콜리 거리와 산 조반니 그리소스토모 운하 사이에 형성된 구획을 살펴보자. 이곳 또한 기본적인 공간구조는 앞서 살펴본 구획과 유사하며, 주택 사이의 관계도 비교적 느슨하다. 주택 ⑦-⑧, ⑨-⑩, ⑪-⑬ 사이에는 사적인 성격의 좁은 도로가 형성되어 있어서, 측면에 있는 주택과 서로 벽을 공유하지 않는다. 주택 ⑨-⑩은 원래 서로 등을 마주 대고 놓인 L자형 주택과 C자형 주택이었는데, 내부공간을 개조하여 하나의 큰 주택으로 통합되었다.

이 지구에 있는 주택들 중에서 가장 효율적으로 토지를 이용한 본격적인 도시주택의 모습은 주택 ⑭, ⑮를 통해서 볼 수 있다. 운하가 굴곡을 이루는 지점에 위치한 이 두 주택은 묘한 형태로 좌우대칭을 이룬다. 이 주택들도 등을 마주하면서 배열된 L자형 주택이다. 도로와 운하 사이에는 작은 골목이 있는데, 이 골목은 양쪽 끝이 터널 모양으로 구성되었으며 주택들은 이층 부분에서 서쪽에 있는 작은 주택들과 벽을 공유한다. 중정은 이 골목에 면해서 서로 긴밀하게 연계된 모습으로 자리잡았고, 그곳에 입구가 설치되었다.

이 지구에서 운하와 번화한 넓은 길에 면한 곳에는 소귀족들의 팔라초가 연이어 있었지만, 도로 뒤편이나 후미진 곳에는 중산층과 서민층의 주택들도 적지 않게 있었다. 이렇게 여러 계층이 섞여서 함께 거주하는 것은 베네치아의 모든 지구에서 볼 수 있는 공통적인 현상이기도 하다.

주택 ⑯은 전면에 코르테가 있고 그곳에 외부 계단이 있는 이열구성의 주택으로서, 중산층 주택의 전형적인 사례이다. 이 주택은, 한쪽은 운하에 면해 있고 반대쪽은 길에 면한 양극구조이다. 그런데 주택 ⑪, ⑫를 보면, 내부에 직선 계단이 있는 이열구성의 주택으로서, 최소한의 공간으로 구성된 것을 보아 서민주택임을 알 수 있다. 이렇게 주거지역을 자세히 들여다보면, 주거유형 및 그 집합형식을 파악할 수 있는 동시에 그곳 주민들의 구성 또한 파악할 수 있다. 말하자면, 물리적인 조직을 통해서 당시의 사회조직도 동시에 읽어낼 수 있는 것이다.

이 지구에서 C자형 주택이 밀집해 있는 구역을 보면, L자형 주택이 밀집한 구역보다 훨씬 조밀하게 구성되어 있다. 우선 주택 ⑰-⑲를 보자. 이들은 고딕 시대에 도심에서 광범위하게 형성된 소귀족 내지는 중산층을 위한 주택들인데, 주택 ⑱이 삼렬구성을 일부 나타내지만 기본적으로는 이열구성의 주택들이다. 이들 주택에서 중정은 측면 가운데에 위치했고, 이웃하는 주택들은 서로 벽을 공유하는 긴밀한 관계를 유지하고 있다.

예를 들면 주택 ⑰, ⑱은 중정을 서로 연결함으로써 중정의 기능을 높이는 데 성공했고, 주택 ⑱의 계단실을 주택 ⑲의 중정과 연결하여 채광의 문제를 해결했다. 주택 ㉑-㉓도 고딕 시대에 건축된 것인데, 다소 불규칙한 형상이지만 중정을 적절하게 연계시켜서 고밀도의 집합을 위해 효율적으로 활용한 사례라고 할 수 있다.

고딕 시대 후반부에 이르러서는 운하보다 주요 도로에 면한 부지의 가치가

117. 이층 이상이 광장으로 돌출된 삼렬구성의 주택.
도판 116에서 ㉔로 표기한 주택의 외관이다.

더욱 높아졌는데, 이를 뒷받침하는 사례도 이 지구에서 쉽게 찾을 수 있다. 예를 들어 주택 ⑭(후기 고딕 시대)와 주택 ⑳(르네상스 시대)의 경우, 운하에 면한 주택임에도 불구하고 중앙 홀을 도로로 향하게 하고 도로 쪽으로 파사드를 구성했다. 주택 ⑭는 지구를 동서로 관통하는 산 칸치아노 거리에 면해 있고, 주택 ⑳도 역시 지구 내부의 간선도로인 미라콜리 거리에 면해 있다. 오늘날 이 두 도로는 사람들의 통행이 매우 빈번하며, 통행로서의 중요성이 운하보다 크다. 이 두 주택이 지어진 당시에는 이미 섬과 섬을 잇는 간선도로망이 확충되었기 때문에 이들 도로의 중요성은 운하의 중요성을 능가했을 것이다. 따라서 주택의 파사드를 도로에 면하게 하는 것은 자연스러운 일이었다.

지구의 중앙부를 이루는 산 칸치아노 소광장과 산타 마리아 노바 소광장에 면해 있는 구역은 마치 섬처럼 자리잡은 작은 주거지역이다. 이곳은 18-19세기에 외관에 변화를 주어 현대적인 분위기로 바뀌었다. 주택 ㉔는 건물의 이층 이상이 광장 쪽으로 돌출된 사례로, 변칙적인 삼렬구성을 취한 개성적인 건물이다.(도판 117) 주택 ㉕-㉗은 모두 이열구성의 주택인데, 커다란 코르테가 안쪽에 있고 이 주택들이 그것을 둘러싸는 형상으로 모여 있다. 이렇게 함으로써 주택의 후면부에 있는 모든 방들은 채광과 통풍을 해결할 수 있었다. 하나의 중정을 여러 주택이 공동으로 사용하는 공간이용의 효율성이 돋보인다.

산 폴로 지구

산 폴로 지구 또한 산 칸치아노 지구와 마찬가지로 리알토에서 그리 멀지 않은 곳에 있으며, 베네치아의 여섯 구(區) 중에서 대운하의 남쪽에 있는 산 폴로구의 중심에 자리해 있다.(도판 51 참조) 산 폴로 지구는 중앙의 광장을 중심으로 주변에 건물들이 들어서 있는 전형적인 집중형 공간구조를 형성하고 있다. 산 폴로 광장은 베네치아를 대표하는 캄포 중의 하나로서, 그 크기와 구성적인 완결성에서 베네치아에서 제일로 평가받는다.(도판 118, 120, 122 참조) 산 폴로 광장은 큰 규모로 인해서 베네치아인들의 각종 축제와 이벤트가 열리는 장소로 사용되었다. 그 중에서도 1802년까지 매년 이곳에서 열렸던 '황소 달리기' 경기가 가장 유명하다. 독일 화가 요제프 하인츠(Joseph Heintz)는 1625년에 그 광경을 그림으로 그려서 남겨 놓았다.(도판 119)

이 산 폴로 광장이 완성된 과정을 살펴보면, 베네치아에서 광장을 중심으로 하는 지구의 형성 과정을 추정할 수 있다.³⁴ 산 폴로 지구 역시 9세기경에 교회를 중심으로 교구가 성립되었으며, 지구의 형성은 산 칸치아노 지구보다 다소 늦게 진행되어 고딕 시대 후기에 이르러서야 오늘날과 유사한 모습을 갖추었다. 산 폴로 광장은 주로 고딕 시대에 지어진 건물들로 둘러싸여 있는데, 다른 광장들과 마찬가지로 이 시대에 새로이 보급된 주거유형들을 통

118. 산 폴로 광장의 전경. 중앙의 광장을 중심으로 그 주변에 건물들이 들어서 있는 집중형 공간구조를 형성했다.
© Massimo Tosello.

119. 1625년에 하인츠(J. Heintz)가 그린 〈산 폴로 광장에서의 황소 달리기 경기〉. 베네치아인들은 규모가 큰 산 폴로 광장에서 각종 축제와 이벤트를 열었다.

해서 광장이 완성된 형태를 지니게 되었다.

산 폴로 광장의 주변에서 가장 오래된 건물은 고딕 시대 전기에 지어진 것이므로, 그 이전의 건축에 관해서는 도시조직의 구성적 특징을 통해 추정할 수밖에 없다. 무라토리의 연구결과에 의하면, 교회당이 건설된 9세기에는 교회의 서쪽에 있는 산 폴로 운하(Rio di San Polo)를 따라서 목조 주택들이 자리해 있었다. 뒤집힌 S자로 꺾인 대운하의 남쪽과 북쪽을 잇는 이 운하는 베네치아를 관통하는 운하 중의 하나로, 베네치아의 많은 지구들이 이 운하와 직접 연계하여 광장을 형성했다.(도판 120, 121)

베네치아의 교통과 전략에 매우 중요했던 이 운하는 일찍부터 그 주변에 건물들이 자리잡았다. 따라서 이곳에 있던 목조 주택의 필지구조가 이후 이곳의 공간구조에 반영되었다. 비잔틴 시대에도 이곳에 주택건설이 진행되었던 것으로 추측하는데, 그 구체적인 흔적은 남아 있지 않다. 광장의 서쪽을 이루는 이곳은 이후 새로운 형식의 주택으로 대체되면서 9세기의 공간조직은 남았지만 주거형식과 외관은 전혀 다른 모습을 가지게 되었다.(도판 122)

광장 주변에서 두번째로 건물이 들어선 곳은 광장의 북쪽 지역이다. 고딕 시대 전기에 광장 북쪽의 공터에 네 동의 L자형 팔라초가 건축되었다. 서로 등을 마주하고 있는 이 네 동의 주택은 광장 주변의 건물들 중에서 가장 오래된 것이며 도판 122에서 주택 ⑰-⑳에 해당한다.

이 주택들은 규모가 매우 커서 산 폴로 지구의 유력자들이 거주했던 저택들로 추정된다. 운하에 면한 주택 ⑰, ⑲는 삼분할 구성으로 운하를 향해 연속적인 표면을 이루었고 주택의 후면에는 코르테가 있었다. 그런데 주택 ⑱,

제5장 베네치아 주거지역의 공간구조와 다양한 주거형식 169

⑳은 광장을 바라보는 쪽에 코르테가 있었기 때문에 광장을 향해 연속적인 벽면을 조성하는 데 어려움이 있었다.(도판 123) 그리고 운하에서 광장으로 연결된 좁은 도로로 인해서 건물 사이에 간격이 생겼는데, 이것 또한 연속적인 표면을 형성하는 데 방해 요소로 작용했다.

이러한 점을 볼 때, 14세기만 해도 베네치아의 여러 광장들은 그 구성에서 아직 완성이 덜 되었다고 할 수 있다. 성숙된 광장의 전제조건을, 중앙의 공터를 연속적인 벽면으로 둘러싼 '집중감' 있는 공간이라고 한다면, 14세기의 산 폴로 광장은 그리 성숙된 광장이라고 할 수는 없다.

다음으로 지구의 중심에서 다소 벗어난 지역, 즉 남쪽의 대운하에 면한 곳을 보자. 도판 122에서 가장 아래쪽에 위치한 이곳에는 네 동의 팔라초가 운하를 따라서 나란히 있는데, 이들은 고딕 시대 또는 르네상스 시대에 건축된 것들이다. 주택들 모두 중앙에는 커다란 홀인 포르테고가 있고 좌우에는 침실 등 사적 공간이 있는 전형적인 삼렬구성이다. 대운하에 면해 있는 파사드의 중앙에는 연속하는 아치 창을 설치하여 개방적이고 화려하게 구성했으며, 전면에는 섬세하게 장식한 발코니를 부착했다. 이 네 동의 주택들 중에서 남동쪽 모퉁이에 있는 주택 ①이 팔라초 베르나르도(Palazzo Bernardo)인데, 15세기 즉 성기(盛期) 고딕 시대를 특징짓는 장대한 귀족주택이다. 이 주택에는 외부 계단을 설치한 중정 두 개가 있는 것으로 보아 원래부터 두 가족이 살도록 계획한 듯하다.

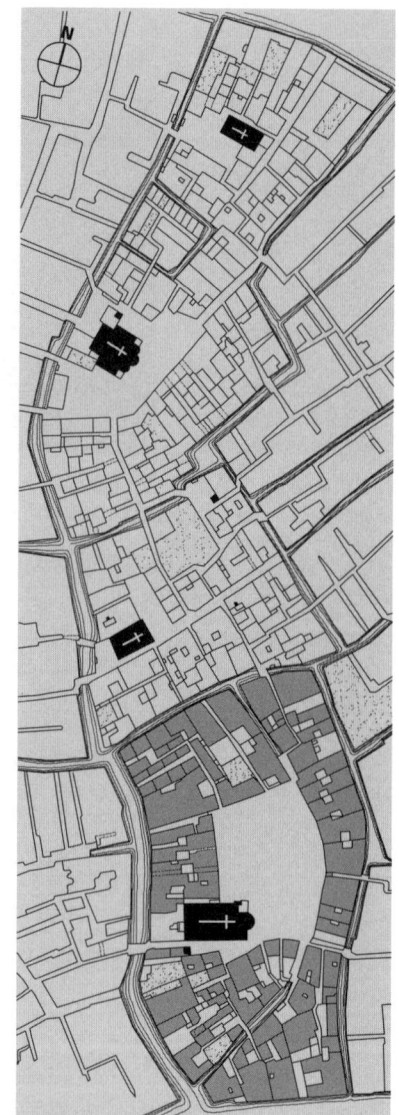

120. 산 폴로 운하와 연계된 지구들. 위에서부터 산 잔 데골라(San Zan Degola), 산 자코모 달로리오(San Giacomo dall'Orio), 산타고스틴, 그리고 산 폴로 지구이다.

후기 고딕 시대로 접어들면서, 그때까지 소택지(沼澤地)로 남아 있던 지구의 동쪽 부분에는 연속적인 벽면을 이룬 주택들이 나란히 들어섰다. 이 건물들을 건설함으로써 산 폴로 지구는 사방이 주택들로 둘러싸인 성숙한 모습의 광장으로 완성될 수 있었다. 이렇게 되기까지 최초의 교회당을 세운 때로부터 육백 년이라는 실로 장구한 세월이 소요되었다.

15세기에 건설된 이곳의 주택들은 주로 C자형 평면을 가진 주택들로서, 세

121. 바르바리의 조감지도에 나타난 산 폴로 지구. 산 폴로 운하와 연계하여 광장을 형성한 네 지구가 모두 묘사되어 있는데, 맨 아래 산 폴로 광장이 보인다.

련된 도시형 주택의 모습을 보여준다. 즉 코르테를 주택 내부에 완전하게 포함시켜 부지의 효용성을 극대화하고, 인접한 건물 사이에는 작은 틈도 허락하지 않는 집합방식을 사용한 것이다. 그리하여 광장을 향해 밀도있고 연속적인 벽면을 형성하는 것이 가능해졌다.

이 주택들은 광장을 향해 완만한 곡선을 이루면서 연속적인 벽면을 형성했다. 이렇게 곡선의 벽면이 광장을 둘러싸면서 광장은 포용적인 형상을 가지게 되었고, 시각적으로도 효과를 거둘 수 있었다. 광장의 한 면이 이러한 곡면을 이루게 된 것은 그 전면에 완만한 곡선을 그리는 운하가 흐르고 있었기

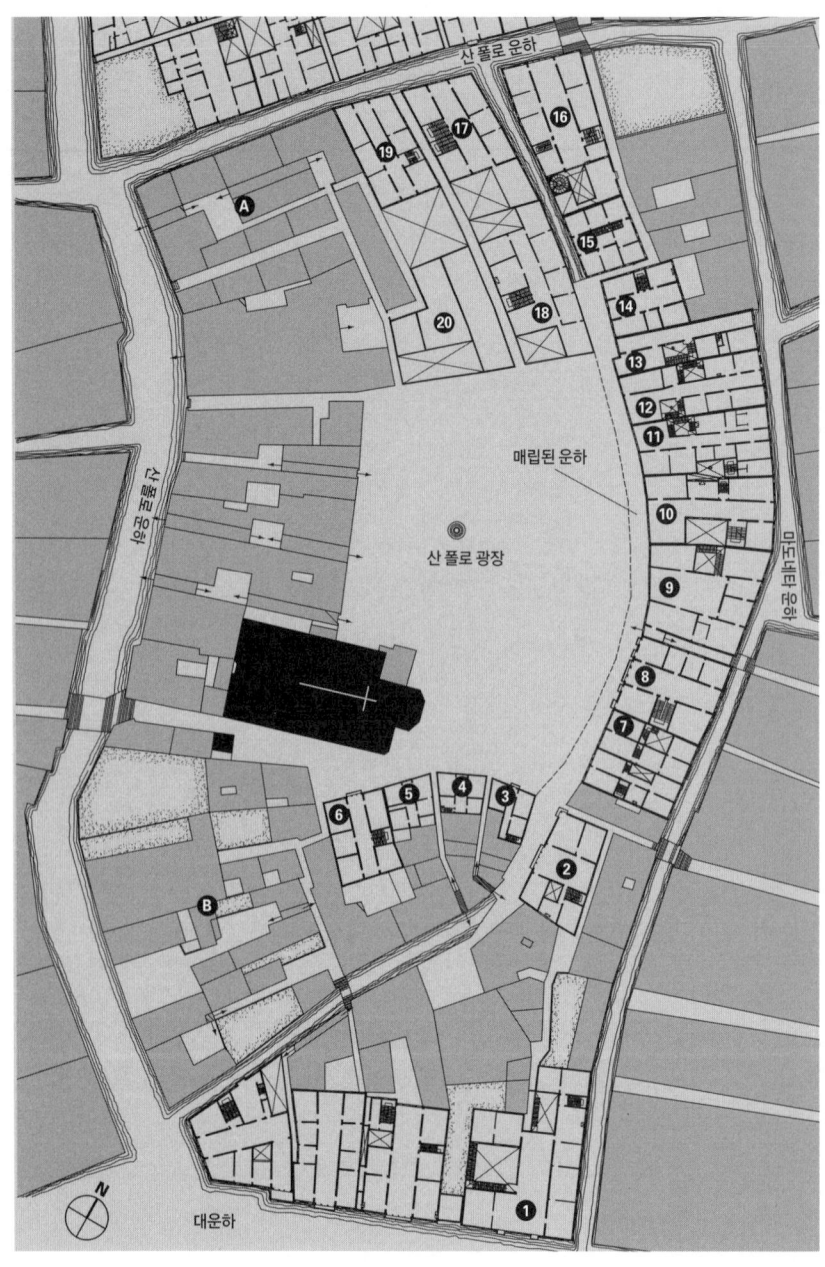

122. 산 폴로 지구에 있는 주택의 이층 연속평면도. 마레토가 조사하여 작성한 도판을 바탕으로 다시 작도했다.

때문이었다. 효용성의 감소로 19세기에 매립되기 전까지는 주로 이 운하를 통해 각 주택으로 진입했고, 육지에서는 광장에서 연결된 다리를 통해 진입했다. 바르바리가 그린 조감지도를 보면 이러한 광경이 잘 묘사되어 있다.(도판 121)

이 구역에는 한 가족 전용의 팔라초와 더불어 두 가족이 함께 거주하는 집

123. 18세기에 카날레토가 제작한 판화 연작 〈베네치아의 풍경〉 중에서 산 폴로 광장을 묘사한 작품. 가운데에 있는 두 주택이 도판 122의 ⑱, ⑳에 해당한다.

합형의 팔라초도 자리하여 고밀화에 따른 주거형식의 다양함을 보여준다. 예를 들어 도판 122의 주택 ②, ⑧, ⑨를 한 가족이 거주하는 비교적 큰 규모의 주택이라고 한다면, 주택 ⑩, ⑪, ⑫는 두 가족이 거주하는 중규모의 주택이라고 할 수 있다. 이렇게 두 가족이 거주하는 주택의 경우, 삼렬구성의 양쪽 측면에 각각 한 가족이 전용으로 사용할 수 있는 코르테와 외부 계단을 설치했다. 코르테를 설치할 때에도 이웃집과 코르테를 서로 연접시켜서 채광과 통풍을 유리하게 한 것이 특징이다.

주택의 거주성을 매우 중시했던 베네치아에서는 원칙적으로 창이 없는 방을 만들지 않았다. 따라서 통상적인 C자형 주택에서는 삼렬구성에서 코르테와 접해 있지 않은 쪽의 열을 도로나 운하에 면하게 했다. 그런데 이곳 산 폴로 광장에 면해서 곡면을 형성한 구역에서는 삼렬구성의 양쪽 열에 모두 코르테를 설치하는 방법을 사용했다. 이러한 방식은 15세기 이후 두 가족이 거주하는 귀족 계층의 팔라초에서 이를 사용하면서 일반화했다. 한 건물에 두 가족이 살 때, 각기 따로 사용할 수 있는 전용의 코르테를 두고 그곳에 계단을 설치하여 수직 동선을 해결한 이 주거형식은, 베네치아에서 고안된 썩 훌륭한 집합주택이었다.

그러나 이열구성의 주택에서는 두 가족이 아래위로 거주하는 경우 이렇게

제5장 베네치아 주거지역의 공간구조와 다양한 주거형식 173

할 수 없었다. 주택 ⑦과 그 오른쪽 옆에 있는 주택이 그러한 경우이다. 이 주택들은 원래 고딕 시대에 지은 것인데, 도시화가 극도로 진행된 르네상스 시대에 집합주택으로 변화했다. 이열구성의 C자형 주택이며 측면에 코르테를 하나 설치했다. 이 경우 상부에 있는 주택으로 진입하기 위해 코르테에 설치된 계단을 이용할 수 없었기 때문에 주택의 내부에 계단을 따로 두었다. 이열구성의 주택이라 취할 수밖에 없는 해결책이었다.

이곳 산 폴로 지구도 다른 지구와 마찬가지로 여러 계층이 섞여서 거주했다. 마레토가 조사하여 작성한 도면에는 중산층의 주택이 여럿 보인다. 이 도면에서는 서민층의 주택을 구체적으로 표현하지 않았지만, 지구 서쪽의 산 폴로 운하와 가까운 구역에 상당수의 서민층 주택이 자리했다.(도판 122에서 Ⓐ, Ⓑ로 표시한 구역)

주택 ⑥, ⑭, ⑮는 광장에서 약간 후퇴한 부분에 자리한 경우이며, 그 위치나 규모를 보면 소귀족이나 부유한 중산층 주택의 전형적인 사례로 파악된다. 광장의 남쪽에 있는 주택 ③, ④, ⑤는 규모는 작지만 상점 겸용의 주택으로서 상업에 종사한 중산층의 주택들이다. 이들 주택의 규모는 상류층 팔라초에 비해서 상당히 작음에도 불구하고 평면은 삼렬구성을 취했다. 규모도 작고 외관도 소박하지만, 이 주택들의 기본적인 구성이 귀족 계층의 주택과 같은 형식이라는 점은 흥미롭다. 오늘날까지 남아 있는 이 건물들은 16-17세기에 재건되었는데, 고딕 시대에도 같은 유형의 건물들이 이곳에 있었다고 유추된다.

산타 마르게리타 지구

산타 마르게리타 지구는 베네치아 남서부에 위치한 서민주거지역이며 리알토로 수도를 이전한 지 얼마 지나지 않은 836년에 교구가 창설되었다.(도판 51 참조) 따라서 이곳도 앞에서 살펴보았던 두 지구와 마찬가지로 9세기에 교구가 형성된 오래된 지구 중의 하나라고 할 수 있다.

이곳은 베네치아의 중심에 있는 많은 지구들 중에서도 중산층이나 서민층이 주로 살았던 곳으로서, 광장을 둘러싼 건물들도 비교적 소박하다. 건물들 중에는 화려하게 장식한 팔라초가 드물기 때문에 관광객들도 이곳을 잘 찾지 않는다. 관광객으로 북적이는 베네치아의 주요 광장들은 과거의 모습이 많

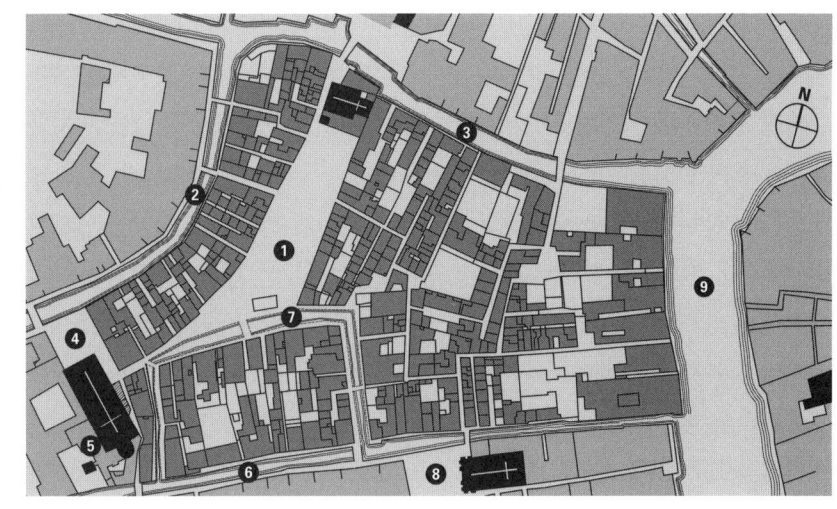

124. 산타 마르게리타 지구와 그 주변부.
① 산타 마르게리타 광장.
② 산타 마르게리타 운하.
③ 산 판탈론 운하.
④ 카르미니 광장.
⑤ 산타 마리아 델 카르미네 교회.
⑥ 산 바르나바 운하.
⑦ 매립된 운하.
⑧ 산 바르나바 광장.
⑨ 대운하.

이 변질되었지만, 이곳에는 옛 모습과 그 주변의 생활상이 잘 남아 있다.(도판 125)

베네치아의 여러 지구를 대상으로 상세한 실측조사를 했던 마레토도 이 지구는 그다지 중요하지 않다고 생각했는지 실측조사를 하지 않았다.[35] 따라서 앞의 두 지구처럼 지구 전체를 그린 상세한 주택 평면도는 존재하지 않고, 무리토리가 조사한 천분의 일 축척의 실측도만 남아 있을 뿐이다.(도판 126)

지구의 동쪽은 대운하에 면해 있는데, 이곳으로부터 산 판탈론 운하[Rio di San Pantalon, 지금은 카 포스카리 운하(Rio di Ca' Foscari)라 부른다]로 분리되어 흐르면서 지구의 북쪽 경계를 이룬다. 이 운하가 내부로 들어와 방향을 틀어 산타 마르게리타 운하로 이어지는데, 이것이 지구의 서쪽 경계를 형성하고 있다.

베네치아의 도시형성 과정에서 두드러지게 나타난 것처럼, 도시가 형성되던 초기에는 우선 선소한 토지에 주택을 선설했고, 이후 섬신석으로 습지대를 간척하여 인공의 토지를 조성하면서 건설을 진행했다. 따라서 초기에는 수로가 만들어낸 자연의 선형을 따라서 곡선형의 운하가 조성되었지만, 인공적으로 조성된 새로운 운하는 일반적으로 직선 형상을 가졌다. 산타 마르게리타 지구도 이러한 원칙에 부합했다. 지구의 북쪽과 서쪽을 경계짓는 두 운하는 자연형 수로가 운하로 변했기 때문에 곡선형인 반면, 지구의 남쪽에서 흐르는 산 바르나바 운하(Rio di San Barnaba)는 인공적으로 조성된 운하로서 직선 모양이다.(도판 124)

제5장 베네치아 주거지역의 공간구조와 다양한 주거형식　175

이곳에서 주택을 처음으로 짓기 시작한 곳은 산타 마르게리타 운하에 면한 지구의 서쪽이었다.(도판 126) 지구형성의 초기인 9세기부터 이곳에는 목조주택이 연속해서 자리잡았다. 물론 다른 지구와 마찬가지로 초기의 필지구조는 이후의 주택건설에서 바탕으로 작용했다.

도판 127은 이 부분의 오늘날의 모습을 상세하게 그린 평면도와 입면도이다. 비잔틴, 고딕, 르네상스, 바로크 시대를 거치면서 이곳의 주거형식은 지속적으로 변화했지만, 운하로부터 수직방향으로 형성된 좁은 골목들은 9세기부터 이어져 온 것이다. 골목은 폭이 매우 좁으면서 상부에 건물이 있는 소토포르테고 형식인 경우가 많다. 운하가 도시의 간선교통로 역할을 하는 베네치아의 특이한 공간구조 속에서 이 도로 체계는 9세기부터 오늘날까지 거의 그대로 이어져 오고 있다. 우선 이 좁은 골목길은 육지로부터 운하에 면해 있는 주택으로 진입할 수 있게 하는데, 육지 쪽과 운하 쪽에 모두 입구를 가진 베네치아 주택의 특이한 조건을 충족시키는 장치가 되었다. 동시에 배에서 물자를 하역하여 캄포로 운반해 오는 서비스 도로의 역할도 이 좁은 골목길들이 가진 중요한 기능이었다.

이 지구의 서부를 그린 도판 127을 좀더 살펴보자. 이 도판은 이곳의 주층인 이층을 그린 연속평면도인데, 베네치아의 다른 지역들처럼 매우 고밀한 환경을 보여준다. 현재 이곳에 있는 건물들은 고딕 시대를 포함해 그 이후에 지어진 것들이 대부분이다. 건물은 크게 구분하여, 광장에 면해 있는 건물,

125. 산타 마르게리타 광장과 주변의 건물들. 소박한 광장으로서 서민주거지역의 중심을 이루고 있다.

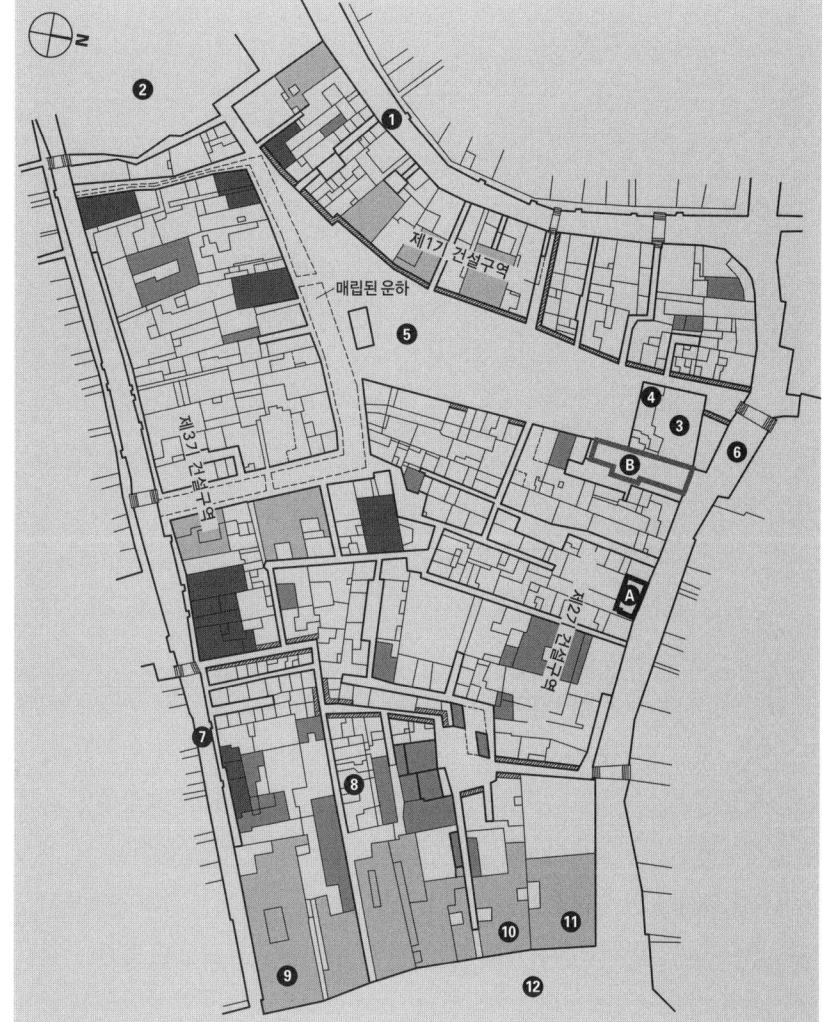

126. 산타 마르게리타 지구의 공간구조. 무라토리의 실측도를 바탕으로 다시 작도한 것이다.
▨ 팔라초.
■ 소규모 팔라초.
▨ 19세기초에 파괴된 건물.
▨ 19세기의 상점의 분포.
① 산타 마르게리타 운하.
② 산타 마리아 델 카르미네 교회.
③ 산타 마르게리타 교회. (현재 영화관)
④ 종루.
⑤ 산타 마르게리타 광장.
⑥ 산 판탈론 운하.
⑦ 산 바르나바 운하.
⑧ 16세기에 건축된 집합주택.
⑨ 팔라초 레초니코.
⑩ 팔라초 주스티니아니.
⑪ 팔라초 포스카리.
⑫ 대운하.
Ⓐ 팔라초 포스콜로.
Ⓑ 코르테 델 폰테고.

운하에 면해 있는 건물, 그리고 그 사이에 끼어 있는 건물로 나눌 수 있다. 건물들 사이에 끼어 있는 건물은 보통 좁은 골목길인 소토뽀르테고를 통해서 진입한다.

이렇게 주택들이 앞뒤로 연이어 구성된 환경에서는 각 공간의 채광과 통풍을 해결하기 위해서 코르테의 역할이 매우 중요했다. 이곳의 코르테들은 꼭 필요한 곳에 위치하면서 그 역할을 적절히 수행하고 있는데, 이들의 위치와 형태의 변화가 매우 흥미롭다.

중간에 끼어 있는 건물들은 소규모의 집합주택들로서, 일반적으로 각 층에 각각 다른 세대가 거주했다. 이러한 주거공간의 분화는 도시의 밀도가 높아

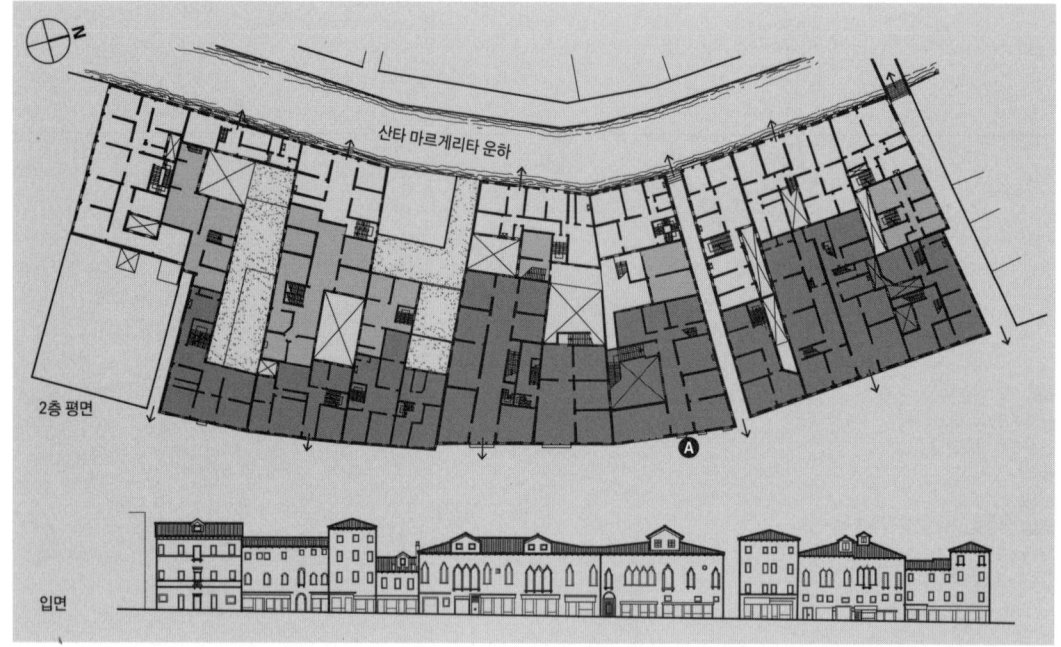

127. 산타 마르게리타 지구에서 서부 구역의 이층 연속평면도와 입면도.
☐ 운하에 면해 있는 건물.
▨ 양쪽에 끼어 있는 건물.
■ 광장에 면해 있는 건물.

진 고딕 시대 이후에 생겨난 것이다. 도판 127에서 Ⓐ로 표시한 주택은 카사 포스콜로-코르네르(Casa Foscolo-Corner)라고 하는데, 고딕 시대에 건설된 전형적인 중산층의 주상복합 주택이었다.(도판 128) 광장에 면한 주택들은 대부분 주상복합 주택들로서, 저층부의 전면은 상업적 기능을 가졌다.

비잔틴 시대였던 12-13세기는 산타 마르게리타 지구에서 주택건설의 제2기에 해당한다. 이 시기에는 지구의 북쪽에서 흐르는 산 판탈론 운하에 면해 여러 채의 상관이 등장했다. 그 중에서 두 채는 오늘날까지 부분적으로 남아 있는데, 동시대의 유사한 건축물과 비교하면 원래의 모습을 추정해 볼 수 있다.

역시 가장 눈에 띄는 건물은 베네치아에 현존하는 건물들 중에서 가장 오래된 주택 중의 하나로 추정되는 팔라초 포스콜로(Palazzo Foscolo)이다. 도판 126에서 Ⓐ로 표시한 이 주택은 13세기에 건설된 이후 원래의 모습에서 많이 변했지만 파사드에는 옛날의 흔적이 상당히 남아 있다.(도판 130)

중앙에 커다란 반원형 아치가 있고 좌우에 작은 아치들이 연속해 있는 외관의 구성이 특이한데, 건물을 지었을 당시에는 로지아로 사용했던 부분이다. 이 건물은 대운하에 면해 있는 카 다 모스토(Ca' da Mosto)와 유사한 입면 구성을 가졌으며(도판 152 참조), 그 형상으로 보아 비잔틴 시대에는 대규모

128. 카사 포스콜로-코르네르의 외관. 고딕 시대에 건설된 전형적인 주상복합 주택이다.

의 상관이었을 것으로 유추된다. 아치의 상부는 18세기에 증축하면서 과거의 모습이 많이 사라졌는데, 그 까닭은 이 건물이 서민주택으로 전환되어 버렸기 때문이다.

이곳에서 눈여겨봐야 할 또 다른 장소는 도판 126에서 ⓑ로 표시한 곳으로서, 크고 작은 주택들로 구성된 주거복합체인 코르테 델 폰테고(Corte del Fontego)이다. 이곳은 교회의 뒤편에 위치하여 캄포로부터 터널로 연결된 특이한 공간구조를 가지는데, 후기 비잔틴 시대 즉 13세기 후반에 건설된 상관의 또 다른 사례를 보여준다.

129. 비잔틴 시대에 형성된 주거복합체 코르테 델 폰테고의 공간구성.
▨▨▨ 비잔틴 시대의 건물.
▪▪▪ 비잔틴 시대에 건축하여 고딕 시대에 개축한 건물.
☐ 근대의 건물.

도판 129의 평면도에서 벽체를 검게 표시한 부분이 당시에 건설된 것이며, 캄포에서 연결된 긴 건물 ⓐ와 운하에 넌해 있는 작은 건물 ⓑ에 해당한다.

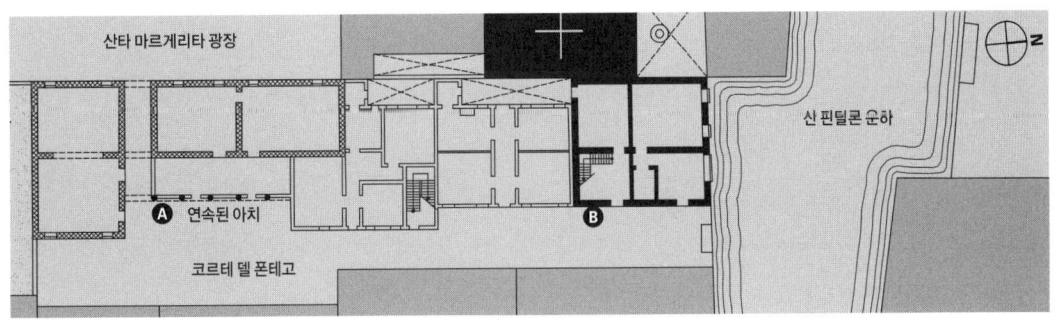

제5장 베네치아 주거지역의 공간구조와 다양한 주거형식 179

그 사이에는 긴 중정이 있다. 13세기의 상관은 상업기능과 주거기능이 복합된 건축물로서, 운하에 접해 있는 형식으로 짓기 시작했으며, 주택의 후면에는 커다란 중정을 만들었다.

이곳 후면부의 긴 건물(도판 129의 Ⓐ)에는 여섯 개의 연속하는 아치의 흔적이 남아 있는데, 분명히 전면의 좁은 중정을 향해서 로지아를 형성했던 것으로 보인다.(도판 131) 운하를 향한 전면 건물(도판 129의 Ⓑ)의 상부는 고딕 양식의 아치로 장식했지만, 일층부의 원형 아치는 분명 비잔틴 시대의 것이다.(도판 133) 따라서 이를 통해 당시에는 운하를 향한 전면부에 소규모의 상업용 건물이 자리했고, 좁은 중정과 연계하여 로지아가 설치된 주거용 건물이 있었다는 것을 유추할 수 있다. 당시 운하에 바로 면해서 건물을 구축할 수 있었던 것은 건축기술이 향상했기 때문이었고, 이때부터 베네치아는 대운하에 면해서 대규모 상관을 짓기 시작했다.

130. 오늘날의 팔라초 포스콜로. 13세기에 건설된 이후 원래 모습이 변질되었지만 파사드에는 비잔틴 시대의 흔적이 많이 남아 있다. (위)
131. 코르테 델 폰테고의 한쪽 벽면에 형성된 로지아의 흔적.(아래)

이 지구에서 주택건설의 제3기에 해당하는 곳은 지구의 남쪽 즉 산 바르나바 운하에 면한 곳이다.(도판 126 참조) 곧게 조성된 모습이 시사하는 것처럼, 이 운하는 인공적으로 조성되었다. 이곳의 중심부에는 비잔틴 양식의 아치 두 개가 남아 있는 건물 한 동과 후면에 중정이 형성된 두 동의 건물이 있는데, 이것으로 유추해 볼 때 세 동의 비잔틴 양식 건물이 연이어 있었던 듯하다.

그런데 13세기말에 서부로부터 새로운 개발의 바람이 불기 시작했다. 이는 그때까지 저습지로 남아 있던 서남부의 넓은 장소에 산타 마리아 델 카르미네 교회(Chiesa di Santa Maria del Carmine)를 건립했기 때문이었다. 이 교회는 베네치아의 교구 제도와는 별도로 카르멜 수도회(Carmelitani)에서 수도원과 함께 지은 것이었다.(도판 124 참조) 이 교회의 정면 출입구는 북쪽에 계획되었으나, 산타 마르게리타 교구를 염두에 두었는지 교회의 서쪽에도 입구를 따로 설치했다. 그 결과 캄포는 좌우에 교회를 한 개씩 둔 특이한 공간구조를 취했다.

산타 마리아 델 카르미네 교회의 설립과 함께 캄포의 남서쪽에도 건물이 자리잡기 시작하여 광장의 폐쇄적인 모습이 어느 정도 형성되었다. 당시 광장의 남쪽을 이루는 면에는 산 바르나바 운하에서 분리되어 'ㄲ' 형상으로 흐르는 운하가 있었는데, 이것이 광장의 공간적 집중성에 다소 장애가 되었다. 그러나 이 운하는 캄포로 물자를 직접 운반하기 위해서는 꼭 필요했고, 적어도 한 면은 운하에 면한다는 캄포의 일반적인 원칙에 부합하기도 했다. 19세기에 매립되기는 했지만 그때까지 이 운하는 중요한 역할을 했다.

오늘날과 같은 산타 마르게리타 광장의 형상은 고딕 시대에 가서야 비로소

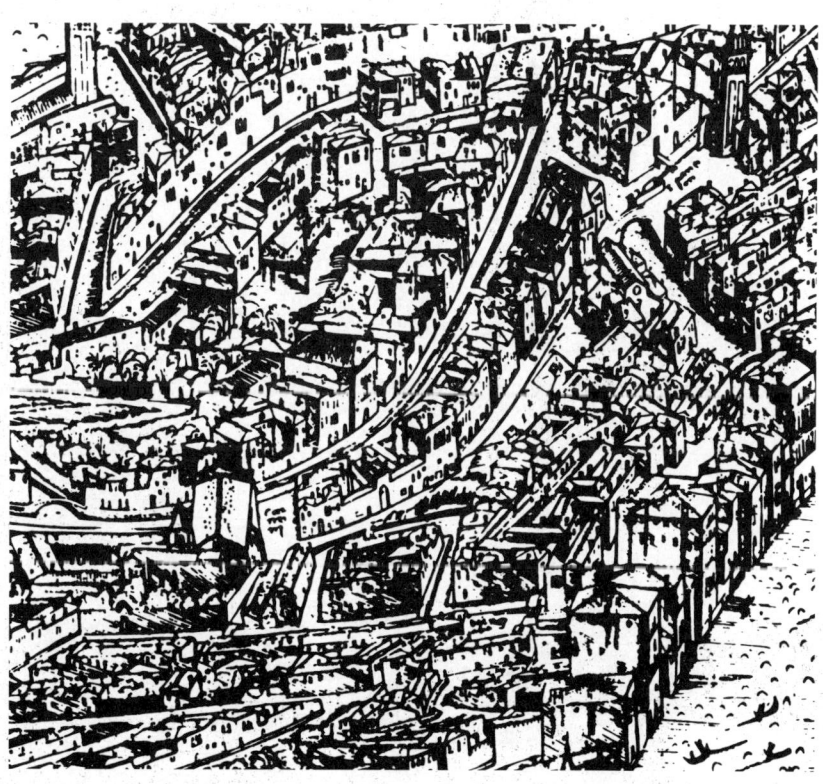

132. 바르바리의 조감지도에 묘사된 산타 마르게리타 지구. 중앙에 길게 휘어진 공간이 산타 마르게리타 광장이다.

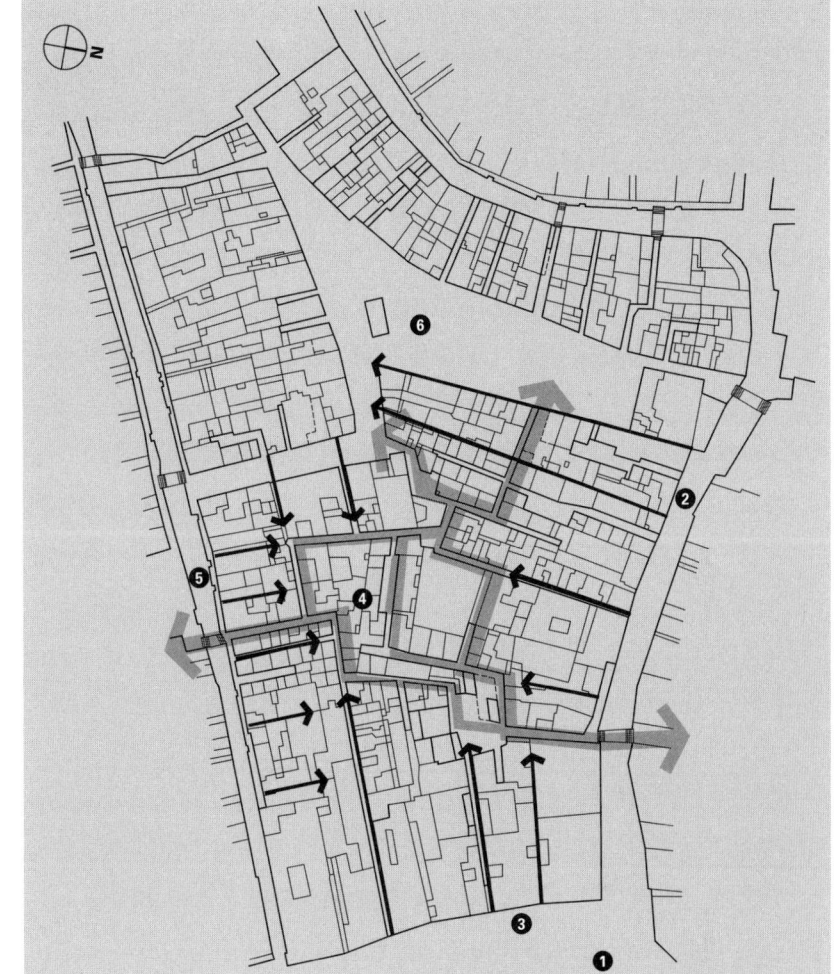

134. 산타 마르게리타 지구에서 건물이 들어서는 과정.
⟵ 공공도로.
⟵ 지구 내에 건물이 채워지는 방향.
① 대운하.
② 비잔틴 시대에 상관이 밀집한 곳.
③ 고딕 시대에 귀족주택이 밀집한 곳.
④ 미로형 공간조직.
⑤ 비잔틴 시대에 주택이 밀집한 곳.
⑥ 산타 마르게리타 광장.

133. 코르테 델 폰테고에서 운하를 향한 건물의 외관. 이 건물의 측면에는 좁고 긴 중정이 있다. (p.182)

완성되었다. 비잔틴 시대에는 상관들을 운하와 긴밀한 관계를 가지게끔 구축했기 때문에 지구의 표면은 운하 쪽으로 형성되었다. 그러나 고딕 시대로 들어서면서 이러한 공간구조는 변하기 시작했다. 이때부터는 길과 광장에 면한 건물의 가치를 인식했고, 캄포가 지구의 또 다른 표면이 되었다. 따라서 광장에 면해 있는 부지에도 상류층의 팔라초를 구축했다.

이러한 경향에 따라 첫번째 개발지였던 캄포 서쪽의 휘어진 주거지구에 새로운 건물들이 들어서게 되었으며, 기존 건물을 증축하거나 공간적으로 재편하면서 광장을 향한 표면이 새롭게 정리되었다. 후기 비잔틴 시대에 시작된 이러한 작업은 고딕 시대에 들어서면서 본격화했는데, 앞서 언급한 카사 포스콜로-코르네르도 이러한 작업의 일환으로 완성된 것이었다. 지구 내에서 광장을 둘러싼 다른 표면들도 조밀하게 채워 나갔으며, 과거의 외관들도 고딕 양식의 영향으로 새롭게 변화해 가면서 광장은 점차 오늘날의 모습으로 바뀌게 되었다. 1500년에 그려진 바르바리의 조감지도를 보면 그러한 양상을 확인할 수 있다.(도판 132)

고딕 시대에 들어서면서 대운하에 면한 곳에서는 또 다른 변화가 발생했다. 고딕 시대 이전까지 정비되지 않은 채 거대한 수로로 남아 있던 대운하의 주변에 귀족 계층의 대형 상관을 짓기 시작했던 것이다. 15세기에 이르러 산타 마르게리타 지구에도 캄포의 모습을 정비하는 것과 때를 같이하여 동쪽 끝부분에서 대규모의 팔라초들을 건설하기 시작했다. 팔라초 포스카리(Palazzo Foscari)와 그 옆에 붙은 두 동의 팔라초 주스티니아니(Palazzo Giustiniani)가 연이어 들어섰던 것이다.(도판 156 참조) 이 건물들은 15세기의 베네치아 팔라초를 대표하는 사례들인데, 이 건물들에 대한 구체적인 언급은 다음 장에서 하도록 한다.

대운하에 면해 있는 대규모 팔라초 중에서 또 하나 언급해야 할 것이 팔라초 레초니코(Palazzo Rezzonico)이다.(도판 173, 174 참조) 이 건물은 산 바르나바 운하와 대운하가 교차하는 지점에 세워진 것으로서 바로크 시대 팔라초의 대표작으로 평가된다.(도판 126 참조) 이 건물은 오늘날 베네치아 박물관으로 사용하고 있다. 당시 대운하에 면해서 지은 대형 팔라초들은 후면에 넓은 코르테를 설치했는데, 이처럼 건물 뒤편에 코르테를 둔 것은 비잔틴 시대에 건축된 상관의 공간구조를 그대로 계승한 것이었다.

이렇게 산타 마르게리타 지구가 어느 정도 완성된 이후에는 듬성듬성하게 남아 있던 공터에 건물을 채우면서 지구의 공간조직을 조밀하게 다졌다. 그리고 처음에는 이삼층 정도였던 건물의 높이를 사오층 정도로 증축하는 과정이 이어졌다. 도판 134는 이 지구에 건물이 들어서는 과정을 표현한 것이다. 즉 먼저 운하 쪽에 건물이 자리잡은 다음 화살표 방향으로 지구의 내부를 향해 건물이 들어섰는데, 이는 공간이 조밀해지는 원리 중의 하나이다. 이 지구의 경우 우선 운하에 면해서, 그 다음으로 캄포에 면해서 건물이 들어선 후, 그 후면의 공터가 화살표 방향으로 채워지는 양상을 나타낸다. 운하에 면한 초기 주택들은 필지의 폭을 거의 그대로 유지하면서 뒤쪽으로 계속해서 연장해 나가는 방식으로 개발을 진행했다.

특히 재미있는 부분은 광장의 동쪽 지역인데, 두번째로 개발된 광장 북쪽의 필지가 남쪽으로 길게 연장되면서, 남북 방향의 긴 공간조직 위에 동서 방향으로 필지가 잘게 나누어져 있다. 이렇게 운하와 수직으로 개발의 힘이 작용하다 보니 지구의 안쪽에 이르러서는 여러 각도로 개발의 힘이 전달되어 불규칙한 미로형의 공간조직이 발생했다.(도판 134의 ④ 참조) 이곳에는 주로 서민들이 거주하는 작은 규모의 주택들이 자리잡았다. 또한 대운하에 면한 귀족주택의 뒤편에도 좁은 도로를 따라서 직인(職人)들이 거주하는 주거지역을 형성했고, 서민주택들이 연이어 자리했다.

제6장

대운하에 면한 상류층의 팔라초

대운하의 경관을 지배하는 팔라초

이제 대운하 주변으로 시선을 돌려 베네치아의 얼굴을 형성하고 있는 대규모 팔라초들을 살펴보자. 베네치아에는 뒤집힌 S자 모양으로 도시의 중앙부를 관통하는 대운하가 도시의 대동맥 역할을 하고 있다.(도판 7 참조) 이를 따라서 공화국의 지도자였던 귀족들의 화려한 저택들이 늘어서 있으며, 유럽에서 가장 화려하고 다채로운 수변 경관을 형성했다.(도판 135)

　베네치아의 팔라초는 시대에 따라서 기능과 형식이 조금씩 변해 왔지만, 항상 주인의 '신분의 상징'이라는 성격을 유지해 온 것에는 변함이 없다. 따라서 팔라초는 단순히 가족들의 일상생활이 이루어지는 주택이라기보다는 상징적이고 사회적인 건축물이었다. 번영했던 베네치아는 매우 수준 높은 문화를 구축했는데, 그것을 주도한 귀족들의 생활 또한 수준 높고 다채로웠으며, 그러한 생활과 가치관을 팔라초를 통해 표출했다. 따라서 베네치아의 도시구조와 주거환경, 건축의 역사, 그리고 귀족들의 생활상 등을 알기 위해서는 귀족 계층의 팔라초를 살펴보는 것이 필요하다. 여기서는 12세기 이후 대운하를 따라서 차례로 건축된 팔라초를 대상으로 시대적 특징과 변화 양상, 그리고 건축적 특성 등을 두루 살펴보고자 한다.

비잔틴 양식의 팔라초

오늘날 남아 있는 수많은 베네치아의 팔라초 중에서 폰다코 데이 투르키(Fondaco dei Turchi) 즉 터키 상관은 비잔틴 양식 팔라초의 효시로 평가받는다.(도판 137) 이 건물은 1225년에 완성되었다고 하는데, 1100년경에 지었을 것으로 추정하는 사람도 적지 않다. 원래는 부유한 상인이 자신을 위한 팔라초로 이용하기 위해 지었으나 1621년에 터키 상인들의 거처와 상업활동을 위한 상관으로 용도가 바뀌면서 지금과 같은 이름이 붙었다. 현재 이 건물은 베네치아 자연사박물관으로 사용하고 있다. 오래 되어 낡고 쇠락했던 이 건물은 19세기에 원래 모습을 바탕으로 하면서 새롭게 개축했는데, 개축하기 이전의 모습이 사진으로 남아 있다.(도판 136)

흔히 '폰다코'라고 줄여서 부르는 이 건물은 첫눈에 개방적으로 구성되어 있음을 알 수 있다. 이층 규모로 세운 이 건물은 운하를 향한 전면 폭이 매우 넓은 반면 측면은 좁아서 전체적으로 긴 직사각형이다. 이후에 건물을 후면으로 증축하면서 오늘날의 전체 형상은 ㄷ자 모양이 되었다.(도판 138)

운하를 향한 건물의 중앙부에는 연속하는 아치를 사용하여 커다란 개구부를 설치했으며, 개방성을 극대화했다. 일층 전면에는 커다란 아치를 연속시켜 포티코를 구성했고, 이층에는 작은 아치를 촘촘하게 배열하여 로지아를 설치했다. 건물의 평면은 전체적으로 좌우대칭의 형상인데, 일층 전면의 포티코를 거치면 중앙에는 비교적 좁은 홀이 있다. 이층 중앙에도 홀이 있는데, 전면의 개방된 공간과 연계하여 T자형의 공간을 구성했다.

일층에 넓은 포티코를 설치한 것은 로마 시대 빌라의 영향도 있지만, 물건을 쉽게 하역하기 위한 기능적인 면도 함께 고려한 것이다. 아치의 모양과 주변의 장식은 이 건물이 비잔틴 양식을 수용했다는 것을 분명히 보여준다. 건물의 좌우에는 탑상(塔狀)의 단부(端部)를 설치하여 좌우대칭적 구성과 위풍당당함을 강조하고 있다.

이 탑은, 방어의 의미는 전혀 없으며 단지 장식상의 이유에서 설치한 것으로 보인다. 마르코 폴로의 기록에 의하면 14세기 이전의 베네치아에는 많은 건물들이 양쪽 측면을 탑으로 장식했다고 한다. 따라서 탑은 초기의 팔라초에 많이 적용되었으나 시간이 지나면서 서서히 소멸한 것으로 유추할 수 있다. 건물의 상부에는 톱니 모양의 장식이 부착된 패러핏을 조성하여 지붕을

135. 대운하 주변에 늘어서 있는 대규모 팔라초들과 리알토 다리.(p.189)
ⓒ Guido Rossi.

136. 19세기에 개축하기 이전의 폰다코 데이 투르키.

드러내지 않은 것도 이 건물의 커다란 특징이다.

대운하에 면한 팔라초들 중에는 '폰다코'와 기본적으로 같은 형식인 건물을 여럿 관찰할 수 있다. 그 대표적인 사례가 팔라초 로레단(Palazzo Loredan)과 팔라초 파르세티(Palazzo Farsetti)이다.(도판 140) 형제처럼 나란히 서 있는 이 두 건물은 현재 사층 규모이지만, 원래는 '폰다코'와 마찬가지로 이층 규모의 건물이었다. '폰다코'가 운하를 향해 넓은 전면을 가진 반면, 이 건물들은 전면 폭이 비교적 좁다. 그것은 아마도 이 건물들이 '폰다코'와는 달리 리알토가 바라보이는 매우 밀도가 높은 곳에 자리했기 때문일 것이다. 지금 이 건물들은 르네상스 시대에 증축하여 규모를 확장했는데, 운하에 면한 전면부에는 비잔틴 시대의 모습이 남아 있다.

두 건물의 공간구성은 매우 유사하다.(도판 139) 일층 전면에 설치된 포티코는 물건의 하역을 위한 공간이다. 이곳을 지나 안으로 들어가면 역시 큰 홀이 있는데, 이 공간은 갑옷과 투구를 진열하고 상품을 거래했던 곳이다. 이 공간의 좌우에는 창고와 사무실이 있고, 후면에는 부엌이 자리했다. 이층으로 올라가면, T자형의 거대한 홀이 중앙에 놓여 있다. '살로네' 또는 '포르테고'라고 부르는 이 홀은 접객과 파티 등이 이루어지는, 주택에서 가장 중요한 공간이었다. 그리고 그 좌우에는 침실 등 사적 공간이 있었다. 지금은 증축되어 그 흔적을 찾기 어렵지만 원래 주택의 뒤에는 후정이 있었고, 그곳에

137. 비잔틴 양식 팔라초의 효시로 평가받는 폰다코 데이 투르키의 오늘날 모습. 건물의 좌우에는 탑상의 단부를 설치했다.(p.191)

우물이 있었다. 앞에서 본 '폰다코'와 마찬가지로 건물의 양쪽 측면에 장식을 위한 낮은 탑이 있었을 가능성을 배제할 수 없다. 특히 팔라초 로레단의 경우, 정면에 중앙의 로지아와 좌우 측면의 구분이 명확하기 때문에, 양쪽 측면의 상부에 탑을 만들었을 가능성이 농후하다. 다만 '폰다코'에 비해 탑의 시각적 독립성은 약했을 것으로 보인다.

앞에서 본 세 가지 사례를 통해 초기 비잔틴 양식 팔라초의 특성과 그것이 변화해 간 양상을 파악할 수 있다. 우선 당시의 팔라초는 운하를 향해 매우 개방적으로 외관을 구성하면서, 공통적으로 T자형의 평면구성을 취했다. 그런데 이러한 구성방식에도 시간의 흐름에 따라 일련의 변화하는 모습을 볼 수 있다.

가장 두드러진 변화는 건물의 외관에서 대칭성과 중심성을 점차 강조했다는 점이다. '폰다코'의 경우 일층의 포티코는 짝수인 열 개의 아치로 구성되었지만 팔라초 로레단과 팔라초 파르세티는 홀수인 다섯 개의 아치를 두면서 중앙에 있는 아치의 폭을 크게 만들었다. 또한 건물의 외관을 구성할 때에도 탑은 그 중요도가 줄어들어 점차 소멸해 버렸다는 점도 변화한 양상이다.

일층에서 중앙의 아치를 강조하는 경향은 건물 내부의 공간구성과도 관련

138. 폰다코 데이 투르키의 일층 평면도.(왼쪽) 어둡게 칠한 부분은 원래의 평면이고, 나머지는 이후에 증축된 부분이다.
139. 팔라초 로레단과 팔라초 파르세티의 이층 평면도.(오른쪽)
■ 원래의 벽체.
▨ 르네상스 시대에 증축된 벽체.

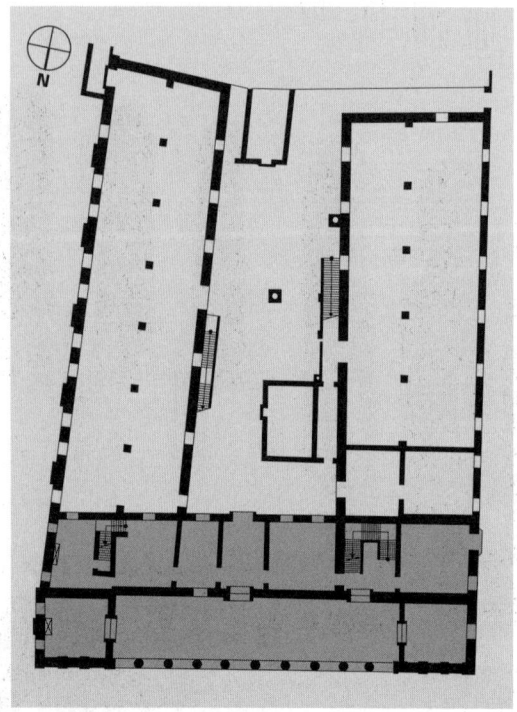

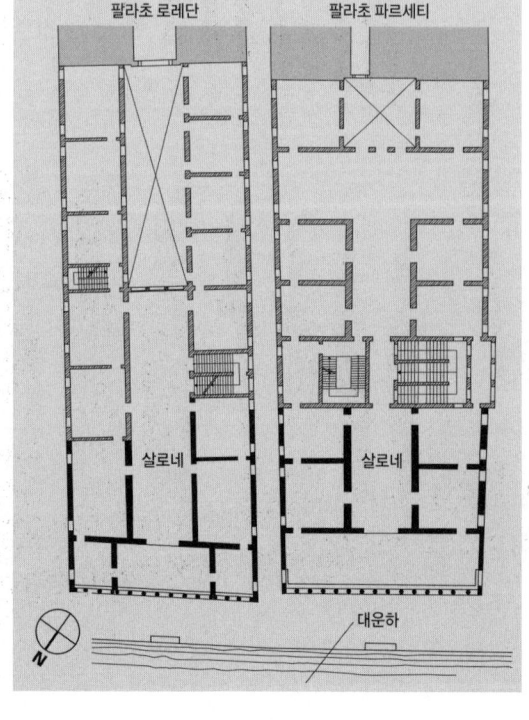

140. 팔라초 로레단(왼쪽 건물)과 팔라초 파르세티(오른쪽 건물). 오늘날 남아 있는 비잔틴 양식 팔라초의 중요한 사례들이다.

이 있다. '폰다코'는 건물의 전면이 넓고 후면이 좁은 평면구성이면서 각 방이 운하를 향해 배열되었기 때문에 중앙 축의 성립이 명확하지 않았다. 그런데 팔라초 로레단과 팔라초 파르세티는 중앙의 홀이 뒤쪽으로 길게 연장되어 공간의 축이 분명하다. 이러한 공간구성은 순수하게 운하에 의존하는 '폰다코'와는 달리 전면에 있는 운하과 후면에 있는 땅을 동시에 고려한 형식이라고 할 수 있다. 또한 중심을 강조하는 대칭적 공간구성으로 베네치아 특유의 삼렬구성의 기초를 확립했다.

베네치아 팔라초의 근원

대운하 주변의 팔라초에 대한 논의를 계속하기 전에 하나의 중요한 의문사항을 해결하고 넘어가야겠다. 그 의문은, 이렇게 방어의 개념이 전혀 적용되지 않은 개방적이고 외향적인 주거건축을 왜 동시대 이탈리아의 다른 지역에서는 발견할 수 없을까 하는 점이다. 중세 이탈리아에서 베네치아의 팔라초와 같은 개방적 형상의 도시주택은 피렌체나 로마를 비롯한 다른 도시에서는 전혀 찾을 수가 없다.

그렇다면 베네치아 특유의 이런 주거형식은 어떻게 해서 생겨난 것일까. 앞에서 언급한 대로, 베네치아에 개방적인 구성을 가진 주택들이 들어서게 된 배경은 베네치아 특유의 지리적 상황과 그 정치제도 등에서 찾을 수 있다. 따라서 이 배경에 대해서는 비교적 쉽게 납득할 수 있다. 그러나 건축의 형식과 구성을 세부적으로 들여다보면 그 근원이 어디일까 하는 물음에는 쉽게 답하기 어렵다.

이탈리아의 학자들은 베네치아 주거건축의 형식상의 근원을 세 가지 정도로 제시한다. 첫째는 고대 로마의 전원풍의 빌라 건축에서 받은 영향이고, 둘째는 비잔틴 건축의 영향, 그리고 셋째는 이슬람 건축의 영향이다. 로마 제국에 의한 지중해의 지배가 붕괴된 이후 베네치아는 오리엔트와 서구를 잇는 가장 중요한 도시였다. 지중해 동부의 세력을 장악하고 동방과의 무역을 통해 번영을 지속했던 베네치아는 경제에서뿐만 아니라 문화에서도 동방과의 교류를 긴밀하게 유지했다.

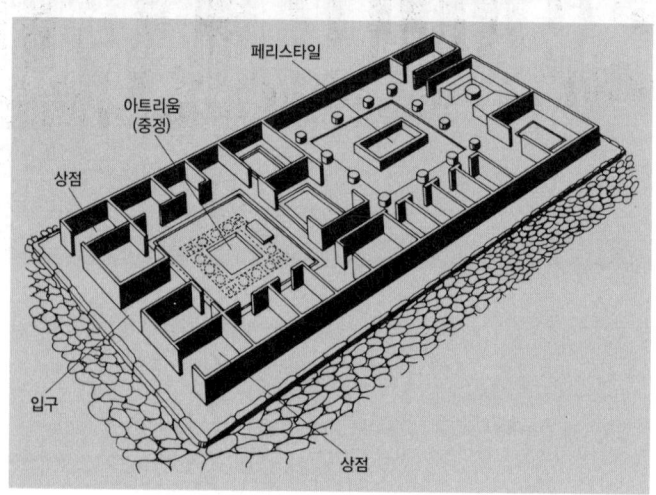

141. 로마 시대 상류층의 전원주택인 빌라.
도시주택에서 완전히 충족할 수 없었던 개방화를 빌라에서 실현시킬 수 있었다.(위)
142. 로마 시대 상류층의 도시주택인 도무스의 공간구성.(아래)

이러한 역사적 배경을 염두에 두고 생각해 보면, 베네치아에 특이하고 이국적인 건축문화가 형성된 것은 당연한 일이었다. 베네치아에 건설된 초기의 팔라초는 우선 지중해 주변에 잔존해 있던 후기 로마의 빌라에서 영향을 받았다. 여기에 동방에서 화려하게 전개된 비잔틴 건축의 장식적 요소가 더해지고, 더욱 중요하게는 이슬람 제국의 건축구성이 깊은 영향을 미쳤다는 주장이 설득력있게 받아들여진다.

고대 로마의 상류층을 위한 도시주택은 기본적으로 도무스(domus)였다. 여러 개의 중정을 가진 이 주거형식은 도시적인 환경에 잘 맞는 주택이었다.(도판 142) 그런데 도무스의 등장과 때를 같이하여 교외에는 '빌라' 라고 불리는 전원풍의 별장이 나타났다. 도시적인 제약에서 벗어나 자연 속에 자리한 빌라는 도시주택에서 완전히 충족할 수 없는 개방화에 대한 요구를 만족시킬 수 있었다. 건물의 중앙에는 중정인 페리스타일(peristyle, 로마 시대 주택에서 열주랑으로 둘러싸인 개방된 중정)이 있는 경우도 있었고 그렇지 않은 경우도 있었다. 그러나 어느 경우에도 외부는 열주랑으로 둘러싸여 전원을 향해 개방적인 모습을 하고 있었다.(도판 141)[36]

이러한 빌라는 바닷가에도 등장했는데, 주로 피서의 목적으로 지은 새로운 형식의 해변 별장(villa maritima)이었다. 폼페이 유적지에서 발굴된 벽화 중에는 이러한 해변 별장이 세밀하게 묘사되어 있어서 당시의 모습을 유추할 수 있다. 벽화에 그려진 모습을 보면, 보통 이층 규모의 건물로, 물에 면해서 완전한 열주랑을 형성하고 있으며, 배가 직접 건물로 진입하도록 되어 있다.(도판 143) 이러한 개방적인 구성을 가진 해변 별장은 나폴리 주변을 비롯해 북이탈리아의 아드리아해 주변, 시칠리아, 북아프리카 등에 자리했다. 해변 별장 중에는 규모가 커서 군사적 색채를 띤 경우도 있었는데, 그곳에서는 위엄을 과시하기 위해서 여러 개의 탑을 설치했다.

3세기말에 스팔라토(Spalato)에 지은 디오클레티아누스(Diocletianus) 황제의 해변 궁전이 좋은 사례가 된다.(도판 144, 145)[37] 이것은 아드리아해에 면해 있었는데, 하나의 작은 도시를 연상시킬 만큼 큰 규모였다. 건물의 가장

143. 폼페이의 벽화에 묘사된 해변 별장. 물에 면해서 길게 이어진 열주랑이 조성되어, 배가 진입할 수 있도록 했다.

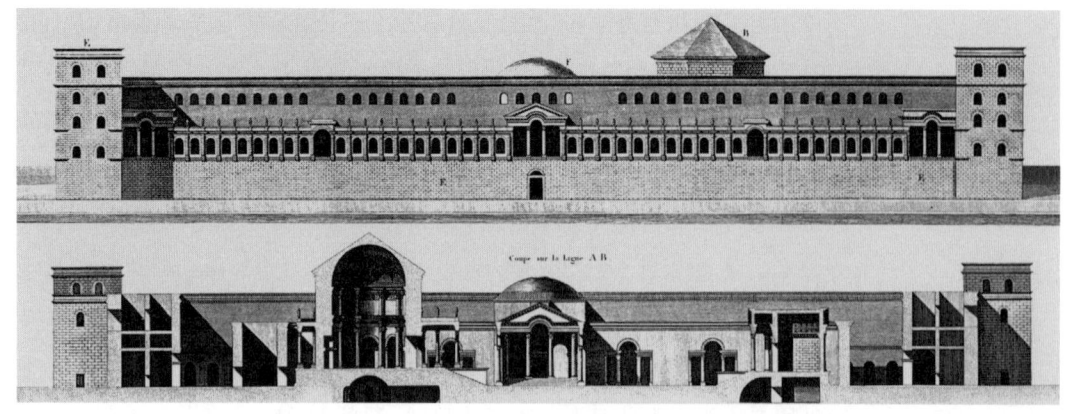

중요한 면은 바다를 향해 있고, 양쪽 끝에는 탑이 있으며, 중앙에는 엄청나게 긴 열주랑으로 장대한 외관을 형성했다.

베네치아의 팔라초가 고대 로마의 빌라 건축에서 영향을 받았다는 논리는 상당한 설득력이 있다. 교구의 일원으로 살던 귀족들은 그곳을 떠나 대운하 주변으로 거처를 옮기는 과정에서 자신의 신분과 취향을 과시할 수 있는 상징적인 건축형태를 찾았다. 고대 로마의 빌라는 이러한 요구를 충족시키는 데 적절했으며, 더욱이 양쪽에 탑이 있는 상징적인 구성은 그들의 요구를 최상으로 만족시켰다.

빌라의 특성이 도입된 데는 베네치아가 지닌 환경적 측면도 일조를 했다. 도시의 형성기를 지나 막 발전하기 시작한 12세기의 베네치아는 상당히 독특한 경관을 형성했다. 당시에는 지리적

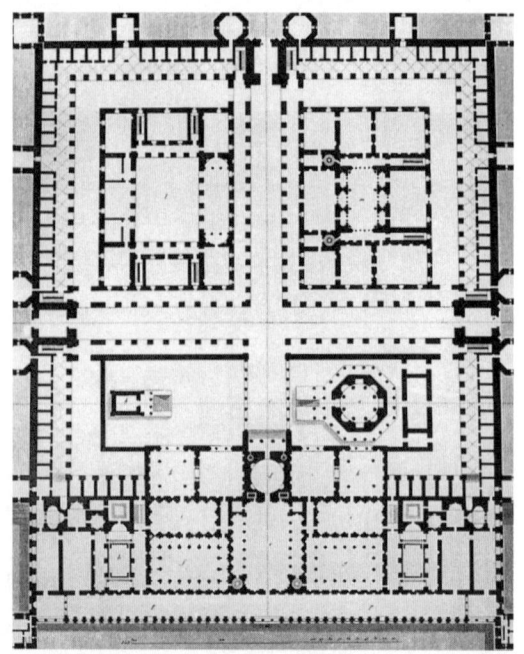

144. 3세기말에 디오클레티아누스 황제를 위해 지은 해변 궁전. 양 끝에 탑을 세우고, 중앙에 매우 긴 열주랑을 두었다.(위)
145. 디오클레티아누스 황제를 위한 해변 궁전의 평면.(아래)

으로 분리된 섬 단위로 주택의 군집(群集)이 시작되었고, 대운하가 도시의 간선수로로서 조금씩 그 모양을 잡아가고 있었다. 그런데 이때의 대운하는 도시에 형성된 운하라기보다는 라구나라는 대자연의 일부 즉 자연적인 수면이라는 인상이 강했다.

이러한 환경에서 리알토 주변에 등장하기 시작한 상관은 해변 별장의 성격을 가지기에 적합했을 것이다. 특히 리알토에서 어느 정도 떨어진 한적한 곳

에 지은 '폰다코' 즉 터키 상관은 더욱 그러했다. 또한 '폰다코'의 양쪽에 있는 탑은 개방된 경관 속에서 건물에 완결성을 주었다. 말하자면 이 건물은 집합을 전제로 한 것이 아니라 독립된 건물로서 계획되었던 것이다. 도시의 형성이 진행되고 중심지구에 팔라초들을 계속 지으면서 대운하는 자연으로 열린 공간이 아니라 도시의 인공적인 간선수로로 변해 갔다. 따라서 이러한 상황에서는 자연 속에 드문드문 자리한 빌라의 이미지와 더 이상 맞지 않았다. 결국 13세기에 들어서면서 베네치아의 상관은 양식상의 변화를 맞이하게 되었다.

베네치아의 상관 건축은 13세기에 그 형식이 변하게 된다. 과거에는 건물의 일층에 같은 높이의 아치를 연속으로 배열해 개방성만을 강조했었는데, 건물의 양쪽에 부착한 탑이 사라지고 일층 중앙에 커다란 아치를 설치하면서, 건물에 강한 중심성을 부여하는 경향으로 바뀐 것이다. 건물의 양식이 이렇게 변화한 데에는 이슬람 건축의 영향이 지대했다. 그리고 당시의 새로운 건축물에도 이슬람 건축의 요소들이 많이 등장했는데, 이슬람식 아치와 톱

146. 수직형 아치들이 오아시스의 수목과 같은 이미지를 연출한 이슬람 건축. 코르도바(Córdoba) 대(大)모스크의 기도실이다.

니 모양의 장식이 대표적이었다. 이때 팔라초에 적용된 아치들은 로마 시대의 반원 아치들과는 모양이 다른 것으로서, 키가 큰 수직형 아치(stilted arch) 즉 높은 기둥으로 받친 아치를 설치했고, 이는 이슬람 건축에서 사용하던 것이었다. 건물의 패러핏에도 방어의 목적과는 전혀 상관없는 특이한 톱니 모양의 장식을 부착했으며, 이 또한 이슬람 제국으로부터 영향을 받은 것이었다.(도판 29, 30 참조)

이슬람 건축을 관찰해 보면, 베네치아의 상관에서 볼 수 있는 특징과 매우 공통되는 사항들을 발견하게 된다. 반원 아치보다 길이가 긴 수직형 아치는 원래 비잔틴 건축에서 유래했지만 이슬람 건축에서 본격적으로 사용되었다. 이러한 형식의 아치는 사막에 도시를 건설한 아랍인들의 소망인 수목이 울창한 오아시스의 이미지를 표현한 것이다.(도판 146) 또한 톱니 모양의 장식이 부착된 패러핏은 고대 페르시아의 수도 페르세폴리스(Persepolis)의 왕궁에 있는 계단 난간에서 '성스러운 산'의 상징으로 사용했던 것인데, 이것이 이슬람 세계 전체로 확산되어 양식화했다.

개방적인 열주랑을 설치하고 중앙에 큰 아치를 두어 중심성을 강조한 것도 이슬람 건축에서는 공통적인 특징이었다. 오랜 기간 이슬람의 지배를 받았던 남부 스페인의 알람브라(Alhambra) 궁전에서도 이러한 사례를 찾을 수 있다. 궁전 내부의 아라야네스(Arrayanes) 중정을 보면, 비잔틴 양식의 수직형 아치를 연속해서 배열하고 중앙에는 큰 아치를 두어 경쾌하고 아름다운 대칭형의 주랑을 구성했다.(도판 147) 중정의 연못에 비친 주랑의 모습은 오아시스의 이미지를 구현하고 있는데, 이것은 운하에 비친 베네치아 상관의 모습과 매우 흡사하다.

베네치아의 팔라초가 이슬람의 건축에서 영향을 받았다는 것은 그 이름을 통해서도 알 수 있다. 초기에 베네치아의 상관을 부르던 '폰디코'라는 명칭은 아라비아어 '푼두크(funduq)'에서 유래했는데, 이슬람에서 푼두크란 여기저기 떠도는 상인들을 위한 숙소 겸 상품 거래소의 기능을 가진 건물을 뜻했다.[38]

13세기의 팔라초

13세기의 비잔틴 양식 팔라초는 그 이전의 건물들에서 볼 수 있는 개방적 구성과 그 양상을 조금 달리한다. 즉 건물 전체를 외부로 개방하지 않고 건물의

147. 스페인 남부 알람브라 궁전에 있는 아라야네스 중정의 정면. 수직형 아치와 아름다운 대칭형의 주랑은 이슬람 건축의 백미다.(p.198)

중심부만 개방한 대신 측면부는 폐쇄하는 방식으로 구성했던 것이다. 이렇게 함으로써 건물의 외관은 'A-B-A'라는 좌우대칭적 구성이 명확해졌다. 또한 일층의 포티코도 크기가 작아지면서 건물의 중앙에 자리하게 되었다. 동시에 건물은 수직적으로 구성되어 전면의 폭이 좁아진 대신, 건물은 층수가 늘어나고 높이가 높아졌다. 건물 주층의 중앙에는 여전히 넓은 홀이 있는데, 그 외부에는 연속된 창을 설치하여 개방성을 강조했다.

이렇게 함으로써 공간구성의 중심성과 건축의 완결성을 동시에 강조할 수 있었다. 이러한 변화는 팔라초가 상품의 교역을 위한 상관의 기능보다는 생활을 위한 주거의 기능으로 전환하기 시작했음을 의미한다. 이렇게 상관의 기능이 축소됨으로써 일층은 물을 향해 완전히 개방될 필요가 없어지게 된 것이다. 이러한 형식의 건물은 13세기 중반에서 후반에 이르는 시기에 주로 등장했으며, 베네치아 건축사에서는 상당히 중요한 의미를 지닌다. 말하자면 이러한 형식의 팔라초를 통해 베네치아에는 '삼분할'이라는 입면의 패턴이 정착했던 것이다. 입면의 삼분할 패턴이란 중앙을 개방적으로 구성하고

148. 바르바리의 조감지도에 묘사된 팔라초 도나. 대운하에 면해 있는 건물들 중 왼쪽에서 네번째 건물이다. 16세기 이후 개조되기 이전의 모습으로, 일층의 아치가 중심성을 강조한 형태를 취하고 있다.

149. 팔라초 도나. 건물의 외관에 적용된 아치와 기둥, 세부 장식을 통해 13세기 비잔틴 양식의 팔라초임을 알 수 있다. (p.201)

좌우는 그것에 비해 폐쇄적인 형상을 가진 구성을 의미한다.

이러한 전환기를 대표하는 건물 중의 하나가 팔라초 도나(Palazzo Donà)이다.(도판 149) 이 건물은 외관에 적용된 아치와 기둥의 주두, 세부적인 장식 등을 통해서 비잔틴 양식임을 분명히 드러내고 있다. 이전의 건물들과 비교해 보면 이 건물의 외관은 매우 특이하다. 우선 일층에는 개방된 포티코가 없는 대신 하나의 큰 아치가 중앙에 설치되어 있다. 그런데 1500년에 바르바리가 그린 조감지도에는, 이 건물은 중앙에 큰 아치가 있고 그 좌우에 각각 네 개씩 작은 아치가 설치되어 있는 것으로 묘사되어 있다.(도판 148) 따라서 이 건물의 현재 모습은 16세기 이후에 개조된 것이라 생각하며, 개조하기 이전에는 파사드에서 중심성이 강조되어 있었다.

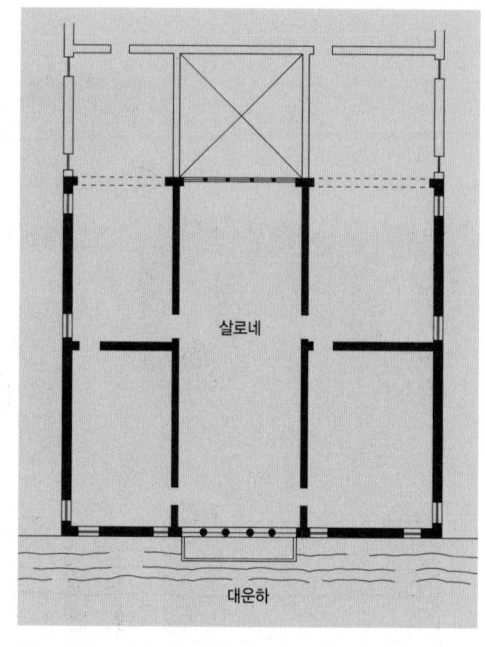

150. 팔라초 도나의 이층 평면도. 중앙 홀이 넓게 자리하고 좌우에 부수적인 방들이 배치되는 삼렬구성이 확립되었다.

이 건물은 상담과 상품 거래를 위한 공간을 중이층에 따로 마련하여 수직 방향으로도 베네치아 주택의 전통적 구성을 확립했던 것으로 보인다. 주층인 이층에는 앞뒤를 연결하는 중앙 홀이 넓게 자리하고 그 좌우에 부수적인 방들이 있다. 따라서 이 건물에는 과거의 T자형 공간구성이 사라지고 삼렬구성이 확립되었음을 알 수 있다.(도판 150) 이것은 파사드에서도 마찬가지다. 연속된 아치를 적용한 중앙부는 홀의 폭을 그대로 나타내며, 양쪽에 있는 부수적인 방들의 외부는 폐쇄적으로 구성했다. 이러한 입면 구성방식은 14-15세기에 고딕 양식의 팔라초에도 일반적으로 적용되었다.

13세기 비잔틴 양식의 팔라초를 언급할 때 빠뜨릴 수 없는 건물이 카 다 모스토(Ca' da Mosto)이다.(도판 152) 정식으로 부른다면 '팔라초 다 모스토'라 해야 하지만, 베네치아에서는 이 건물을 이렇게 부른다. 베네치아 사람들은 흔히 팔라초를 줄여서 '카(Ca)'라고 부르는데, 이것은 집을 뜻하는 '카사(Casa)'를 줄인 말이다. 러스킨은 이 건물에 대해서 "단순하고, 우아하며, 활기찬 건물로서, 13세기 주거건축 중에서 가장 독창적이며 완벽한 건물"이라 평가했다. 섬세한 아라비아풍의 장식으로 꾸민 외관 덕분에 이 팔라초는 베

151. 섬세한 아라비아풍의 장식이 돋보이는 카 다 모스토의 이층 중앙부의 창문.(위)
ⓒ Paolo Marton.
152. 비잔틴 양식의 팔라초인 카 다 모스토.(아래)

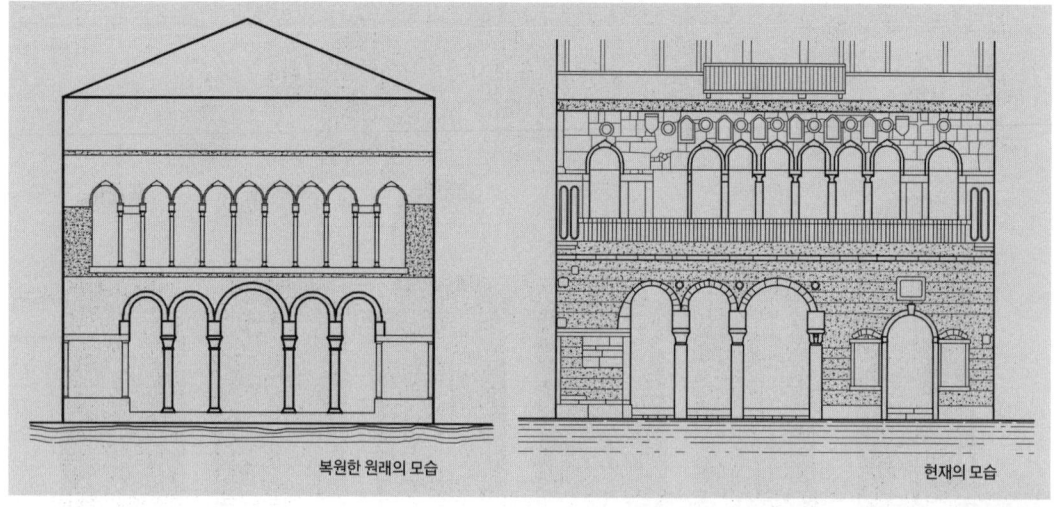

복원한 원래의 모습 　　　　　　　　　　　현재의 모습

네치아에서도 특별히 아름다운 건물로 알려져 있다.(도판 151) 이 건물은 유명한 항해인이었던 다 모스토(Da Mosto) 가문의 주택이었는데, 17세기 이후에는 호텔로 사용되었다.

오늘날 이 건물의 외관은 동시대의 다른 건물들과는 다르게 그다지 명쾌하게 구성되어 있지 않은데, 특히 일층의 포티코는 물론이고 이층의 로지아도 그 구성이 조화롭지 않다. 이렇게 된 이유는 이 건물의 원래 모습에서 상당히 훼손되었기 때문이다.

원래 모습을 복원해 보면, 일층에는 중앙에 큰 아치가 있고 좌우에 각각 두 개씩 작은 아치가 있는 좌우대칭의 형상이었다.(도판 153) 그리고 이층에는 중앙에 일곱 개의 아치가 연속해 있고 양쪽 끝에 아치가 한 개씩 있어서, 모

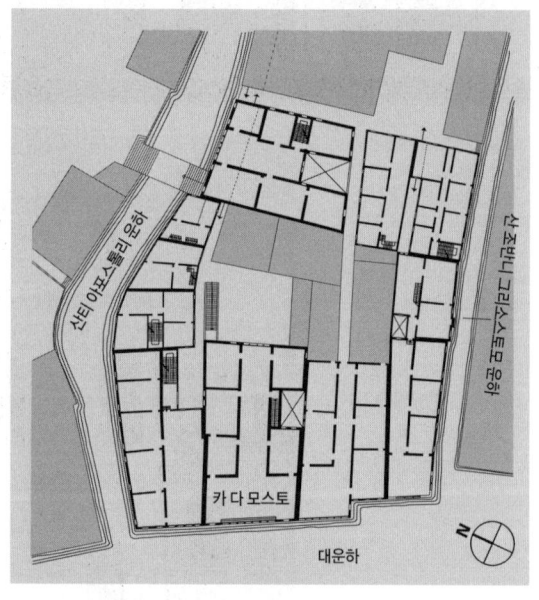

153. 카 다 모스토를 복원한 원래의 모습과 현재 모습. 원래는 중앙부를 강조한 전환기의 팔라초였다.(위)
154. 카 다 모스토와 그 주변 건물의 이층 연속평면도.(아래)

두 아홉 개의 아치로 구성되어 있었다. 따라서 이 건물은 일층 중앙에 큰 아치를 설치해 중앙부를 강조한 전환기의 팔라초였으며, 전체적으로는 개방적인 비잔틴 양식의 특징을 지녔다. 평면은 T자형의 중앙 홀이 있는 블록형 구성인데, 초기의 상관들과는 다르게 중앙 홀의 길이가 길어서 강한 축을 형성했다.(도판 154) 말하자면, T자형이면서 삼렬구성의 특징을 뚜렷하게 나타

냈다고 할 수 있다. 그리고 건물 뒤에는 후정이 조성되어 있었고, 이층에서 계단을 통해서 직접 연결되었다.

고딕 양식의 팔라초

알프스 북쪽에서 흘러 들어온 고딕 양식은 베네치아에 이미 존재하고 있던 오리엔트의 분위기, 그리고 그 특유의 공예적 장식적 취향과 어울려 화려하게 전개되었다. 베네치아에 고딕 양식이 전개된 14-15세기는 도시의 융성이 정점에 있을 때였으므로 건설활동도 가장 활발했다. 따라서 대운하에 면해 있는 팔라초는 고딕 시대에 지은 것이 가장 많으며, 화려함의 정도에서도 가장 앞선다.

비잔틴에서 고딕으로 전환하는 과정에는 외관의 변화가 가장 두드러졌다고 할 수 있다. 이러한 변화는 세부적으로 아치에서 나타났는데, 고딕 시대에 적용된 아치는 그 종류가 너무나도 다양했다.(도판 28 참조) 그것은 베네치아에 이미 존재하던 비잔틴 문화가 북쪽에서

155. 『베네치아의 돌』에서 러스킨이 정리한 베네치아 아치창의 여러 형식들. 베네치아에 이미 존재하던 비잔틴 문화가 고딕 문화와 만나 다양한 변화를 이루었다.

내려온 고딕 문화와 만나면서 다양한 변화를 도출했기 때문이다. 러스킨은 자신의 책 『베네치아의 돌』에서 베네치아의 고딕 건축에 적용된 많은 아치들을 모아 일목요연하게 정리한 바 있다.(도판 155)

고딕 시대의 팔라초는 비잔틴 시대와 마찬가지로 삼렬구성의 평면을 취했다. 파사드 구성에서도 비잔틴 시대 후기에 도입했던 삼분할 구성이 더욱 발전하여 뿌리 깊게 정착했다. 다만 마레토가 분석한 대로, 점점 증가하는 밀도에 부응하면서 평면의 형식에는 변화가 발생했다. 즉 비잔틴 시대의 블록형 평면이 L자형 평면으로 바뀌었다가 15세기로 넘어오면서 C자형 평면으로 정착했던 것이다. 또한 건물의 수직적인 경향이 현저하게 나타나 비잔틴 시대 후기에 등장한 삼층 이상의 공간구성이 고딕 시대에는 완전히 자리를 잡았

156. 팔라초 포스카리(오른쪽 건물)와 팔라초 주스티니아니(왼쪽에 놓인 두 동의 건물).
(pp.206-207)
ⓒ Deborah Howard.

제6장 운하에 면한 상류층의 팔라초 205

다. 이는 도시에 건물을 지을 만한 토지를 구하기가 점점 어려워졌기 때문이었다. 특히 땅값이 비싼 대운하 주변에 짓는 건물은 수직화의 경향이 더욱 두드러졌다.

15세기 중반의 성숙한 고딕 양식의 팔라초를 대표하는 건물은 팔라초 포스카리다.[39] (도판 156) 러스킨은 이 건물에 대해서 "베네치아의 15세기 고딕 양식 건물 중에서 가장 고귀한 사례"라고 평가했다. 그 왼쪽에 붙어 있는 두 동의 팔라초 주스티니아니 또한 15세기의 팔라초를 대표하는 사례다. 대운하를 향해 있는 이 거대한 팔라초들은 모두 C자형 평면으로 지었다. (도판 157)

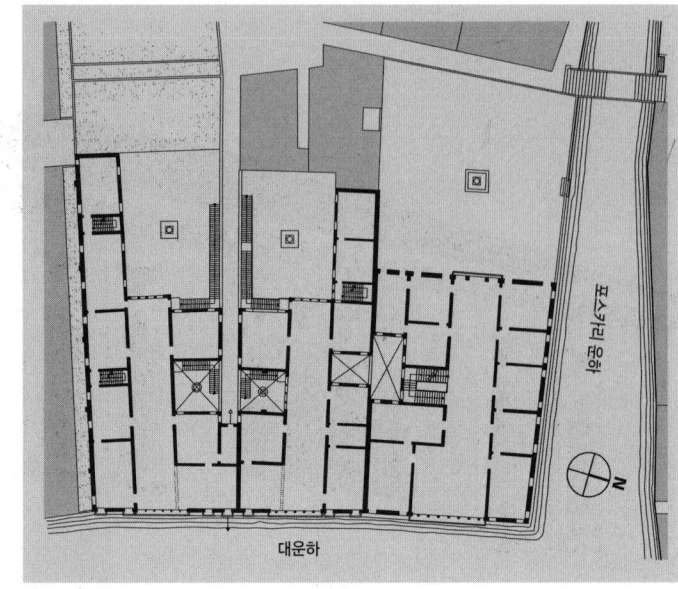

157. 팔라초 포스카리(오른쪽 건물)와 팔라초 주스티니아니의 이층 평면도. 건물 중앙에 L자형의 중앙 홀이 자리한 것이 특징이다.

이 주택들의 평면에 나타나 있는 중요한 특징은 중앙 홀의 공간적 확장이다. 평면을 보면, 중앙 홀은 운하를 향한 전면에서 L자 모양으로 확장되어 있음을 알 수 있다. 그리하여 외관의 좌우대칭을 파괴하지 않으면서 내부공간을 융통성있게 사용할 수 있게 되었다. 이 주택들의 경우 대지에 충분한 여유가 있었기 때문에 후면에는 커다란 후정을 마련했다.

건물들의 파사드는 고딕 시대의 전형을 보여주는데, 일층은 비잔틴 양식의 팔라초와 다르게 폐쇄적인 외관을 형성한 반면 이층과 삼층의 주층은 매우 개방적이고 화려하다. 그리고 개방적인 중심부와 폐쇄적인 좌우 측면은 전형적인 삼분할 구성을 보여준다. 중앙에는 연속 아치를 사용했고, 곡선형의 첨두 아치 사이사이에 원형창이 있다. 이러한 연속 아치는 15세기 팔라초들이 화려한 외관을 형성할 때 사용한 것이다. 팔라초 두칼레의 외관에도 이것을 적용했으며, 당시 상류귀족 계층들은 그들의 팔라초를 지을 때 팔라초 두칼레를 모델로 했다. (도판 60 참조)

베네치아에서 매우 유명하면서 동시에 고딕 시대 팔라초를 대표하는 건물은 단연 카 도로(Ca' d'Oro)이다. (도판 158) 카 도로란 '황금의 집(House of

158. 고딕 시대의 대표적 팔라초인 카 도로. 베네치아의 팔라초 중에서 외관이 가장 화려하고 섬세하다. (p.209)

Gold)'이란 뜻인데, 이름에 걸맞게 이 건물은 마치 금박을 입힌 것처럼 호화로움을 외부로 과시하고 있다. 이 건물은 1421년에 짓기 시작해 십여 년이 넘는 기간 동안 복잡한 과정을 거쳐서 완성되었다.[40]

그런데 이 특이한 건물은 대운하에 면한 고딕 양식 팔라초의 일반적인 형식을 따르고 있지 않다. 우선 공간구성에서도 삼렬구성 대신 이열구성으로 지었으며 좌우대칭적인 평면형식을 따르지 않았다.(도판 159) 외관도 여타의 고딕 시대 팔라초들과는 모습이 다른데, 특히 일층은 매우 개방적으로 구성되어 있어서 마치 비잔틴 시대의 상관을 보는 것 같다. 그러나 이 건물의 외관은 당시 귀족들의 취향을 잘 표현하고 있다. 즉 당시 귀족들의 팔라초는 극단적으로 장식적인 경향을 선호했는데, 외관을 장식하는 데 쓰인 모티프는 매우 화려하고 현란했다.

이 건물은 얇은 벽체 위에 현란하고 세련된 장식을 적용하여, 전체적인 조화와 균형보다는 외관의 아름다움을 추구했다. 당시의 건물이 이렇게 경쾌하고 가벼운 외관을 형성할 수 있었던 것은 운하를 향한 벽체가 수직적인 하중을 받지 않았기 때문이었다. 이 건물의

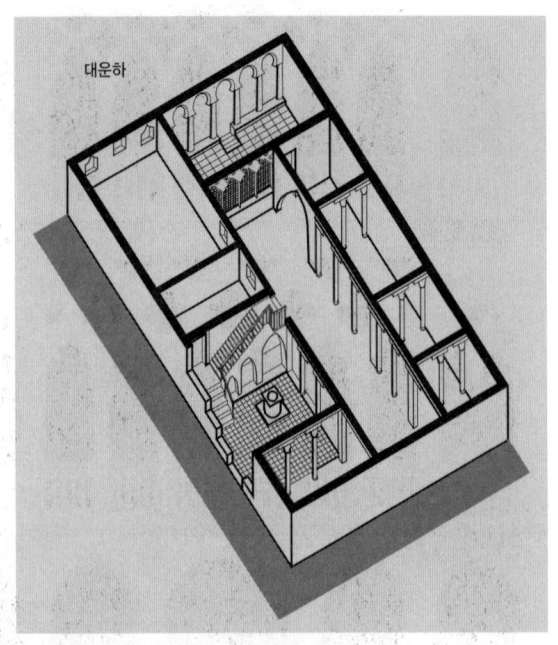

159. 카 도로의 공간구성. 이열구성을 취하면서 좌우대칭적인 평면형식은 따르지 않았다.

이층과 삼층에 있는 화려한 열주는 역시 팔라초 두칼레의 개방적 로지아로부터 온 것이다.

도판 160의 건물은 팔라초 피사니-모레타(Palazzo Pisani-Moretta)이다. 이 건물은 15세기 후반에 지은 것으로, 역시 매우 화려하게 꾸며진 고딕 양식의 팔라초다. 일층에는 특이하게도 두 개의 입구가 있어서 운하와의 관계를 강조하고 있다. 이 건물의 이층에서 사용된 연속 아치는 고딕 시대에 많이 사용했던 형식인데, 곡선형의 첨두 아치 사이사이에 원형창이 있으며 팔라초 두칼레의 로지아에서 사용했던 것과 같다.

그런데 이 건물의 삼층 외관을 눈여겨보면 특이한 형식의 연속 아치가 보인다. 이 연속 아치는 원형 아치를 겹쳐서 첨두 아치로 만든 것이다. 이러한

160. 고딕 양식의 팔라초 피사니-모레타. 이 건물에서 사용된 연속 아치는 팔라초 두칼레의 것을 모델로 했다.

연속 아치의 조성방식은 15세기 중반에서 후반에 이르는 시기에 많이 사용되었다. 이는 고전건축에 대한 새로운 관심에 의해서 나타난 것으로 유추하는데, 그 결과 고전과는 전혀 다른 효과를 연출했다. 이 건물에서는 고딕 시대에 등장한 가장 화려한 두 종류의 연속 아치를 한 건물에 사용함으로써 변화와 조화를 교묘하게 추구하고 있다.

르네상스 양식의 팔라초

초기 르네상스 팔라초의 공간구성은 후기 고딕 시대의 팔라초와 큰 차이가 없었다. 건물은 여전히 삼렬구성의 평면이었고, 파사드 또한 중심이 강조되는 삼분할 구성을 고수했다. 이러한 초기 르네상스 팔라초의 특성을 잘 보여주는 사례가 16세기초에 완성된 팔라초 그리마니 마르첼로(Palazzo Grimani

Marcello)다.(도판 161) 대운하에 면해 있는 이 건물은 그리 큰 규모는 아니지만 르네상스의 단정한 기품을 풍기고 있다.

건물의 외관을 보면 중앙을 강조하는 좌우대칭 형식으로 구성되었다. 일층에는 하나의 큰 아치 문으로만 입구를 형성하여 폐쇄적이며, 좌우에는 박공(牔栱)으로 장식된 르네상스식 창이 있다. 이 건물의 주층은 이삼층이 모두 해당하는데, 이층에 좀더 중요성을 부여했다. 이삼층의 중앙부는 원형 아치로 구성된 연속적인 창을 사용해 개방성을 강조했다. 그런데 이 건물의 외관에 적용된 장식적 요소들은 모두 고전적이지만, 건물의 본질적인 구성은 과거와 달라진 것이 없다. 말하자면, 고딕 양식의 팔라초에 고전의 겉옷을 입힌 것과 같은 형상이다. 이는 건물 내부의 공간구성에 커다란 변화가 없었기 때문이었다.

베네치아가 본격적으로 르네상스 문화에 진입한 과도기에 이 문화의 시초

161. 초기 르네상스 양식으로 건축된 팔라초 그리마니 마르첼로.

162. 팔라초
코르네르-스피넬리.
마우로 코두시가 설계한
것으로, 베네치아에서는
처음으로 외관에 거친돌쌓기
기법이 적용된 건물이다.

를 제공한 건축가는 마우로 코두시(Mauro Codussi, 1440-1504)였다. 그는 종교건축으로 잘 알려져 있지만, 팔라초 건축에도 상당한 기여를 했다. 그는 당시 베네치아를 지배하던 고딕의 언어와 법칙에서 처음으로 탈피한 사람이었다. 그가 어떤 건축교육을 받았는지 알려진 것도 없고, 알베르티(L. B. Alberti) 등 르네상스를 이끈 건축가들과 교류하지도 않은 것으로 알려져 있지만, 이상하게도 그는 르네상스의 건축언어를 능숙하게 구사했다.

코두시는 16세기 초입부에 팔라초 코르네르-스피넬리(Palazzo Corner-Spinelli)와 팔라초 벤드라민-칼레르지(Palazzo Vendramin-Calergi)라는 두 채의 걸출한 팔라초를 계획했다.(도판 162, 164) 이들 팔라초의 입면에서 볼 수 있는 가장 큰 특징은 커다란 반원 아치를 연속적으로 배열하고 그것을 다시 작은 아치와 원으로 분절한 독특한 창의 형태에 있다. 그는 이러한 반원 아치를 사용해 개방적이고 리듬감있는 입면을 구성했는데, 이것은 알베르티가 계획한 피렌체의 팔라초 루첼라이(Palazzo Rucellai)에서 받은 영향으로 보인다.(도판 165)

팔라초 코르네르-스피넬리에서는 반원 아치를 중앙에 두 개 그리고 좌우에 각각 한 개씩 두어 과거와는 전혀 다른 새로운 감각의 입면을 조성했다. 이 건물의 내부공간은 팔라초 그리마니 마르첼로와 같이 전통적인 삼렬구성이라서 이러한 외관이 적절하게 부합했다. 이 건물의 외관에서 나타난 또 다른 특이한 점은 일층에 거친돌쌓기(rustication, 르네상스 시대에 유행했던 입면구성 기법으로, 깊은 음영이 생기도록 돌을 거칠게 가공하여 쌓는 방법)를 사용한 것인데, 베네치아에서는 처음으로 적용된 것이다.

한편 팔라초 벤드라민-칼레르지에서는 공간구성에 약간의 변화가 발생했다. 각 층의 전면에 로지아가 생기면서 비잔틴 양식의 상관처럼 T자형의 공간을 형성했던 것이다.(도판 163) 이렇게 중앙에 있

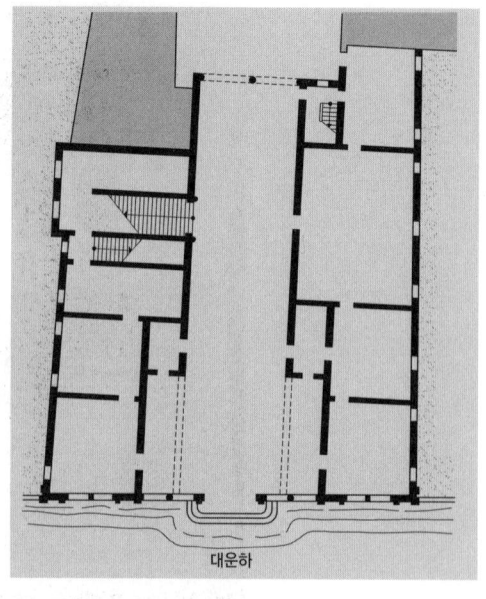

163. 팔라초 벤드라민-칼레르지의 일층 평면. 전면에 로지아가 생기면서 T자형의 공간이 중앙에 형성되었다.

는 공간이 커지면서 건물의 외관에도 1:3:1의 형식이 적용되었다. 결과적으로 운하에 바로 면한 일층은 다소 다르지만, 상하부가 균형 잡힌 균일한 입면을 가짐으로써 '로마풍'의 성숙한 르네상스 건축물이 되었다. 따라서 베네치아에서는 이 건물이 진정한 의미에서 최초의 르네상스 양식의 팔라초라 할 수 있다.

16세기로 들어오면서 이탈리아의 여러 도시국가들은 외국 세력에 점령되고 침탈당하면서 시민사회 내부에서도 대립이 격화되었다. 피렌체의 경우 1530년에 공화정이 붕괴된 후 메디치 가문이 다스리는 군주국으로 변화했다. 따라서 이탈리아에서 르네상스 문화를 지속적으로 이어 나갈 수 있었던 곳은 자유와 민주체제를 견지한 유일한 공화국인 베네치아밖에 없었다.

164. 팔라초 벤드라민-칼레르지. 건물의 입면이 균일하게 구성되어 르네상스 양식을 이루었다.

　이러한 상황 때문에 베네치아는 많은 사상가와 예술가 들의 피난처가 되었다. 이들의 이주는 고전의 유산을 제대로 수용하려는 공화국의 희망에도 부합했다. 당시 베네치아로 피신한 건축가들 중에서 가장 중요한 인물은 야코포 산소비노(Jacopo Sansovino)와 미켈레 산미켈리(Michele Sanmicheli)였다. 그들은 모두 로마의 고전건축을 직접 습득한 사람들로서, 피렌체와 로마에서 주도적으로 일어났던 르네상스 건축에 대해서 잘 알고 있었다.

　산소비노는 1527년 찰스 5세에 의한 로마 침공으로부터 도피해 베네치아로 왔으며, 이곳에 정착하여 산 마르코 광장 주변에 공공건축물을 세우는 일

제6장 운하에 면한 상류층의 팔라초　215

을 주도했다.[41] 산미켈리는 베로나(Verona)에서 요새 건축가로 이름을 날리다가 1535년에 이곳으로 왔으며, 산탄드레아(Sant'Andrea) 요새를 비롯해 베네치아와 그 주변 식민도시의 요새를 짓는 일에 주로 종사했다.[42]

두 건축가는 팔라초 건축에도 솜씨를 발휘했다. 산소비노는 로마에서 획득한 고전건축의 수법을 거침없이 사용하여 일련의 개성적인 팔라초를 지었다. 그는 자신의 최고 걸작인 팔라초 코르네르(Palazzo Corner)를 짓기 전에 팔라초 돌핀(Palazzo Dolfin)을 계획했는데, 이것은 그가 베네치아에서 처음으로 계획한 팔라초였다.(도판 166) 일층에는 도리아식 기둥을, 이층에는 이오니아식 기둥을, 그리고 삼층에는 코린트식 기둥을 사용했고, 최상부에는 처마돌림띠(cornice)를 당당하게 올려 한눈에 이것이 르네상스 양식임을 알 수 있다.

165. 알베르티가 설계하여 피렌체에 건축한 팔라초 루첼라이. 이 건물의 독특한 창의 형태는 마우로 코두시가 설계한 베네치아의 팔라초에 영향을 주었다.

운하에 바짝 면해 있는 이 건물의 일층은 운하를 향해 완전히 개방된 모습이다. 이런 특이한 모습은 초기 비잔틴 양식의 팔라초 즉 폰다코 데이 투르키(도판 137 참조)를 연상시킨다. 이는 이 건물의 주인인 추안네 돌핀(Zuanne Dolfin)이 당시에도 여전히 선단을 운영하면서 무역업에 종사했다는 사실과 연관이 있다. 즉 비잔틴 시대의 상관이 지닌 모습을 재현함으로써 이 저택의 주인이 베네치아에서 제일가는 무역상인임을 과시하고 있는 것이다. 이 건물은 이후 완전히 개조해 운하에 면한 파사드만 원래의 모습으로 남아 있기 때문에 그 공간구성을 자세히 알 수 없다. 그러나 중앙의 개방적인 구성과 좌우대칭적인 입면을 통해서 유추해 보면, 이 건물 또한 베네치아의 전통적인 삼렬구성이었음이 틀림없다.

166. 각 층에 모두 다른 양식의 기둥을 사용한 팔라초 돌핀.
일층을 운하를 향해 완전 개방시켜, 저택의 주인이 무역상인이었음이 드러나 있다.
ⓒ Sarah Quill.

산소비노의 최고 걸작은 팔라초 코르네르였다.(도판 167) 코르네르 가문은 당시 베네치아에서 가장 부유하고 힘있는 가문이었다. 그들은 키프로스(Cyprus)에 엄청난 토지를 소유하고 있었고, 그곳에서 면화와 사탕, 밀을 경작했다. 1537년 당시 베네치아의 행정장관(Procurator)이었던 초르치 코르네르(Zorzi Corner)는 산소비노에게 오 년 전에 불타 버린 자신의 저택을 재건해 줄 것을 요청했는데, 산소비노는 이를 위해 더욱 능숙하게 고전적인 건축 수법을 구사했다. 부지는 앞뒤로 길고 운하와 육지 양쪽에서 접근이 필요한 형상이었다.

그는 이곳에 중앙 축이 분명한 삼렬구성의 평면을 채용했지만, 입면에서는 종래의 삼분할 구성을 과감하게 버렸다.(도판 168) 이삼층에 걸쳐 자리한 주층을 구성하기 위해서 그는 입면을 일곱 개의 면으로 균등하게 나누고, 쌍주(雙柱)와 아치 창을 리듬감있게 배열했다. 이렇게 기둥 사이의 간격을 균등하게 나누었지만, 중앙부에 있는 세 개의 창문은 그 크기를 어느 정도 크게 하여 채광에 유리하게 만들었다. 그리하여 그는 종래에 볼 수 없었던 역동적이고 대담한 파사드를 구현했다.

흥미로운 사실은 이 건물에서 사용된 파사드가 바로 이전 시기인 전기 르네상스나 고딕 양식의 팔라초보다는 비잔틴 양식의 상관에 더 가깝다는 것이다. 비잔틴 시대의 상관은 운하에 면해 포티코와 로지아를 조성하여 개방적으로 구성했는데, 이것은 고대 로마의 빌라와 이슬람 건축의 중정에서 그 형식을 가져왔다고 앞서 언급했다. 도시 전체가 본격적으로 개발되면서 개

제6장 운하에 면한 상류층의 팔라초   217

방성을 강조하는 추세가 줄어들었고, 특히 대운하의 절대적인 우위성이 감소하면서 연속된 아치를 사용한 파사드의 구성이 점차 사라지게 되었다.

그런데 이렇게 한동안 잊혀졌던 파사드 구성이 산소비노에 의해서 다시 살아났다. 말하자면, 그는 상징성이 강한 고전의 이미지를 대운하에 구현하기 위해서 과거 비잔틴 양식의 수법을 다시 재현했던 것이다. 그가 사용한 건축적 요소는 과거와 차이가 있었지만, 물을 향해 열린 포티코와 로지아를 과감하게 사용하여 베네치아 특유의 르네상스적 이미지를 실현했다.

이러한 새로운 표현 수법은 당시 진행된 대운하의 의미 변화와도 관련있다. 도시의 간선수로 기능을 하던 대운하는 이 시기에 이르러 점차 상징적인 공간으로 변모했다. 그리고 이러한 변화는 대운하의 유일한 다리인 리알토 다리를 새롭게 구축한 것과 무관하지 않았다. 1507년에 시행한 설계경기의 결과 새롭게 구축한 이 다리는 마치 개선문과 같은 모습으로 대운하의 중심에 당당히 자리하면서 그 상징성을 과시했다.(도판 71 참조) 새로운 다리를 구축함에 따라 대운하에는 커다란 배들의 통행이 불가능했고, 따라서 그 기능의 변화도 불가피했다.

이렇게 대운하가 가진 기능과 의미의 변화는 팔라초의 건축적 표현에도 명료하게 표출되었다. 대운하 주변의 팔라초는 상관보다는 전용 주택의 기능을 더욱 강조했던 것이다. 이즈음 베네치아 귀족들은 모험적인 동빙무역에서 점차 손을 떼고 본토의 땅을 손에 넣음으로써 토지귀족으로 전환했고, 좀더 안정적이고 호사스러운 생활을 선호하게 되었다. 따라서 팔라초들도 상관으로서의 기능 대신, 귀족들의 저택인 동시에 신분의 상징을 지니게 되었다. 그리하여 16세기에는 고전적인 위용과 거대한 스케일을 자랑하는 팔라초들이 대운하 주변에 속속 등장했다.

이러한 배경을 염두에 두면서 팔라초 코르네르를 다시 살펴보자. 건물의 일층부에는 이스트라산(産) 돌을 사용해 르네상스 특유의 거친돌쌓기를 적

168. 팔라초 코르네르의 일층 평면. 중앙 축이 분명한 삼렬구성의 평면을 취했으나, 입면에서는 삼분할 구성을 버리고 균등한 일곱 개의 면으로 리듬감을 실었다.

167. 팔라초 코르네르. 균형잡힌 르네상스적인 구성을 보여준다.(p.218)

용했다. 원래 이 기법은 로마나 피렌체 같은 내륙의 도시에서, 마차가 활보하는 넓은 도로에 면해 있는 건물에서 주로 사용했던 것이다. 따라서 베네치아와 같이 운하와 연계되어 아기자기한 공간을 연출하는 도시에서는 방어의 분위기를 띠는 이런 요소가 적절하지 않았다. 그러나 산소비노는 대운하를 향해 있는 건물에 이것을 과감하게 적용했다. 중후한 느낌을 주는 거친돌쌓기를 건물의 일층에 적용함으로써 시각적인 안정감을 주고 더욱 당당한 느낌을 부여하려 했던 것이다.

이렇게 그는 거친 질감을 가진 일층 위에 연속적이고 개방적으로 구성된 상층부를 중첩시킨 베네치아 특유의 파사드를 만들어냈다. 이후 대운하에 면해서 짓는 대규모 건축에는 이러한 수법을 하나의 규범처럼 적용했는데, 특히 바로크 시대의 베네치아를 대표하는 건축가 발다사레 롱게나(Baldassare Longhena)가 이를 계승하여 더욱 발전시켰다.

산소비노와 쌍벽을 이루었던 건축가 산미켈리 또한 르네상스 시대의 전성기에 또 하나의 걸작인 팔라초 그리마니(Palazzo Grimani)를 남겼다.(도판 169) 그리마니 가문 역시 당대의 유력가로서 여러 명의 국가원수를 배출했는데, 정치와 종교활동으로도 이름을 날렸지만 고전문화의 열렬한 신봉자이기도 했다. 따라서 그들의 저택은 고미술품으로 가득한 일종의 박물관이었다. 이러한 가문이 당시 베네치아에서 고전주의 건축에 가장 능통한 건축가를 기용해 그들의 저택을 신축하게 맡기는 것은 당연한 일이었다.

이 건물 또한 종래의 팔라초가 지닌 스케일에서 크게 벗어나 주변의 건물들을 완전히 압도했다. 산소비노가 계획한 팔라초 코르네르가 건물 표면의 아기자기한 변화를 즐긴 조각가의 유희적 산물이었다면, 이 건물은 수평·수직의 부재가 강력한 역동성을 표출하는 진정한 건축가의 작품이었다. 그만큼 이 건물의 파사드는 강력하면서도 참신하게 구성되었다고 할 수 있다.

대운하를 향해서 높고 크게 열린 현관은 로마 시대의 개선문을 연상시키는데, 이 현관은 세를리오의 개구부 즉 '세를리아나' 형식(도판 105 참조)으로

170. 팔라초 그리마니의 일층 평면. 삼렬구성과 C자형 평면이라는 베네치아 전통을 비교적 충실히 따르고 있다.

169. 팔라초 그리마니. 수평·수직 부재가 어우러져 역동적이고 강력한 인상을 준다. (p.220)

만들었다. 이 건물에서는 베네치아의 전통적인 삼분할 구성이 고전주의 기법에 의해서 새롭게 번안되었으며, 특히 이삼층에 형성된 주층의 입면을 통해 이를 구현했다. 반원 아치로 이루어진 창(A)과 분할된 장방형의 창(B)을 반복적으로 배열하여 'ABABA'라는 경쾌한 리듬을 부여했고, 동시에 중앙 홀에 대응한 'BAB'의 구성 또한 '세를리아나'의 대담한 변형이다. 이 건물의 평면구성은 베네치아의 전통을 비교적 충실히 따르고 있다. 건물의 중심에서 축을 이루는 긴 홀이 자리한 삼렬구성을 따르고 있으며, 그 측면에는 작은 중정이 있어서 전통적인 C자형 평면에 가깝게 구성되었다.(도판 170)[43]

바로크 양식의 팔라초

걸출한 르네상스 건축가였던 산소비노와 팔라디오는 각각 1570년과 1580년에 생을 마감했다. 팔라디오는 베네치아에 주택 작품을 남기지 않았지만, 공화국의 내륙 영토였던 베네토(Veneto) 지방에는 수십 채의 빌라를 남겼다. 산소비노는 베네치아에서 주로 공공건축물의 계획에 종사한 반면, 팔라디오는 주로 교회와 수도원 같은 종교건축에 관여했다. 따라서 이 두 사람의 작업은 상호보완적이었다고 할 수 있다.

그들은 베네치아의 곳곳에 걸출한 작품들을 남겨 도시에 새로운 시각적 영감을 불어넣었다. 또한 이 두 건축가가 남긴 건축적 사고는 도시의 요소요소

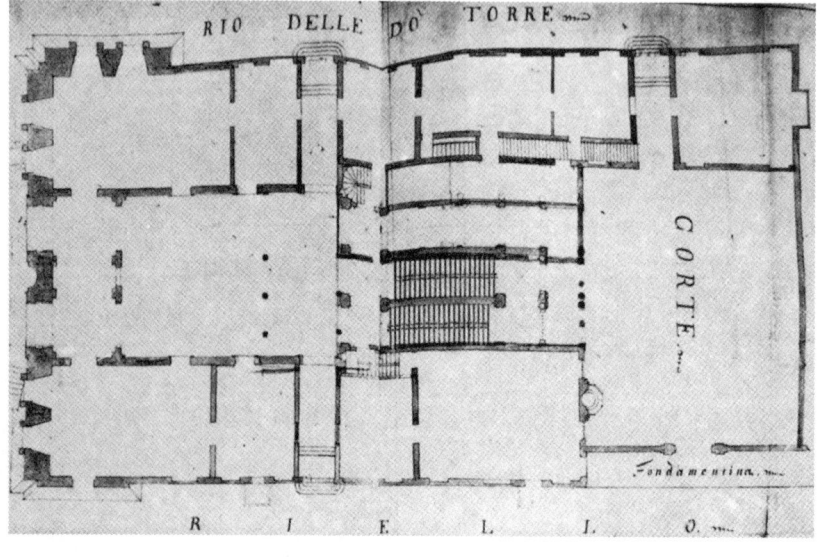

171. 코레르 박물관에서 소장하고 있는 팔라초 페사로의 평면도. 후면에 큰 연회실을 두고 현관과 바로 연결되는 계단이 있는 점이 독특하다.

172. 팔라초 페사로. 일층 외관에 적용된 다이아몬드 형상의 거친돌쌓기가 독특한 분위기를 연출한다.(p.223)

에 스며들었고, 소규모 건축업자들에 이르기까지 영향을 주었다. 이후 여러 재능있는 젊은 건축가들이 이 두 사람의 사고를 바탕으로 좀더 화려하고 현란한 양식의 개발에 주력한 결과, 베네치아는 바로크 시대로 진입하게 되었다.

베네치아에서 활약한 바로크 시대의 건축가로는 스카모치와 사르디(Giuseppe Sardi), 롱게나 등이 있었다. 이 중에서 롱게나만이 팔라초 건축에 관여했는데, 그는 대운하 주변에 팔라초 페사로(Palazzo Pesaro)와 팔라초 레초니코(Palazzo Rezzonico)라는 두 채의 걸출한 팔라초를 남겼다.(도판 172, 173) 이 두 건물은 모두 그의 생애 말기에 작업이 시작되어 그가 죽은 지 오랜 세월이 지난 후에야 완성되었다. 두 건물 모두 일반 주택의 규모를 넘어 대운하를 압도하는 모습으로 자리하고 있다. 이 건물들이 들어섬으로써 베네치아에서 팔라초 건축은 그 정점에 도달했으며, 동시에 완성을 보았다고 할 수 있다. 물론 이후에도 팔라초 건축은 계속되었지만, 그 평면과 외관은 이때까지 지속해 오던 형식에서 모두 크게 벗어나지 않았다.

팔라초 페사로는 1652년에 짓기 시작해서 롱게나가 죽은 후에 다른 건축가에 의해서 완성되었다. 당시만 해도 베네치아에는 대규모의 팔라초를 신축할 재력을 가진 귀족이 별로 없었으며, 페사로 가문도 재정적으로 부침을 거듭하면서 이 건물을 완성하는 데 상당한 시간이 걸렸다. 또한 재정적인 이유에서 이 건물은 원래 있던 건물 세 채의 기초를 다시 사용했다.

이 건물의 초기 스케치가 지금 코레르 박물관에 남아 있는데, 그것을 보면 원래 계획은 이층이었고, 삼층은 전면에 벽만 있는 모습으로 계획되어 있다. 평면은 베네치아의 전통적인 삼렬구성으로 지었으며 르네상스 시대의 팔라초와 큰 차이가 없다. 다만 이층 후면에 거대한 연회실을 두었고, 후면의 현관과 바로 연결되는 거대한 계단을 통해 그곳으로 도달하게 한 점이 조금 다르다.(도판 171)

건축가는 건물의 평면보다는 파사드를 혁신적으로 설계했다. 이 건물의 파

174. 팔라초 레초니코의 평면. 전통적인 삼렬구성으로, 중정과 연회실을 두었다.

173. 팔라초 레초니코. 섬세하고 정교한 조각적 효과가 돋보이는 바로크 양식의 건물이다.(p.224)

사드는 산소비노가 계획한 팔라초 코르네르(도판 167 참조)의 외관을 바탕으로 했다. 그러나 롱게나의 외관 장식은 훨씬 풍부한 질감을 표현했고, 밝음과 어두움의 강력한 대비를 추구했다. 또한 일층에 적용한 뾰족하게 돌출된 다이아몬드 형상의 거친돌쌓기는 매우 독특한 느낌을 준다. 이 팔라초는 롱게나의 건축물 중에서 가장 특이하고 기념비적인 작품으로 평가받고 있다.

팔라초 레초니코는 1667년에 본(Bon) 가문을 위해서 계획했는데, 1712년에 레초니코 가문이 이 건물을 구입한 후에 지금의 이름을 붙였다. 당시에는 이 건물의 일부만 완성되어 있었고, 1752년에 와서야 건축가 마사리(Giorgio Massari)가 지금의 모습으로 완성시켰다.(도판 173)

건물의 평면은 팔라초 페사로와 마찬가지로 베네치아의 전통적인 삼렬구성으로 지었으며, 다만 중앙 홀의 후면에 중정을 배치한 것이 특이한 점이다.(도판 174) 또한 팔라초 페사로에서와 같이 이층 후면에 대규모의 연회실을 두었고, 이곳으로 통하는 거대한 계단을 설치했다. 롱게나는 이 건물의 파사드를 디자인하면서 역시 산소비노의 팔라초 코르네르를 모델로 했다. 이 건물의 파사드는 여러 가지 측면에서 팔라초 페사로와 유사하지만, 음영의 대비나 조각적 효과, 거친돌쌓기의 질감 등이 앞의 건물보다 좀더 차분하고 논리적이다. 이러한 점에서 이 건물은 르네상스적인 분위기를 띠는 바로크 건물로 평가받는다.

제7장

중산층 및 서민층 주택의 존재방식

중산층과 서민층 주거문화의 독자성

지금까지 대운하에 면해 있는 상류귀족 계층 팔라초의 변화 과정을 살펴보았다. 귀족 계층의 팔라초는 비잔틴에서 고딕을 거쳐 르네상스와 바로크 시대까지 베네치아의 건축문화에서 중요한 위치를 차지했으며, 도시의 주거문화를 이끌어 가는 원동력이었다. 이러한 상류귀족 계층의 팔라초는 중산층과 서민층의 주거문화에 직접적인 영향을 주었다.

   베네치아에서 중산층의 주류를 이루었던 사람들은 '치타디노(cittadino)' 즉 '시민'으로서, 사회적인 위계에서 귀족과 서민 사이에 존재하는 계층이었나. 이들은 물론 귀족은 아니었지만 취향과 욕구는 귀족의 수준을 지향했다. 경제적인 측면에서만 본다면 베네치아의 중산층은 여러 부류로 나뉘었다. '시민' 중에서도 귀족에 못지 않은 부자가 있었고, 부자가 되지 못한 귀족도 있었으며, 서민에 가까운 중산층도 있었다. 따라서 이들을 중산층이라고 적당히 분류할 수도 있겠지만, 위로는 소귀족부터 아래로는 하층 중산계급에 이르기까지 상당히 다양한 부류의 사람들이 여기에 속했다. 이렇게 다양한 부류의 중산층은 베네치아 곳곳에 거주하면서 나름대로 독특한 주거문화를 형성했다. 따라서 이들의 주택 또한 우리에게 중요한 연구과제가 된다.

한편 토지가 극도로 부족하여 과밀한 환경을 유지할 수밖에 없었던 베네치아에서 인구의 대다수를 이루었던 서민층은 도시 속에서 어떻게 그들의 삶의 터전을 마련했을까. 베네치아 인구의 구십 퍼센트 정도를 점했던 '포폴라노(popolano)' 즉 서민층은 상류층이나 중산층이 누렸던 주거문화를 향유할 수는 없었다. 그럼에도 불구하고 베네치아의 서민들은 그들만의 독특한 주거문화를 형성했다.

이는 단위주택의 공간구성과 그것이 모여서 이루어진 집합적인 주거환경에서 발견할 수 있다. 베네치아의 서민층이 이루었던 주거환경은 이탈리아의 어느 도시와 비교해도 유사한 사례를 찾기가 어렵다. 그리고 베네치아 주거문화의 독자성은 많은 부분이 서민층의 주거문화와 관련된다고 해도 과언이 아니다. 따라서 이들의 주거환경은 상류귀족 계층의 팔라초보다 더욱 중요한 연구과제라 생각한다.

베네치아에서 보통 사람들이 거주하던 주택의 규모와 이들이 도시에 존재하는 방식은 어떠했을까. 베네치아의 주택은 계층에 따라 규모의 차이가 상당했다. 대운하에 면한 팔라초들은 대부분 그 규모가 엄청났고, 섬 내부의 광장에 면한 상류층의 팔라초 또한 규모가 만만치 않았다. 반면, 도시의 한 구석에 간신히 자리잡은 서민층의 주택은 상류층 주택에 비해 턱없이 작았다. 이러한 계층간 주택의 규모 차이에도 불구하고 대부분의 주거지역에는 각 계층의 주택들이 서로 섞여 있었다.

고딕 시대부터 도시의 변두리에 신흥 주거지가 들어서면서 이러한 양상이 어느 정도 변화했지만, 주거지역 내에서 계층의 혼재현상은 도시의 형성기 이래로 지속되었다. 이미 언급한 대로, 베네치아는 광장을 중심으로 한 구심적 조직을 가진 많은 섬들이 모여 하나의 도시를 이룬 매우 특이한 구조로 형성되었다. 따라서 각각의 섬들은 독립성이 강한 복합적인 커뮤니티를 형성했고, 그 속에 귀족부터 서민에 이르는 여러 계층이 서로 섞여서 거주하면서 자족적인 '도시 마을(urban village)'을 형성했다.

베네치아의 한 주거지역을 골라서 그 구체적인 모습을 살펴보자. 도판 175는 마레토가 산 안촐로 광장의 주변을 조사하여 그린 연속평면도이다. 이곳에는 920년에 창설된 교구 교회(19세기에 붕괴되었음)를 중심으로 광장을 형성했는데, 중앙에 있는 교회를 광장이 네 방향으로 둘러싼 전형적인 구성을 보여준다. 광장 주변을 살펴보면, 우선 눈에 띄는 건물들은 광장에 면해

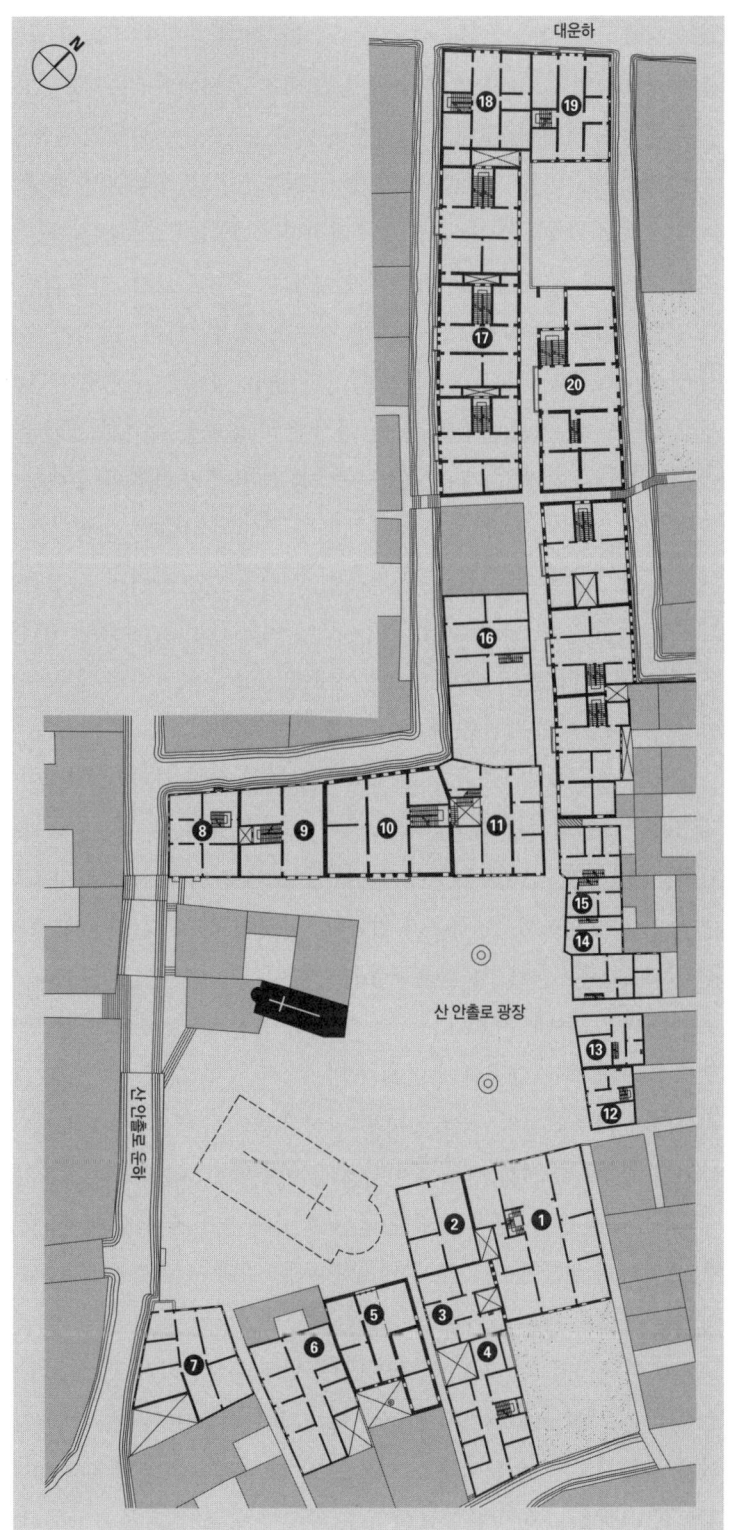

175. 산 안촐로 광장과 그 주변지역의 연속평면도. 마레토가 조사하여 작성한 도판을 바탕으로 다시 작도한 것이다.

제7장 중산층 및 서민층 주택의 존재방식 229

있는 상류층의 주택들이다. ①, ⑤, ⑦, ⑩, ⑪의 주택이 비교적 규모가 큰 상류층 주택들인데, 그 중에서 주택 ⑤는 비잔틴 시대에 지은 것이고, 주택 ⑩은 르네상스 시대에, 그리고 나머지 주택들은 고딕 시대에 지은 것들이다. 반면 주택 ②, ③은 광장에 면해 있거나 다른 주택의 바로 후면에 위치해 있으며 비교적 소박한 규모의 중산층 주택이다. 그리고 주택 ④는 작은 운하에 면해 있고, 주택 ⑥은 광장의 바로 후면에 있는 주택으로서, 전형적인 소귀족들의 주택들이다. 두 주택 모두 L자형 평면으로 지었으며, 14세기 후반에 들어선 것으로 보인다. 주택 ⑧, ⑨는 광장과 운하 사이에 난 도로에 면해 있는 중산층 주택이다. 이러한 점을 통해, 광장에 바로 면한 중요한 곳에는 상류층의 대규모 주택들이 있고 후면 또는 구석진 측면에 중산층의 주택들이 들어서 있음을 알 수 있다. 이는 베네치아의 광장 주변에 나타난 일반적인 모습이다.

한편 광장의 북쪽 지역을 보면 상당히 이질적인 조직이 자리잡은 특이한 양상을 볼 수 있다. 광장의 동쪽이나 서쪽에는 중규모 이상의 주택들이 연이어 있는 데 반해서, 이곳에는 고딕 시대에 건설된 서민층의 작은 주택들이 들어서 있으며, 이 주택들은 모두 상점 겸용 주택이다.

베네치아에서 서민층 주택은 보통 광장에서 훨씬 떨어진 후면의 구석진 곳에 있지만, 여기서는 특이하게도 광장에 면한 요지에 서민주택이 자리잡고 있다. 베네치아의 몇몇 캄포에서는 아주 오래 전에 형성된 도시조직이 그 주변에 그대로 남아 있는 경우가 있는데, 이곳이 바로 그런 사례 중의 하나다. 주택 ⑫, ⑬은 소규모의 삼렬구성 주택이며, 두 채가 서로 밀착해 일체를 이루고 있다. 그런데 주택 ⑫는 광장에 직접 면한 반면, 주택 ⑬은 방향을 구십도로 틀어서 좁은 상점가에 면해 있다. 이 두 주택의 파사드를 보면, 서로 연속하면서 좌우대칭의 구성을 이루어 상류층의 주택과 흡사해 보인다.(도판 176) 주택 ⑭, ⑮ 또한 서로 붙어서 쌍을 이루었고, 이열구성으로 지었다. ⑫–⑮의 주택은 모두 광장을 향해 열린 동시에 후면의 채광과 환기를 위해 이웃 주택과의 관계를 세심하게 배려했는데, 주택 사이에 작은 외부공간을 배열하는 수법이 매우 흥미롭다.

이렇게 베네치아의 서민주택은 그 성격과 존재방식이 특이하기 때문에 매우 흥미로운 연구대상이다. 그러나 베네치아의 중산층이나 서민층의 생활공간을 자세히 다룬 논문이나 서적은 그리 많지 않다. 그 이유는 그 동안 베네치아의 건축을 연구한 사람들의 주요 관심사가 교회 등 종교건축이나 팔라초

176. 산 안촐로 광장에 면해 있는 서민주택의 외관. 도판 175의 주택 ⑫, ⑬에 해당한다.

같은 대형 건축물에 치중되어 왔기 때문이다.

1980년대 이전까지, 보통 사람들의 주택을 다룬 서적은 베네치아 건축대학의 교수였던 트린카나토(Egle Trincanato)가 1948년에 출간한 『베네치아의 일반주택(*Venetia Minore*)』이라는 얇은 책자가 유일했다.[44] 그런데 최근 베네치아의 중산층 및 서민층 주택에 대한 연구가 비교적 활발하게 진행되고 있다. 이탈리아를 중심으로 진행되는 이러한 연구들은 특히 베네치아의 시민주택들이 지닌 특이한 존재방식에 주목하고 있다. 이는 다른 나라의 학자들에게도 자극을 주어, 최근에는 영국, 일본 등에서도 베네치아의 서민주택에 대한 연구결과가 나오고 있다.[45]

베네치아 소귀족 및 중산층의 주택

베네치아의 중산층 주택은 상류층의 팔라초와 마찬가지로 오랜 세월 동안 모습을 달리하면서 건설되었다. 따라서 어느 하나의 특정한 형식을 가졌다고 할 수는 없으며, 앞에서 설명한 비잔틴 시대부터 르네상스 시대에 이르는 주거형식의 변화 과정이 중산층의 주택에도 그대로 적용되었다. 중산층의 주택은 특정한 장소에 구애받지 않고 그리 후미진 곳이 아니라면 어디에나 세울 수 있었다.

일반적으로 중산층의 주택은 상류층의 주택을 축소해 놓은 것이라고 설명하면 정확할 것이다. 이것은 내부 공간구성과 외관 모두에 해당한다. 대다수의 중산층 주택은 삼렬구성의 평면이면서 외부는 중앙을 강조한 삼분할 구성으로 지었다. 하나의 분명한 차이가 있다면, 그것은 건물의 층수에서 발견할 수 있다. 고딕 시대 후반부에 이르기까지 중산층 주택은 이층 정도에 불과했는데, 16세기 이후 도시의 밀도가 급격히 상승하면서 삼층 전후로 높이가 올라갔다. 상류층의 팔라초가 비잔틴 시대 후기부터 삼층을 기준으로 건설된 것과 비교하면 차이가 있다. 그리고 건물 외관의 장식이나 디테일의 정교함 등이 상류층의 주택에 비해서 소박하게 적용된 점에도 차이가 있다.

177. 카나레조 운하에 면해 나란히 들어선 이열구성 주택들. 도판 178의 연속평면도에서 묘사한 주택들이다.

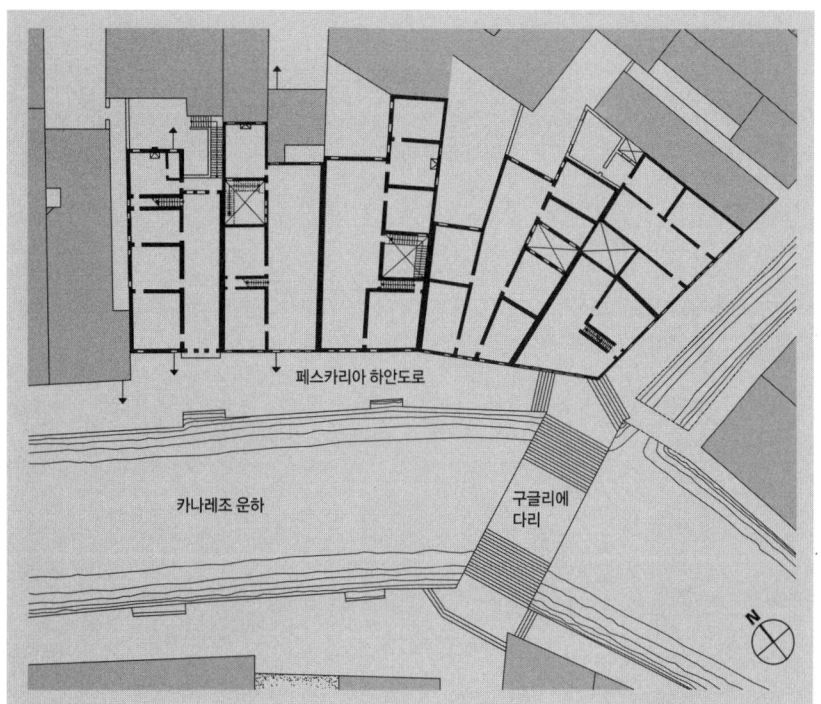

178. 카나레조 운하와 구글리에 다리(Ponte delle Guglie)가 만나는 지역의 연속평면도. 운하에 면해 이열구성 주택이 나란히 자리하고 있다.

중산층의 주택이 기본적으로 상류층의 팔라초를 닮으려 했다는 사실은 어느 정도 이해할 수 있다. 그런데 중산층의 주택들은 대지가 충분히 넓지 않은 경우가 많았는데, 이때는 팔라초의 공간구성을 따를 수 없었다. 대지의 폭이 어느 정도 넓으면 길이가 충분하지 않더라도 삼렬구성으로 지을 수 있었지만, 그 반대일 때는 불가능했다.

결국 이런 경우에는 좁은 삼렬구성 대신에 이열구성으로 짓게 된다. 그리하여 한쪽은 앞뒤를 관통하는 홀이 되고 다른 한쪽은 부수적 공간으로 구성된다. 이런 건물의 파사드는 삼렬구성의 건물과 다를 수밖에 없는데, 한쪽은 연속 아치가 있는 개방적인 구성을 가진 반면 다른 한쪽은 넓은 벽면에 작은 창이 있는 구성이 되는 것이다. 이런 이열구성의 주택은 후기 비잔틴 시대부터 등장하여 고딕 시대에는 광범위하게 보급되었다.

도판 177과 178은 고딕 시대 초기에 카나레조 운하(Canale di Cannaregio)를 따라 이열구성으로 지은 중규모 주택들의 외관과 평면을 보여준다. 대운하에서 갈라져 나온 카나레조 운하의 주변지역은 고딕 시대에 새로이 개발된 지역으로서, 대운하에 면해 주택을 지을 여력이 없었던 소귀족과 중산층이 모여서 거주했다. 물론 카나레조 운하의 후면에 넓게 형성된 주거지역에는

제7장 중산층 및 서민층 주택의 존재방식 233

179. 15세기에 건축된 소귀족의 주택. 카나레조 운하에 면해 있는 팔라초 테스타이며, 도판 91이 이 주택의 평면도이다.

서민층이 집단적으로 거주했는데, 이에 대해서는 후에 언급하기로 한다.

베네치아에서 중산층 주택의 모습은 구체적으로 어떠했을까. 몇 군데 사례를 통해서 간략히 살펴보기로 하자. 이 책 제5장의 도판 128에서 소개했던 주택은 산타 마르게리타 광장에 면해 있는 중산층 주택인데, 14세기말에서 15세기초에 지은 것으로 추정한다. 이 주택은 도판 127에서 Ⓐ로 표기한 주택으로, 카사 포스콜로-코르네르라고 불린다. 이 건물은 광장에 면해 있는 전형적인 상점 겸용 주택으로서, 소박한 구성을 가지면서 수평성을 강조한 것이 특징이다. 일층에는 상점과 작업장이 있고, 층고가 높은 이층에는 생활공간이 있는데 이곳이 주택의 주층이다. 외관을 보면 삼렬구성을 가진 것으로 유추할 수 있으며 중앙에 연속 아치로 이루어진 창과 발코니가 부착되어 있다.

도판 179는 고딕 시대 후기인 15세기에 건설된 소귀족의 주택이다. 카나레조 운하에 면해서 자리잡은 이 건물은 대운하 주변에 있는 귀족 계층의 저택과 비교하면 단아하고 간결한 외관을 갖추었다. 내부는 전형적인 C자형 평

면의 삼렬구성이며(이 주택의 평면도는 제4장의 도판 91을 참조), 일층과 이층은 층고가 낮고 내부도 간소한 반면 주층인 삼층은 층고가 높고 개구부도 개방적으로 구성했다. 삼층 중앙부를 연속 아치로 장식하여 좌우대칭의 구성을 강하게 표출한 이 건물은 르네상스적인 풍모를 보여준다.

도판 180은 트린카나토의 책에 실린 주택인데, 바로크 양식의 파사드를 지닌 소규모의 팔라초이다. 우아하게 꾸민 중산층의 주택으로서, 삼층에 있는 주층이 특히 개방적으로 구성되어 있다. 이열구성의 이 주택은 운하와 육지 쪽에서 모두 진입이 가능했다.

도판 181 역시 트린카나토가 조사한 주택으로서, 18세기에 건설된 것이다. 전반적으로 단정하고 소박한 주택이지만 주요한 부분에는 우아한 장식을 적용해 강조하고 있다. 내부공간은 이열구성을 따랐고, 네 개의 아치로 연속된 창이 홀의 전면에 부착되어 있다. 수평으로 이어진 삼층의 입면은 고전 건축의 풍모를 나타낸다. 이 주택 역시 비록 규모는 작지만 동시대의 귀족주택과 공통적인 특성을 지니고 있다.

베네치아에 인구가 집중되는 14세기 이후에는 중산층 주택도 집합의 형태를 취한 경우가 많았다. 현재 도시 곳곳에서 중산층을 위한 집합주택의 흔적을 찾을 수 있는데, 가장 적절한 사례는 역시 앞에서 살펴본 산 안촐로 광장의 주변에서 찾아볼 수 있다. 도판 175에서, 광장에서 대운하 쪽을 향해 있는 좁은 도로 주변을 보면 모습이 서로 비슷한 주택들이 나란히 자리하고 있다.

180-181. 트린카나토가 스케치한 바로크 양식의 소규모 팔라초(왼쪽)와 18세기의 소규모 팔라초(오른쪽).

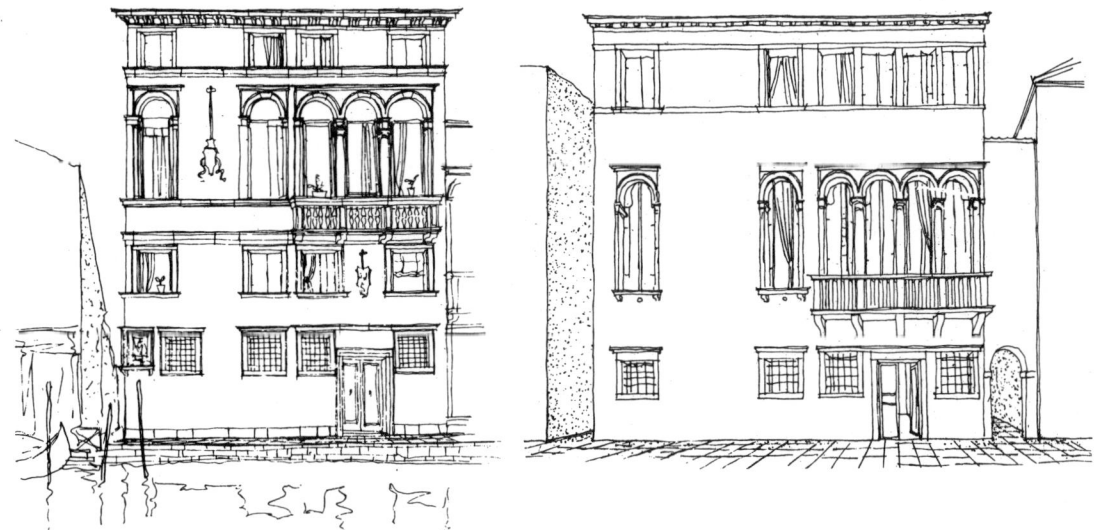

182. 이중나선형 계단이 있는, 중산층의 두 세대용 집합주택의 입면과 단면. 이러한 집합화를 통해 건물의 외관은 상류층 팔라초와 같은 모습을 가질 수 있었다.

이곳의 주택들은 대부분 르네상스 시대에 건축된 것으로서, 중산층의 주택들이다.

이 주택들을 자세히 보면, 그 중 일부는 한 세대가 전용으로 사용한 것이 아니라 두 세대가 사용한 일종의 집합주택임을 알 수 있다. 우선 주택 ⑰을 중심으로 그 좌우에 있는 두 주택이 모두 이러한 사례에 해당하며, 입면을 보면 이 주택들이 오층으로 이루진 것을 알 수 있다.(도판 182) 삼사층은 층고가 높은 반면 이층과 오층은 낮고, 일층은 그 중간쯤 된다. 이 주택은 이층과 사층을 한 가족이, 그리고 삼층과 오층을 다른 한 가족이 사용했고, 일층은 입구와 창고 등으로 공유했다. 이후 자세히 설명하겠지만, 이러한 공간배열이 가능했던 것은 이중나선형 계단을 사용했기 때문이었다. 도시에 인구집중이 심화된 16세기 이후에 베네치아에서는 일반적으로 한 주택을 두 세대가 공유했는데, 이를 위해 베네치아인들은 '레오나르도(Leonardo) 계단'이라는 이중나선형 계단을 고안했다.(도판 212 참조) 이 주택들은 비록 집합주택이지만 외관은 상류층의 팔라초와 같은 모습이었으므로, 이곳에 사는 사람들은 마치 팔라초에 사는 것과 같은 기분이 들었을 것이다.

베네치아 서민주택의 공간구성

서민층의 소규모 주택에는 당연히 삼렬구성보다는 이열구성의 원리가 도입되었다. 고딕 시대의 소규모 팔라초에 이열구성이 보급된 것과 때를 같이하여 서민주택에도 이열구성의 유형을 확립했던 것이다. 도판 183에 나타난 선형의 집합주택은 이열구성으로 지은 서민주택의 사례를 보여준다. 이 주택은 14세기 즉 고딕 시대 초기에 산타 소피아(Santa Sofia) 지구에 형성된 일종

의 집합주택으로서, '스키에라(schiera)'라는 세장형 주택의 형상을 띠고 있다.[46]

산타 소피아 지구를 그린 도판 198에서 Ⓐ로 표기한 부분이 이 집합주택이다. 운하와 직각을 이루는 골목을 따라서 연속적으로 자리한 이 집합주택은 고딕 시대에 만들어진 베네치아 특유의 서민 집합주택이다. 서민주택은 운하와 바로 접해 있는 곳에 자리할 수 없었기 때문에 이곳처럼 운하에서 안쪽으로 들어간 후미진 골목에 들어섰다.

이 지구에서도 운하에 바로 면한 곳에는 중산층의 중규모 주택이 자리하고 있었다. 각 주택으로의 진입은 칼레 즉 골목에서 직접 이루어졌다. 이 집합주택에서 각 단위주택은 삼층 규모였는데, 일층의 왼쪽 절반은 상점 또는 작업장, 창고 등으로 사용했고 오른쪽 절반은 출입구와 헛간 등으로 사용했다. 그리고 이층의 오른쪽에는 홀이, 왼쪽에는 부엌과 식당 등이 자리했다. 이층이 주로 낮에 사용하는 공간이라면, 다락방 형식의 삼층은 침실과 같이 밤에 사용하는 공간이었다. 입면을 보면 이층에 있는 홀은 연속 아치로 창을 형성했

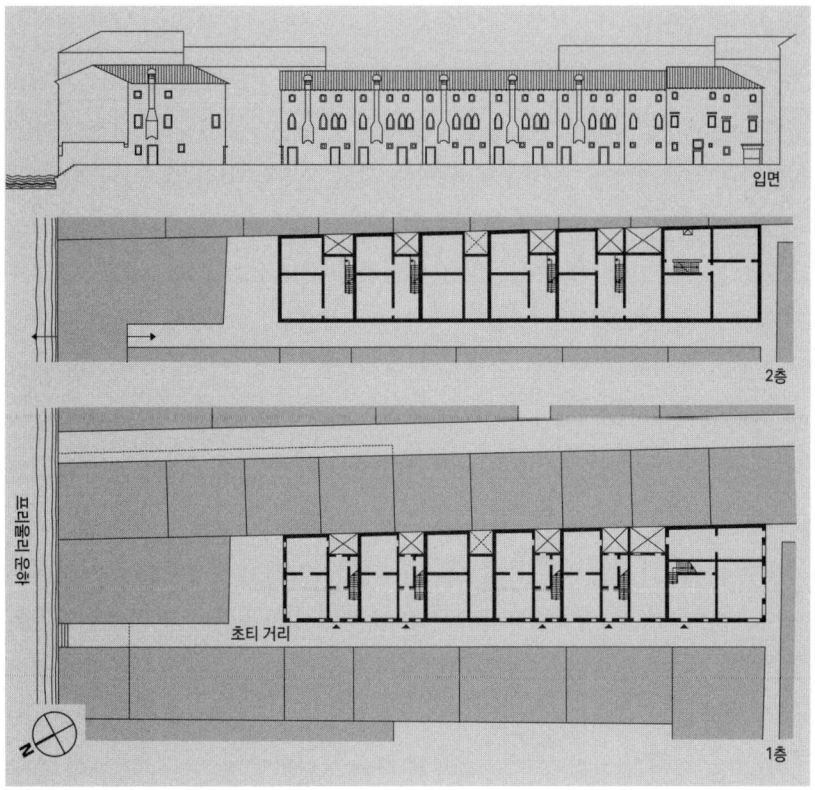

183. 산타 소피아 지구에 위치한 서민용 집합주택의 평면과 입면. 14세기 고딕 시대 초기에 지어진 것으로, 이열구성의 스키에라형 주택이다.

제7장 중산층 및 서민층 주택의 존재방식 237

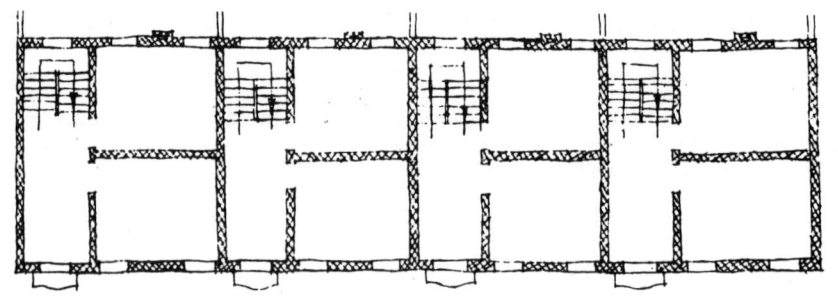

184. 트린카나토가 스케치한, 카스텔로구에 있는 네 가구용의 소규모 서민 집합주택. 계단을 홀 뒤편에 두어 생활공간을 여유롭게 사용할 수 있었다.

으며 상류층 주택에서처럼 형식적인 엄격성은 없지만 기본적으로는 상류층 주택과 유사했다. 그리고 굴뚝이 외부로 돌출되어 외관상 악센트를 연출하고 있다.

서민주택의 공간구조는 상류층 주택과 유사하지만 다른 점도 분명히 있었다. 주거지 내부의 좁은 길에 면해 있는 서민주택은 상류층 주택들처럼 운하와 육지 모두에 면한 양극구조를 가지지 않는다. 도시의 한 구석에 간신히 자리한 서민주택의 경우, 양극구조를 허용하는 대지 위에 위치하기가 어려울 뿐만 아니라 그들의 생활에서도 양극구조를 가질 필요가 없었다. 따라서 홀은 건물의 뒤편에 이르기까지 길게 자리하지 않았고, 뒤쪽에는 보통 계단을 두었다.

도판 183에 나타난 주택의 경우는 이런 상황에서 후면에 작은 코르테를 설치하여 채광과 통풍을 원활하게 했다. C자형 평면을 취한 중·상류층 주택에서는 주택의 측면에 있는 코르테에 계단을 설치했지만, 서민주택에서는 계단을 홀의 뒤편에 두어 부엌 등 생활공간을 더욱 여유있게 사용할 수 있도록 했다. 또한 르네상스 시대로 접어들면서 계단실을 더욱 명확하게 구분하여 주택의 후면부에 독립된 공간으로 배치했다. 트린카나토가 조사한 도판 184의 주택이 이러한 사례에 해당한다. 카스텔로구에 자리한 네 가족용의 이 서민 집합주택에서는 계단실을 홀의 후면에 놓아 공간의 효율성을 증대시켰다.

그런데 여기서 하나의 의문이 생긴다. 베네치아에서 서민주택의 이열구성은 비잔틴 시대 이래로 상류층과 중산층 주택에서 사용되던 공간구성에서 유래했다고 하지만, 이것이 서민주택에까지 일반화했다는 사실은 쉽게 수긍이 가지 않는다.

이탈리아에서 발견할 수 있는 서민주택의 보편적인 형식은 피렌체의 경우처럼 일실형(一室型) 주거가 수평·수직으로 성장해서 세장형의 공간을 형성하는 것이다.(도판 185) 그러나 이것과 비교해 보면 베네치아의 주택은 매우 특이하다고 할 수 있다. 어느 도시보다도 토지를 효율적으로 이용해야만 했던 베네치아에서 서민주택에까지 이열구성을 갖추었다는 것은 이상한 일이 아닐 수 없다. 이것은 결국 베네치아가 지닌 특유의 도시구조를 통해서 설명한다면 어느 정도 이해할 수 있다.

베네치아에서는 도시가 형성되던 초기부터 사적 공터를 되도록 억제한 반면 공공장소를 적극적으로 만드는 것을 일종의 원칙으로 했다. 따라서 운하나 도로 또는 광장에 면한 귀족의 팔라초에서는 코르테를 주택 내부에 수용했고, 결국 C자형 평면을 확립하면서 건물과 부지가 완전히 일체화한 도시주택의 이상을 실현시켰다. 서민주택들은 부지 내에 외부공간을 둘 수 없었기 때문에 특별한 경우를 제외하면 주택에 접해 있는 외부공간은 오로지 길뿐이었다. 따라서 여기서도 '부지=건물'이라는 등식이 완전히 성립했으며, 서민들은 인접한 길이나 소광장 등에서 외부생활을 영위했다.

또한 베네치아의 도시구조는 그 특성상 다른 도시들처럼 네 면이 도로로 둘러싸이고 내부에 공터가 있는 블록형의 주거지를 구성하기가 불가능했기 때문에, 결국 좁은 도로인 칼레에 면해서 서민주택이 들어서는 양상으로 일반화했다. 그러나 이때 문제는 칼레와 칼레 사이의 간격이 촘촘했다는 점이다. 두 칼레 사이에 형성된 좁고 긴 주거 블록이 분할되어 서민주택들이 자리했는데, 길 사이의 좁은 간격으로 인해 주택은 뒤로 확장해서 규모를 늘릴 여

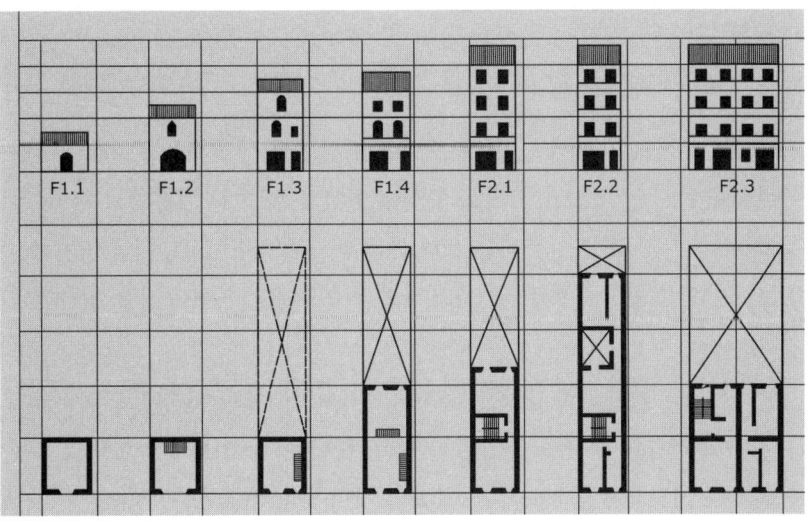

185. 피렌체에서 일반화한 스키에라형 주택의 공간구성. 중세 초기의 일실형 구성에서 점점 확장하여 집합주택으로 변화하는 과정을 보여주는데, 베네치아 주택의 공간구성과 많은 차이가 있다.

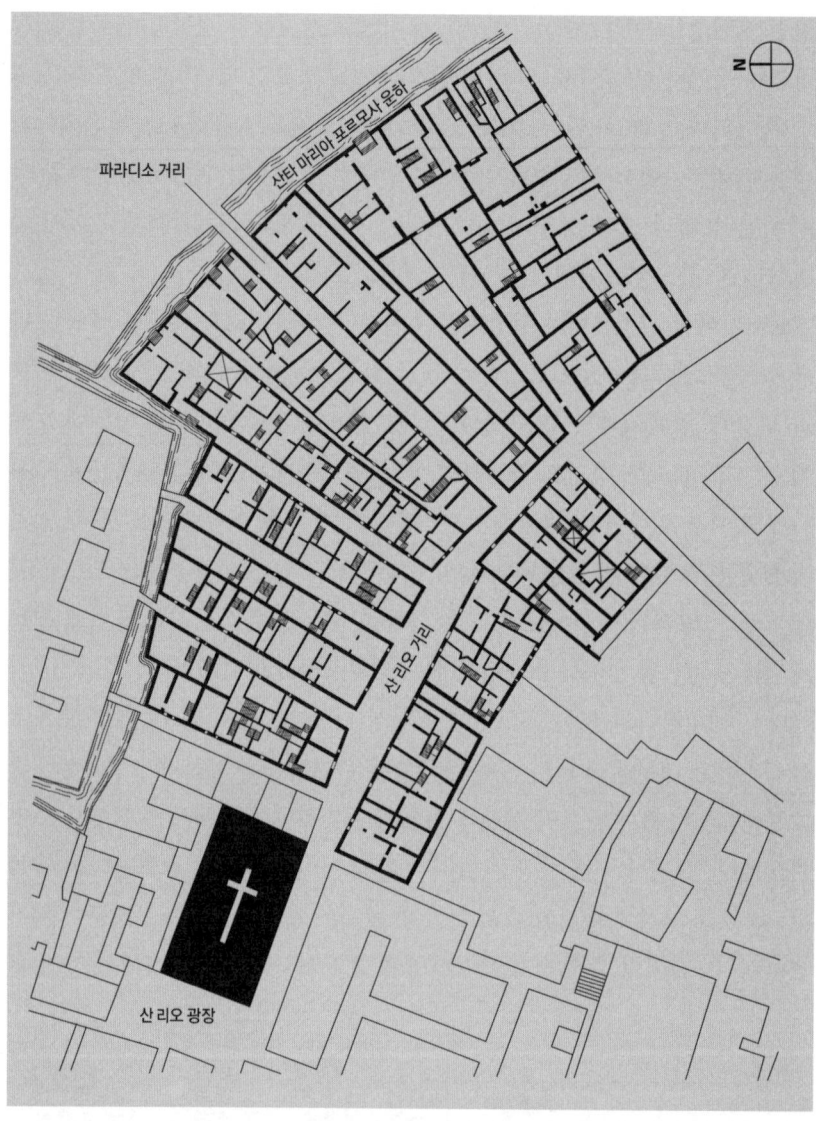

186. 산 리오 광장(Campo San Lio)의 동쪽 지구로서, 서민주거지역의 전형적인 공간구조를 보여준다. 운하로 통하는 칼레가 좁은 간격으로 나 있고, 그 주변에 서민주택들이 밀집해 있다.

지가 없었다.(도판 186) 결국 각 주택은 뒤쪽으로 성장해 가는 형식보다는 폭에 여유를 두는 형식으로 지을 수밖에 없었다. 이러한 이유에서 베네치아는 다른 이탈리아의 도시들과는 전혀 다른 주거형식과 집합방식을 가지게 되었고, 또한 이러한 배경에서 베네치아의 서민주거는 이열구성을 취하게 된 것이다.

이러한 공간구성으로 형성된 베네치아의 서민주택은 위치와 개발된 규모에 따라서 크게 두 종류로 구분할 수 있다. 하나는, 두세 채에서 대여섯 채 단위로 지은 서민주택인데, 이것은 주로 도시의 중심부에 자리한다. 이런 주택들은 대부분 상류층 주택의 측면이나 광장 후면의 구석진 자투리땅 등에 지어서, 그 모습이 잘 드러나 있지 않고 도시의 이곳저곳에 마치 숨어 있는 모습으로 자리잡고 있다. 이 주택들은 보통 귀족들이 지어서 그들이 고용한 사람들을 위해 임대한 것이 대다수이며, 소규모 개발업자가 임대를 목적으로 지은 것도 있다. 이러한 소규모 주택들은 멀리는 비잔틴 시대부터 짓기 시작했지만 요사이에 대부분 없어져 그 사례를 찾기가 힘들다.

다른 하나는, 십여 채가 넘는 집합 형상의 주택으로서 주로 교회 등 구빈기관에서 지은 것들이며, 정부나 신용조합에서 지은 것도 있다. 이런 주택들은 도심부에 자리한 경우가 드물고, 주로 16세기 이후에 변두리의 신흥 개발지에 많이 들어섰다. 그리고 아르세날레 주변에는 오래 전부터 서민들이 밀집해서 거주했기 때문에 이곳에도 이러한 집합주택이 많이 자리잡고 있다. 이런 집합주택들은 보통 길을 사이에 두고 마주한 형식으로 건설되었으며, 우물이 있는 코르테를 중심으로 배열된 경우도 있다. 여기서는 이 두 종류의 주거형식을 통해 서민주택의 존재방식을 살펴볼 것이다.

도심의 서민주택 1: 코르테 또는 칼레 코르테를 중심으로 하는 주거복합체

베네치아에 형성된 서민주택의 근원적인 형식은 도심에 있는 주거복합체의 한 부분을 점하는 것이었다. 교구 중심의 커뮤니티를 형성한 9-11세기를 지나면서 12세기경에는 리알토와 산 마르코를 잇는 도시의 중심부에 새로운 주거지역이 형성되었다. 이곳은 귀족들이 대운하 주변으로 옮겨 가기 전에는 베네치아 최고의 주거지였고, 귀족들과 그들에게 봉사하는 서민들이 섞여서 거주하고 있었다. 그 대표적인 사례가 산티 조반니 에 파올로 지구이다.(도판 77 참조)

이곳에는 동서로 흐르는 운하에 면해서 여러 덩어리의 도시조직들이 연이어 자리하고 있다. 이 도시조직들은 두 종류로 구분할 수 있는데, 첫째가 중정을 중심으로 한 주거복합체이다. 이러한 주거형식에 대해서는 이미 설명한 바 있으며, 그 대표적인 사례가 코르테 보테라였다.(도판 78, 79 참조, 도판 77의 Ⓐ) 운하를 향해 있는 凹자형의 이 건물은 중앙에 중정이 있고 그 주변으로 여러 가족이 거처하는 공간이 그것을 둘러싼 집합적 주거형식으로 건설되었다. 중정에는 우물을 설치하여 쾌적하고 독립성이 강한 생활환경의

중심이 되게 했다.

더욱 흥미로운 것은 두번째 유형의 주거복합체인데, 첫번째 유형과 달리 폐쇄된 중정을 중심으로 하지 않고, '칼레 코르테(calle corte)' 즉 길과 중정의 중간적 성격을 띤 공간을 축으로 하는 복합체이다. 이러한 주거복합체는 비잔틴 시대 후기에서 고딕 시대 초기에 대거 등장했다. 길과 중정의 중간적 형태인 이 공간을 '칼레 코르테'라고 부르는 것은, 이것이 좁고 긴 길의 형상을 가지지만 동시에 폐쇄된 중정의 기능도 가지기 때문이다.(도판 187)

이러한 특이한 공간과 이를 중심으로 한 주거복합체의 등장은 비잔틴 시대보다 더욱 높은 밀도를 요구하는 도시구조에 합리적으로 대응한 결과였다. 비잔틴 시대 말기부터 도시에는 운하와 섬 내부의 주요도로를 연결하는 좁고 짧은 길들이 무수히 생겨났고, 이 길의 양쪽 끝이 아치나 건물에 의해서 덮이게 되면 자연히 폐쇄된 중정의 성격을 지니게 되었다. 이 공간은 고딕 시대 이후 베네치아의 주거지역을 특징짓는 중요한 요소가 되었다.

코르테 보테라보다 약간 서쪽에 위치한 선형의 주거복합체가 바로 이러한 사례이다.(도판 188) 도판 77에서 Ⓑ로 표기한 부분이 이 주거복합체이며, 고딕 시대에 형성되었다. 긴 주거 블록의 한쪽 끝은 산티 조반니 운하(Rio di Santi Giovanni)에 면하고 다른 한쪽 끝은 산티 조반니 에 파올로 광장(Campo

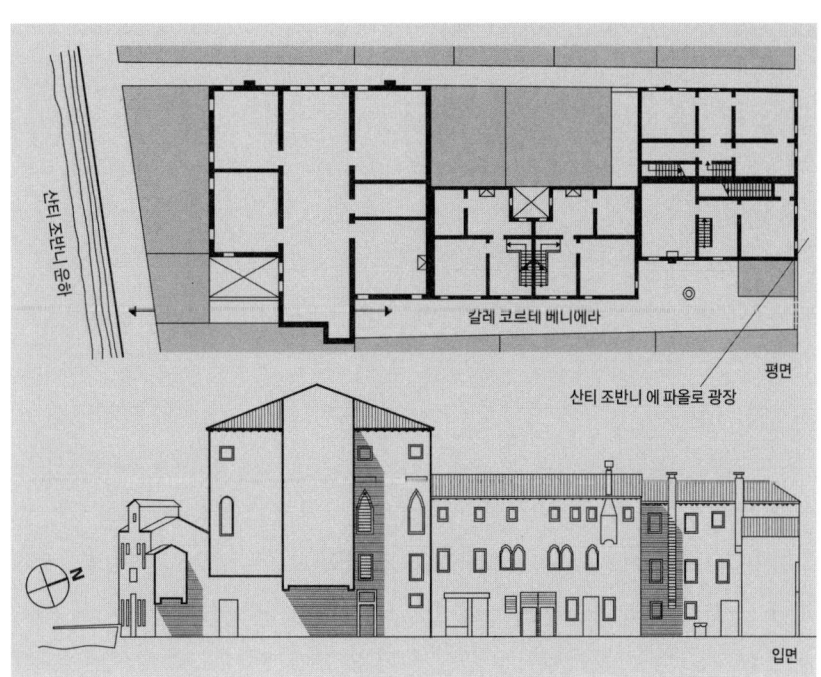

188. 칼레 코르테 베니에라를 중심으로 구성된 주거복합체의 이층 평면도.

187. 길과 중정의 중간적 형태인 칼레 코르테. 베네치아의 주거지역에는 이러한 공간이 많다.(p.242)

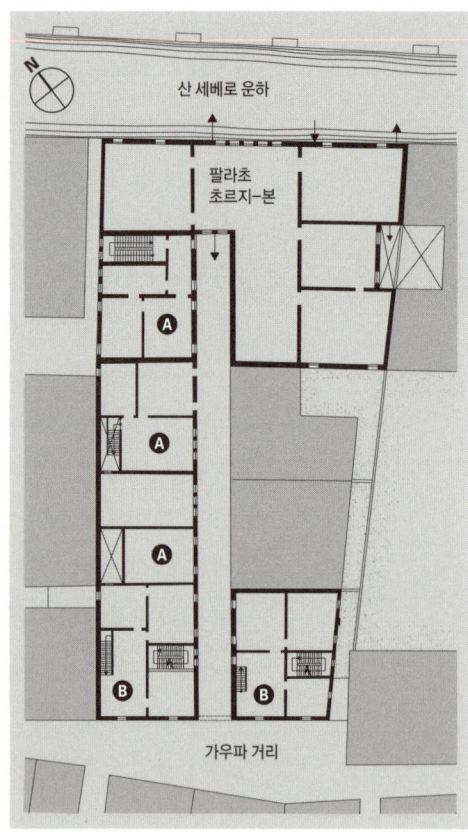

Santi Giovanni e Paolo)에 면해 있다. 이곳에서도 안쪽보다는 운하 쪽이 위치상 우위였기 때문에 그곳에 삼열구성의 큰 주택이 자리잡았다. 그리고 그 안쪽 측면에는 칼레 코르테 베니에라(Calle Corte Veniera)에 면해서 이열구성으로 좌우대칭을 이룬 두 채의 주택이 나란히 있으며, 이곳에는 옆집의 귀족에게 봉사하는 서민가족이 거주했던 것으로 보인다.

좌우대칭을 이루는 주택의 후면 중앙에는 채광을 위해서 작은 중정을 두었는데, 이 때문에 주택의 내부는 간결한 이열구성을 갖추지 못했다. 그렇지만 계단이 있는 홀의 외부에는 연속 아치 창을 설치하여 전통적인 이열구성 주택의 외관을 그대로 고수하고 있다. 칼레 코르테는 일부분을 넓게 확장한 다음 이곳에 우물을 설치하여 커뮤니티의 중심이 되게 했다.(도판 189)

칼레 코르테를 매개로 하는 주거복합체의 또 다른 사례를 살펴보자. 팔라초 초르치-본(Palazzo Zorzi-Bon)을 중심으로 한 이 주거복합체는, 칼레 코르테를 매개로 하는 주거복합체 중에서 가장 오래 된 것으로 보인다.(도판

189. 입구 쪽에서 바라본 칼레 코르테 베니에라.(왼쪽)
190. 팔라초 초르치-본을 중심으로 구성된 주거복합체의 평면도.(오른쪽)

191. 팔라초 초르치-본의 후면에 남아 있는 비잔틴 시대의 아치 창. 건물의 하부에는 터널형 도로인 소토포르테고가 형성되어 있다.

190) 운하에 면해 있는 팔라초는 원래 비잔틴 시대 후기에 지어졌고, 고딕 시대로 들어오면서 파사드는 고딕 양식으로 변화했다. 그러나 주층의 후면에 있는 아름다운 아치 창을 보면 비잔틴 양식의 흔적이 아직까지도 남아 있음을 알 수 있다.(도판 191)

이 건물의 후면으로부터 칼레가 안쪽으로 연결되었고, 그 양쪽에는 여러 가족을 위한 서민주택들이 배열되어 있다. 안쪽에 있는 이열구성의 주택들은(도판 190의 Ⓐ) 칼레를 향해서 열려 있는 반면, 바깥쪽에 있는 두 채의 주택들은(도판 190의 Ⓑ) 큰 도로를 향해서도 열려 있다. 칼레의 끝 즉 주요 도로와 만나는 지점에는 아치 문이 있는데, 이로 인해서 칼레는 단순히 통행을 위한 공간이 아니라 중정의 기능도 가진 칼레 코르테가 되었다. 그리고 팔라초 후면에 칼레의 위치에 맞추어서 장식창을 둔 것을 보면, 칼레와 그 주변의 서민주택들은 팔라초와 거의 때를 같이하여 건설된 것으로 유추할 수 있다. 이 주거복합체는 하나의 통일된 집합체로서, 전면에는 귀족 그리고 후면에는 서민을 위한 주택을 둠으로써 전체에 대한 주종관계를 분명히 했다.

도심의 서민주택 2 : 캄포 후면에 자리한 서민주택

비잔틴 시대 말기부터 고딕 시대 전체에 이르는 기간 동안 베네치아의 구석구석에는 칼레가 형성되었다. 칼레의 확산은 주거지역의 공간구성에 직접적으로 작용하여, 앞에서 본 것과 같은 베네치아 특유의 주거지를 형성하는 데 견인차 역할을 했다. 또한 칼레는 도시 전체를 공간적으로 통합하는 데에도 긴밀하게 작용했다. 고딕 시대에 들어오면서 베네치아는 캄포를 중심으로 구심적이고 위계적인 공간구조를 구축했는데, 칼레의 확산은 이것과도 긴밀하게 관련된다. 즉 각 지구의 중앙에 캄포가 있으면 여기서 중요한 간선도로가 뻗어나가고, 이 간선도로와 운하를 연결하는 칼레들이 실핏줄처럼 퍼져나가는 공간구조를 확립했던 것이다.

이러한 도시의 공간체계는 주거지 또한 위계적으로 자리잡게 했다. 우선 대운하 주변과 각 광장의 주변에 귀족 계층의 팔라초가 들어섰고, 그 다음으로 광장에서 다른 광장을 잇는 간선도로의 주변에 중산층을 위한 전용주택 또는 상점 겸용 주택이 자리잡았다. 그리고 마지막으로, 그 뒤편의 구석진 곳에 서민주택들이 자리했다.

캄포의 뒤편에 형성된 서민주거지역을 살펴보기 위해서는 산타 마리아 포르모사 광장 주변이 적절하다.(도판 192) 리알토 다리에서 그리 멀지 않은 이곳은 리알토와 산 마르코를 연결하는 도시 중심부의 한 부분을 이루고 있

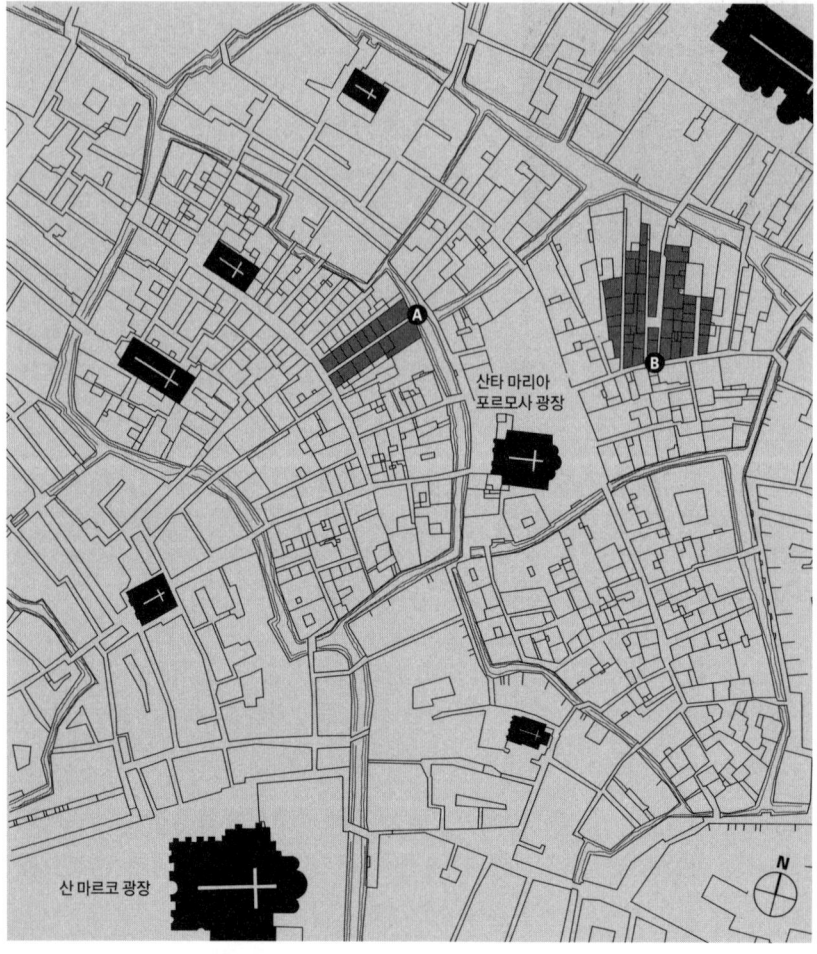

192. 산타 마리아 포르모사 광장과 그 주변지역의 공간구조.

다. 이 광장은 베네치아에서도 손꼽히는 규모를 과시하는데, 오늘날에는 노점들이 성행하고 있다. 광장 주위에는 고딕 및 르네상스 시대에 건축된 팔라초가 나란히 자리해 화려하고 개방적인 분위기를 연출한다. 그리고 이 광장으로 통하는 여러 간선도로의 주변에는 상점 겸용의 중산층 주택들이 자리잡고 있다.

광장의 동쪽에 있는 팔라초의 후면으로 눈을 돌려 보면, 매우 조밀한 도시조직을 형성하고 있는 지역이 눈에 띈다. 이곳은 캄포 주변의 여유있는 도시조직과는 그 양상이 매우 대조적이다. 광장의 동쪽 중앙에서부터 멀리 동쪽에 있는 운하를 향해 간선도로가 이어지는데, 여기서 다시 북쪽으로 몇 개의 좁은 칼레가 파생되었고, 그 주변으로 서민주택들이 밀집해 있다.(도판 192의 Ⓑ) 이 지역은 고딕 시대에 형성된 곳으로서 밀도가 매우 높으며, 이곳에 있는 칼레들 중에는 폭이 1미터도 채 되지 않는 것도 있다.

산타 마리아 포르모사 광장 주변에서 주목해야 할 또 다른 곳은 파라디소 거리(Calle del Paradiso) 즉 '천국의 거리'라는 뜻을 가진 상점가이다.(도판 192의 Ⓐ) 이곳은 서민 또는 중산층의 상점 겸용 주택들이 늘어서 있는, 고딕 시대에 형성된 베네치아의 대표적인 번화가이다.(도판 194) 산타 마리아 포르모사 광장은 북쪽과 서쪽이 운하에 면해 있는데, 운하가 ㄱ자로 방향을 바꾸는 지점에서 다리를 건너면 바로 이 길이 시작된다. 이 길은 다리에서 시작해서 반대쪽의 산 리오 거리(Salizzada San Lio)에 이르는데, 이 거리는 리알토와 산 마르코를 잇는 매우 중요한 도시의 간선도로이다. 따라서 이 파라디소 거리는 상업의 길목이 되는 곳으로서, 상당히 밀도가 높은 상업지대를 형성하고 있다.

길의 양쪽에는 연립주택이 형성되어 있는데, 일층에는 상점들이 촘촘히 있고, 그 위층에는 상인들의 가족을 위한 주거공간이 있다. 이층은 일층보다 앞으로 돌출되어 있으며, 길의 양쪽 끝에는 아치를 설치했다. 도판 193의 평면도를 보면, 길의 왼쪽에 있는 주택은 리네아형 주택(casa in linear, 선형 주택)인 반면, 오른쪽에 있는 주택은 스키에라형 주택(casa a schiera, 세장형 주택)이다. 길의 왼쪽에 있는 주택들은, 두 주택이 하나의 계단을 공유하는 2호 연립으로 조성되었는데, 이층의 생활공간은 중앙의 계단실을 중심으로 좌우에 각각 다른 가족의 생활공간이 자리해 있다. 반면 오른쪽에 있는 주택들은 각 주택으로 오르는 계단실이 따로 마련되어 있어서 생활의 독립성을 강조한 형

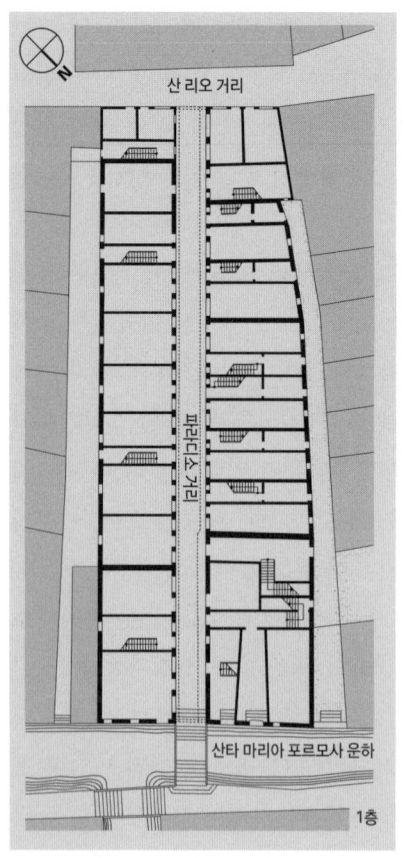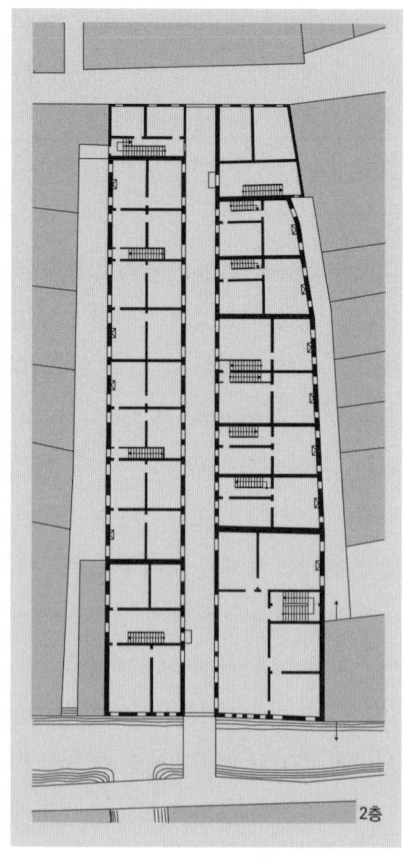

193. 파라디소 거리의 양쪽 측면에 있는 집합주택의 평면도. 길 왼쪽은 리네아형 주택이, 오른쪽은 스키에라형 주택이 조성되어 있다.

식이다. 이렇게 양쪽의 주거형식이 다른 이유는 각 주택이 놓인 대지의 폭이 다르기 때문이다. 오른쪽의 대지는 왼쪽에 비해서 폭이 넓어서 스키에라형 주거형식이 가능한 반면, 왼쪽은 폭이 좁아서 공간을 앞뒤로 나눌 수가 없었던 것이다.

광장 뒤편의 구석진 곳에 있는 서민주택이라 해도 외관을 상당히 고려하여 상류층의 주택을 닮으려고 노력했다. 서민주택들은 최소한의 규모로 지어도 보통 두 채의 주택을 나란히 붙여서 쌍둥이형 건물로 짓는 경우가 많았다. 이렇게 함으로써 건설의 효율성과 더불어 외관의 통일성을 추구할 수 있었다. 그리고 이처럼 일정 세대 이상을 위한 건물을 지을 때에는 상류층 팔라초와 같이 통일된 외관을 형성하도록 한 경우가 많았다. 즉 하나의 블록을 이루도록 단위세대를 조합하고 창의 배열을 조정하는 방법을 통해 이를 달성했다.

도판 195는 마레토가 도심의 여러 곳에서 수집한 소규모 집합주택의 사례들이다. 외관을 구성하는 것뿐만 아니라 주변의 환경에 맞추어서 공간을 배

194. 상점 겸용 주택이 밀집해 있는 파라디소 거리. 고딕 시대에 형성된, 베네치아의 대표적인 번화한 상점가이다. (p.249)

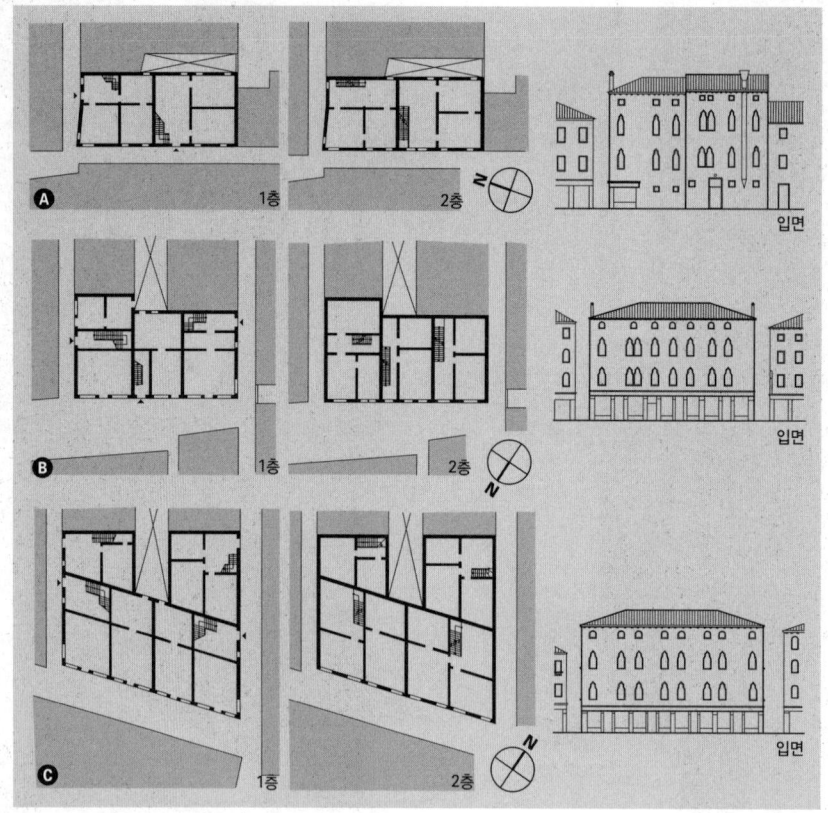

195. 마레토가 정리한, 베네치아 도심부에 있는 소규모 집합주택의 여러 형식.

열하는 방법에서도 많은 고려를 했다. 첫번째 사례는 두 세대가 조합된 주택이며, 외관에서 완전한 조화를 이루지는 못했지만 통일된 창의 모양을 통해서 질서있는 외관을 구성했다.(도판 195의 Ⓐ) 두번째 사례는 세 채의 주택이 조합되어 있는데, 전체적으로 마치 하나의 건물처럼 보이도록 지었다. 그리고 각 세대의 후면에 채광과 통풍을 위해 개구부를 설치한 모습이 흥미롭다.(도판 195의 Ⓑ) 세번째는 완전한 블록을 형성한 사례인데, 처음부터 의도적으로 계획하여 공간을 배열했기 때문에 외관에서 완전한 조화를 이루고 있다. 일층의 경우, 도로에 면해 상점이 나란히 있으며 그 상부에는 두 채의 주택이 있다. 그리고 건물의 후면에는 주택 두 채가 따로 배열되어 있다. 이 집합주택을 보면 건물의 전후와 상하를 교묘하게 나누어서 공간을 배열하고 있는데, 베네치아 서민주택의 존재방식을 보여주는 재미있는 사례라고 생각한다.(도판 195의 Ⓒ)

도시 변두리에 있는 서민주택의 존재방식

베네치아는 15세기에 이르기까지 도시조직이 꾸준히 변화해 왔다. 우선 도시를 이루는 각 지구의 공간조직에서 변화가 발생했는데, 이러한 변화는 실핏줄과 같은 칼레의 형성과 그것에 수반하는 도시의 고밀화로 요약할 수 있다. 그리고 도시 내부에서의 변화와 시기를 같이하여 외곽으로의 확장도 함께 진행되었다. 길과 다리를 건설하고 정비함으로써 분리된 섬들이 서로 연결되어 도시는 하나의 유기체로 통합되었고, 외부로의 확장도 가능해졌다.

이러한 과정을 통해서 비교적 균일한 도시조직을 가졌던 베네치아에서도 '중심'과 '주변'을 형성했다. 도시의 중심부를 이루는 지구들은 자연조건에 순응하여 형성되었기 때문에, 일반적으로 지구의 형태가 부정형이었다. 그리고 광장을 중심으로 하는 구심적인 원리로 구성되었다. 그러나 주변부에 형성된 지구들은 이것과는 다른 별도의 원리에 의해 계획적으로 주거지역을 형성했다.

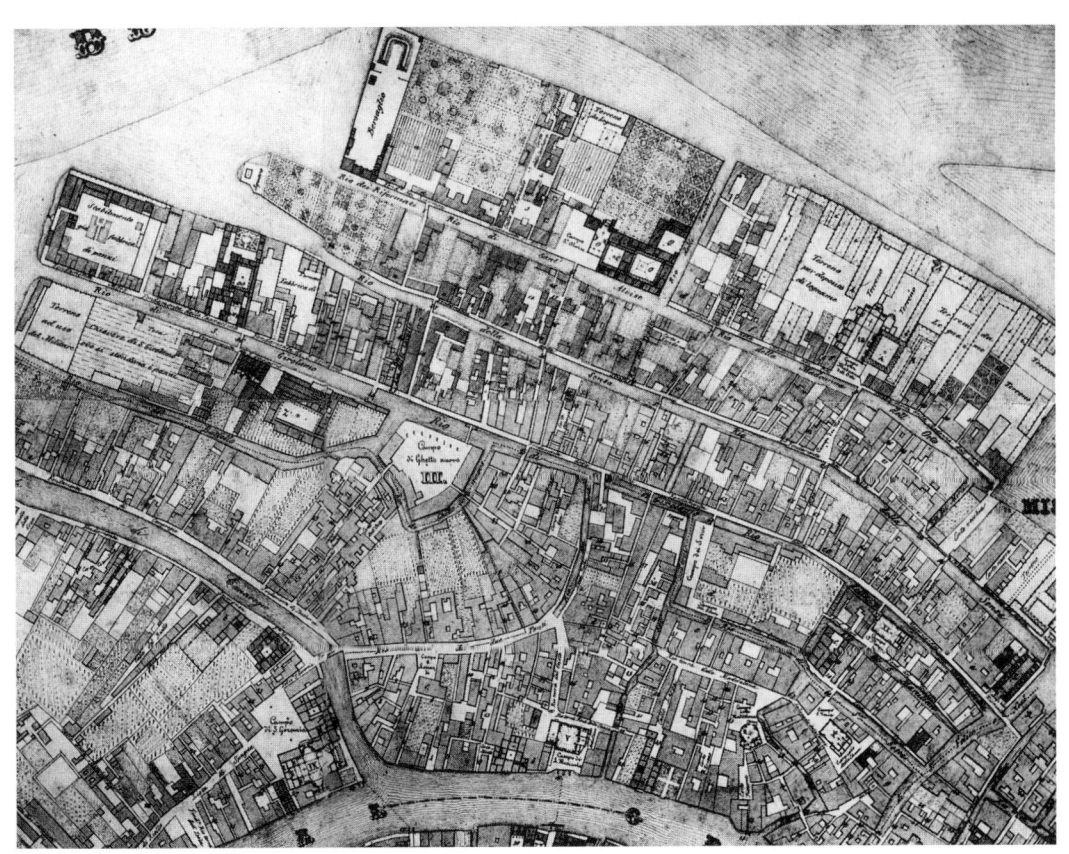

196. 1847년에 제작된 지도에서 카나레조구를 묘사한 부분.

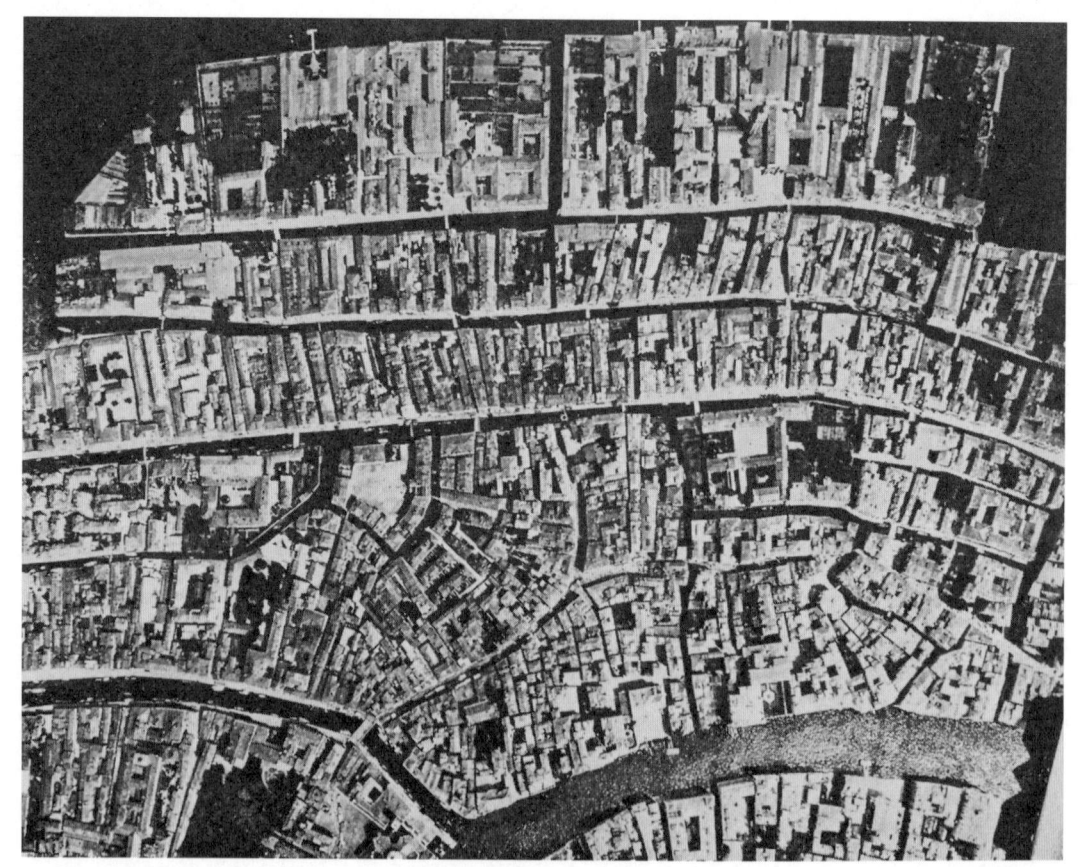

베네치아에 새로이 형성된 주거지역을 대표하는 곳은 카나레조 지구이다.(도판 196, 197) 베네치아의 여섯 구(區) 중의 하나인 카나레조구의 북쪽에 자리한 이곳은 고딕 시대에 형성된 곳으로서, 명쾌한 공간구조를 보여준다. 이곳에는 세 개의 운하가 동서로 나란히 지나가고, 폰다멘타가 운하를 따라서 형성되어 있다. 그리고 좁은 길이 일정한 간격으로 운하와 운하 사이를 연결하면서 명확한 공간구조를 갖추게 되었다. 운하에 면해서는 소귀족과 중산층의 주택들이 들어섰고, 그 후면에는 서민주택들이 질서있게 배열되어 있다. 이러한 공간구조는 베네치아의 도심부에 형성된 도시조직과는 전혀 다른 모습이며, 따라서 이곳에 자리한 서민주택 또한 도심에 있는 것과 차이가 있다.

이렇게 명쾌한 공간구조를 가진 변두리의 주거지역은 카나레조 지구 이외에도 그 측면에 위치한 산타 소피아 지구, 아르세날레가 있는 카스텔로구의 동부지역, 도르소두로구의 서부지역 등이 해당한다. 이곳은 주로 서민들과

197. 하늘에서 내려다본 카나레조구. 세 개의 직선 운하와 연계해 있는 지역이 새로이 형성된 카나레조 지구이다.

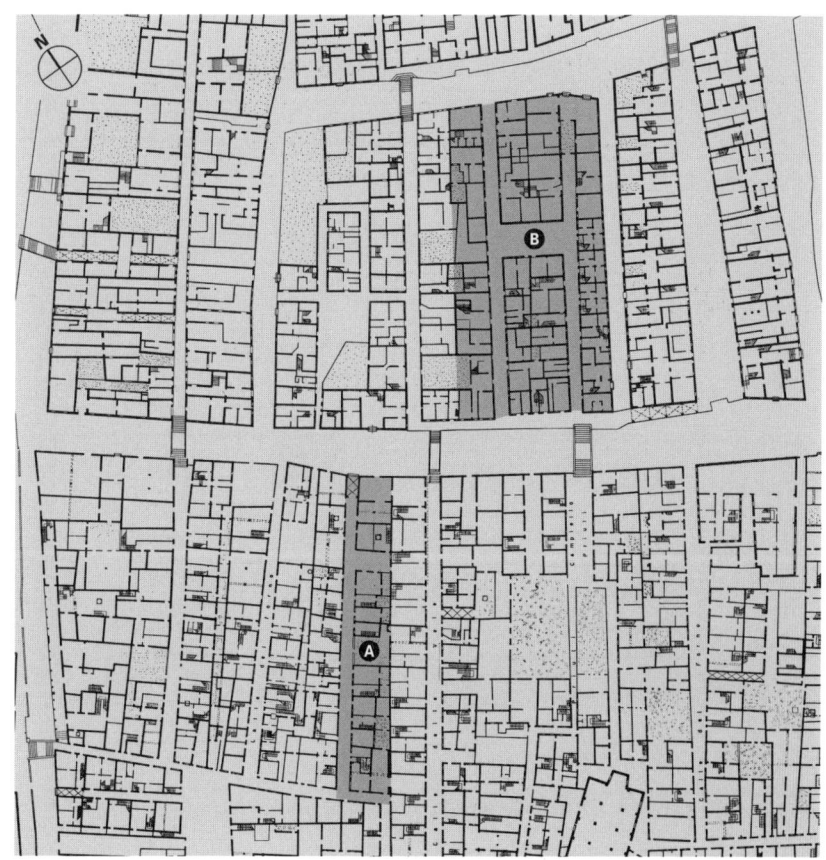

198. 산타 소피아 지구에 형성된 서민주거지역의 공간구조. 무라토리가 조사하여 작도한 연속평면도이다.

중산층들을 위한 신흥 개발지로서, 15세기 이후에 등장한 새로운 형식의 집합주택들이 많이 자리하고 있다. 따라서 이곳을 둘러보면 변두리에 자리잡은 서민주택의 존재방식을 잘 파악할 수 있다.

산타 소피아 지구는 카나레조구의 동쪽 일대를 칭하며 앞서 언급한 카나레조 지구와 운하 하나를 사이에 두고 위치해 있다. 이곳은 카나레조 지구와 마찬가지로 고딕 시대에 새로운 주택지로 개발된 곳이다. 따라서 이곳의 공간조직은 카나레조 지구와 유사하며 동서로 통하는 운하 사이를 좁은 길인 칼레가 연결하면서 서민주택들이 연이어서 자리하는 공간구조를 형성했다. 이 지구는 북쪽에 광대한 면적의 건축자재 하치장과 각종 제조공장 등이 있었기 때문에 이들의 활동과 연계하여 계획적인 개발을 시행했다고 볼 수 있다.(도판 198)

우선 지구의 남쪽을 보면, 프리울리 운하(Rio Priuli)와 수직 방향으로 여러 개의 칼레가 조성되어 있는데, 그 사이에 이열구성의 서민주택들이 촘촘하

제7장 중산층 및 서민층 주택의 존재방식 253

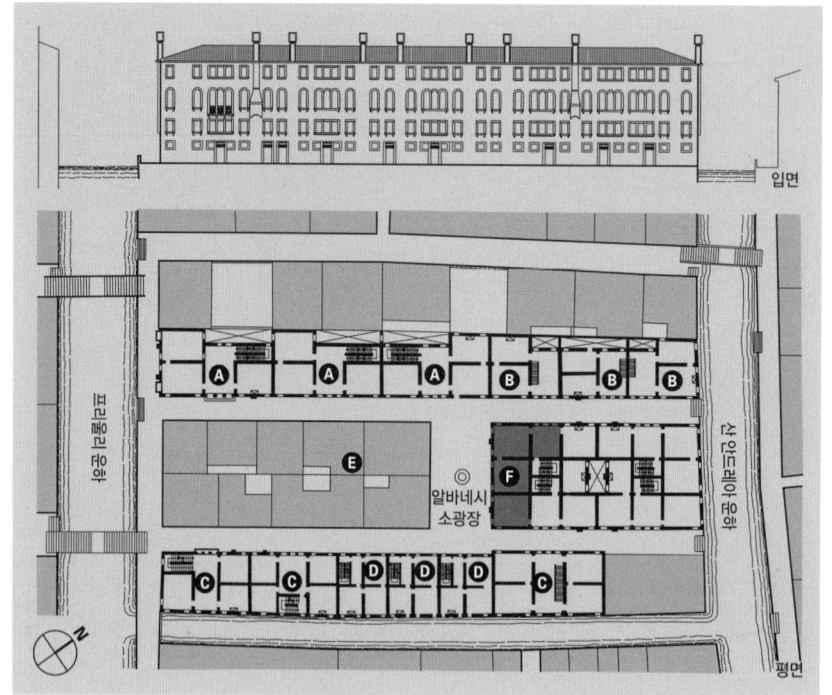

199. 산타 소피아 지구의 프리울리 운하 북쪽에 건설된 집합주택의 평면과 입면.

게 자리하고 있다. 이곳에 조성된 주거지의 일부는 도판 183을 통해 이미 소개했으며, 이것이 이 지구에서 볼 수 있는 서민주택의 전형적인 존재방식이다.(도판 198의 Ⓐ) 이미 살펴본 것처럼, 주택들은 거의 같은 모습이면서 운하 쪽에 있는 중산층 주택도 그 크기가 두드러지지 않기 때문에 지구의 전체 조직은 균일한 상태에 가깝다. 따라서 이 지구의 공간구조는 베네치아 특유의 도시조직과는 다르게 상당히 단조로운 양상을 보인다.

프리울리 운하를 건너서 지구의 북쪽으로 눈을 돌려보자.(도판 198의 Ⓑ) 그곳에는 15-16세기에 조성된 서민주거지역이 흥미로운 모습으로 자리잡고 있다.(도판 199) 이곳의 주택지도 남쪽 지역과 마찬가지로 단순하고 명쾌한 토지분할 체계를 바탕으로 조성되었다. 두 개의 칼레 코르테를 중심으로 삼렬 또는 사열로 집합주거를 배열했고, 중앙에는 우물이 있는 소광장을 만들었다.

이곳에서 볼 수 있는 주거형식은 고딕 시대부터 중산층과 서민층에게 보급된 소규모의 삼렬구성 또는 이열구성의 주택이다. 처음 개발된 당시에는 기본적으로 이열구성 주택을 균일하게 보급했지만, 이후 개조와 개편을 거듭하면서 이열구성과 삼렬구성이 섞여서 자리잡은 것으로 보인다.

긴 띠 모양의 서쪽 건물은, 입면을 보면 개개의 주택이 완전히 균일하게 보이는데, 남쪽의 세 주택(Ⓐ)은 삼렬구성이고, 북쪽의 세 주택(Ⓑ)은 이열구성이다. 각 주택은 후면의 주택과 등을 맞대고 있지만, 그 사이에 작은 중정이 조성되어 있어서 채광과 통풍에는 별 문제가 없어 보인다. 여기서 삼렬구성 주택에는 이중나선형 계단을 설치하여 두 가족이 거주했고, 이열구성 주택에는 한 가족이 거주했다. 운하에 면한 동쪽 건물은 독립되어 있어서 환경적으로 상당히 양호하며, 서쪽 건물과 마찬가지로 삼렬구성(Ⓒ)과 이열구성(Ⓓ)이 섞여 있다.

한편, 여기서 중앙열의 북쪽에 있는 건물을 보면 사정이 좀 달라진다. 이곳에도 원래는 남쪽에 있는 건물(Ⓔ)처럼 단위주택들이 서로 등을 마주하고 있었을 것이다. 그러나 이후 개조하는 과정에서 그것을 헐어내고, 근대의 새로운 집합주택을 구축했다. 새로운 주거형식은 계단실을 중심으로 ㄱ자형 단위주택(Ⓕ)을 'ㄱ+ㄴ'자의 형상으로 결합하고, 그것을 다시 병렬하여 커다란 블록을 이루었다. 그리하여 한 층에 네 주택이 있으면서, 각 주택은 두 방향으로 외부와 접하게 되었다.

이렇게 내부공간을 복합적으로 구성하면서 외부는 단정한 블록으로 구성한 집합주택이 등장했고 베네치아에도 비로소 아파트 형식의 집합주택이 일반화했다. 이후 다시 언급하겠지만, 이러한 집합주택의 등장으로 베네치아의 서민주택은 그 형식에서 다채로운 양상을 띠게 되었다. 그리고 이러한 서민주택의 형식상의 변화는 르네상스 시대부터 시작해 18세기에 정점에 이르렀다.

산타 소피아 지구와 같이 주변부에서 계획적으로 개발된 서민층의 주거지는 부정적인 측면과 긍정적인 측면을 동시에 가지고 있다. 기존 주거지와는 전혀 다른 방식으로 개발된 이러한 주거지는 도심에 있는 전통적인 주거지역에 비해서 상당히 단조로운 환경을 형성하고 있다는 점이 부정적인 면이다. 외부공간의 구성에서는 적절한 변화가 결여되어 있고, 주거형식도 비교적 단조로운 모습이다. 그러나 명쾌한 계획방식을 적용함으로써 좀더 효율적인 집합이 가능한 대규모 주거환경을 실현할 수 있었다는 점은 긍정적인 면이다. 또한 이들 주거지역에서는 전통적인 주거형식에 기반을 두면서 위치와 환경에 따라서 교묘한 건축수법을 시도했기 때문에 결과적으로 단순성과 복합성이 한 주거환경에 공존한다고 할 수 있다. 동시에 칼레 코르테나 소광장 등을 계획적이고 조직적으로 활용하여 건축과 도시공간이 일체화한 주거환경을 만드는 데 작게나마 기여했다.

르네상스 시대의 서민용 집합주택

서민을 대상으로 한 집합주택이 본격적으로 건설된 것은 르네상스 시대부터였다. 베네치아에 르네상스 문화가 시작된 것은 피렌체보다 한 세기 늦은 16세기였으므로 이때부터 도시에 집합주택을 짓기 시작했다. 물론 고딕 시대에도 집합주택을 지은 사례가 많았지만 르네상스 시대부터는 그 규모가 과거에 비해서 대폭 증대했으며, 외관도 한층 성숙하고 세련되었다.

이렇게 집합주택의 규모가 증대한 것에는 여러 가지 요인이 있을 수 있는데, 당시 피렌체 등 내륙의 여러 도시들이 스키에라형 주택을 리네아형 주택으로 변형하기 시작한 것과 관련이 있다. 즉 르네상스 시대 이후부터 단위필지를 기본으로 하는 주거형식인 스키에라형 주택들이 오늘날의 아파트처럼 각 층에 각각 다른 가구가 거주하는 리네아형 주택으로 변화하기 시작했던 것이다.[47] 이것은 이탈리아 대부분의 도시들에서 일어났던 현상이므로, 베네

200. 베네치아의 라구나에서 바라본 마리나레차. 바다를 향해 뚫린 두 개의 거대한 아치가 인상적이다.

201. 바르바리의 조감지도 〈1500년의 베네치아〉에 묘사된 마리나레차. 당시에는 오늘날처럼 아치가 조성되어 있지 않았고 박공지붕을 가진 세 건물이 서로 분리되어 있었다.

치아에서도 그러한 경향이 일반화한 것은 당연한 일이었다.

주택의 형식이 집합주택으로 변화하고 그 규모도 거대해진 이면에는 또 다른 이유가 있었다. 그것은 16세기 이후에 정부가 나서서 임대주택을 많이 건설했기 때문이었다. 피렌체의 경우 서민주택의 건설을 정부보다는 교회 등 종교단체가 주도했던 것과는 어느 정도 차이가 있다. 이렇게 정부가 건설한 서민주택을 '오스피치오(ospizio)'라고 하는데, 우리말로는 '구빈주택'이라고 할 수 있다.

정부 주도로 서민들을 위한 집합주택을 지은 가장 초기 사례는 바로 다음에 언급할 '선원주택'으로서, 1335년에 건설했다는 기록이 있다. 이후에도 정부는 직접 또는 간접적인 방법을 통해 다양한 서민용 집합주택을 지었다. 정부는 이러한 주택들을 매우 싼값에, 또는 전혀 비용을 받지 않고 서민들에게 임대했다. 또한 이러한 공공서민주택의 공간배열과 각 단위세대들의 크기 등에 대해서 일정 수준 이상이 되도록 법으로 규제했다. 법은 1530년에 제정하여 공포했으며, 1668년에 개정하여 시행했다. 1500년대 이후에 지어진 대다수의 이러한 집합주택들은 처음에는 단위주택이 일렬로 집합하는 형식 즉 스키에라형 집합주택이 주류를 이루었지만, 1600년대 이후에는 점차 아파트 형식으로 변화했다.

구빈주택의 대표적인 사례는 '마리나레차(Marinarezza)' 즉 우리말로 '선원주택'이라고 할 수 있는 주택이다. 이 주택은 14세기에 지었다고 알려져 있지만 오늘날 남아 있는 주택은 주로 15세기에 지어진 것으로 보인다. 도시의 동쪽에 있는 카스텔로구의 해안에 위치한 이 주택은 바다를 향해서 뚫린 두 개의 거대한 아치가 인상적이다.(도판 200) 1500년에 바르바리가 그린 조감지도에 이 주택이 묘사되어 있는데(도판 201), 전면부에 아치가 없는 것을

제7장 중산층 및 서민층 주택의 존재방식 257

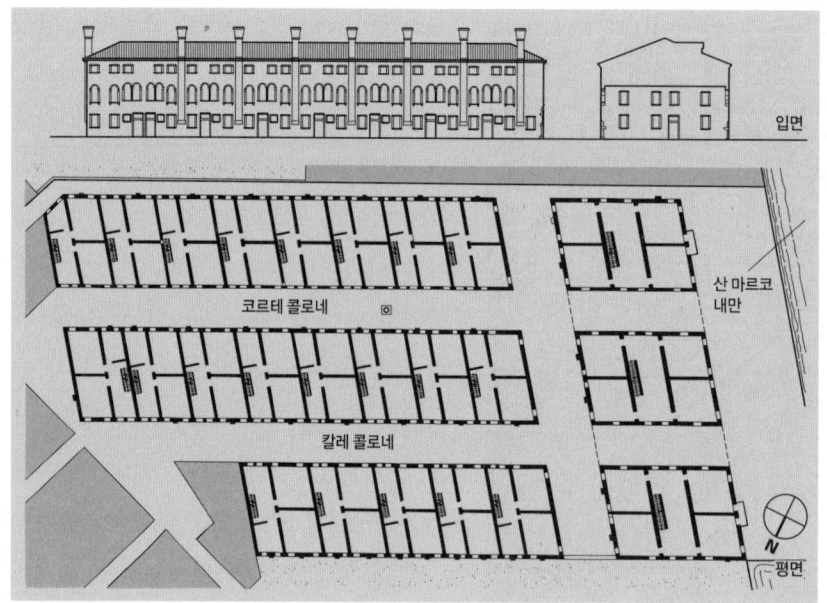

202. 서민용 집합주택의 대표적 사례인 마리나레차의 평면과 입면.

보아 오늘날의 아치는 이후에 증개축한 것이라 생각한다.

도판 202에 나타나 있는 마리나레차의 평면도를 보면, 후면에 자리한 세 개의 긴 건물은 스키에라형 집합주택이며, 전면의 세 건물은 각 층에 한 세대가 거주하는 리네아형 집합주택이다. 공화국 정부의 명을 받아 멀리 동방으로 진출했던 선원들은 가족들의 안위를 걱정했고, 정부는 사회보장의 차원에서 이들에게 주택을 제공했다. 따라서 세 개의 평행한 주거동을 가진 집합주택을 건설하여 전체 쉰두 가족을 수용했다.

세 건물 사이에 있는 두 공간은 코르테와 칼레 즉 중정과 길의 중간적 성격을 지닌다. 우물이 설치된 동쪽의 공간은 '코르테 콜로네(Corte Colonne)'라고 부르고, 우물이 없는 서쪽의 공간은 '칼레 콜로네(Calle Colonne)'라고 부른다. 두 공간 모두 주민들의 공동체 공간으로 적극 사용하는 일상적인 장소이다.(도판 203) 건물의 입면은 반복적인 창의 배열로 잘 정리되어 있는데, 특히 이층부는 아치 창으로 장식하여 르네상스적인 성격을 표출하고 있다.

르네상스 시대에 건축된 구빈주택의 또 다른 사례는 코르테 산 마르코(Corte San Marco)이다.(도판 206) 도르소두로구의 신흥 개발지에 자리한 이 집합주택은 16세기에 건설되었다. 이 집합주택은 형태가 특이한데, 중정을 네 방향으로 둘러싼 내향적인 공간구조 즉 '중정형 집합주택'을 이루고 있다.(도판 204) 로마나 피렌체 등 내륙 지방의 도시들에서는 쉽게 발견할 수

203. 마리나레차의 도로 겸 광장 공간인 코르테 콜로네. 길에 걸린 빨래가 인상적인데, 이는 베네치아 서민주거지역의 일상적인 모습이다. (p.259)

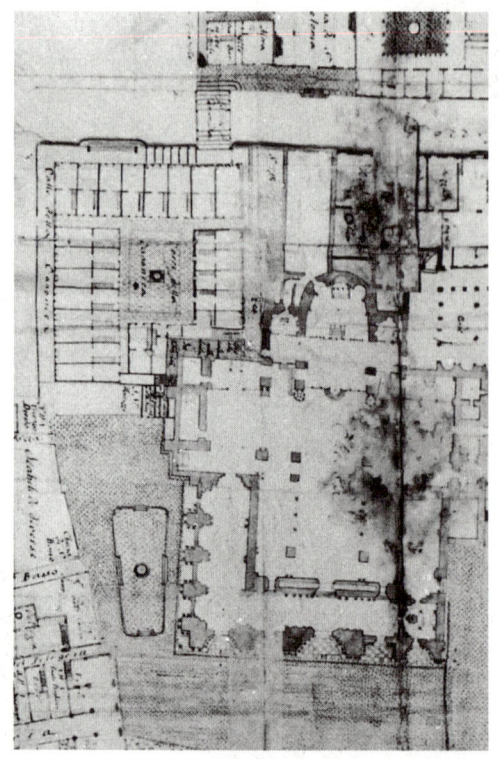

204. 코르테 산 마르코의 중정.(왼쪽)
205. 산 마르코 성당과 그 북동쪽 모퉁이에 있는 코르테 델라 카노니카의 평면으로, 코레르 박물관의 자료실에 보관되어 있는 옛 문헌에 묘사된 것이다.(오른쪽)

있지만, 베네치아에서 이러한 중정형 집합주택은 거의 찾을 수 없는 매우 특이한 형태이다. 이와 유사한 형식의 집합주택을 애써 찾는다면 산 마르코 성당의 북동쪽 모퉁이에 지은 '코르테 델라 카노니카(Corte della Canonica)'일 것이다.(도판 205) 코르테 산 마르코가 원래 이층으로 지어졌고 이 건물은 사층인 것을 제외한다면, 이 두 건물은 모든 측면에서 흡사하다.

트린카나토의 연구에 의하면, 입주자가 독신일 때 이러한 공간형식을 취했다고 한다. 당시 정부에서는 입주자들의 계층과 직업에 따라서 공공임대주택에 대한 규제를 달리했다. 단위주택의 평면을 보면, 피렌체의 스키에라형 주택과 매우 흡사하다. 즉 각 층의 전후면에 공간이 하나씩 있는 이실형(二室型, two cellular) 구성이면서, 측면에 있는 주택과 한 쌍을 이루는 방식으로 조합되었다. 각 세대의 일층 후면에는 부엌이 있고 이곳에 부뚜막 기능을 가진 벽난로를 설치했는데, 자연히 굴뚝은 외부의 길을 향하도록 설치했다. 베네치아의 서민주택이 거의 예외 없이 이열구성인 것과 비교해 보면 이 주택은 특별한 공간구성을 가졌다. 이것은 앞에서도 언급한 것처럼, 가족구성이 단출한 독신자에게 임대할 목적으로 지었기 때문이라고 생각한다.

르네상스 시대에 지은 집합주택 중에서 산 로렌초(San Lorenzo) 지구에 있는 집합주택인 '보르골로코(Borgoloco)'를 예로 하나 더 들어 보자.(도판 209) 이 건물은 대규모로 지은 스키에라형 집합주택으로, 산 마르코 광장과 아르세날레 사이에 있는 산 로렌초 광장에서 다리를 건너면 바로 보인다. 이 집합주택 역시 칼레와 코르테의 성격을 동시에 가진 공간이 중앙에 있고 그 양쪽에 두 동의 긴 건물이 자리한다. 단위주택은 개별적인 성격을 가지지만 전체는 하나의 통일된 집합주택으로 볼 수 있다.

전체의 구성에는 표준화의 개념을 뚜렷하게 반영했다. 그리고 칼레 코르테에는 두 개의 우물을 설치하여 공동체 공간의 중심으로 작용하게 했다. 지구의 왼쪽을 흐르는 산 세베로 운하(Rio di San Severo)를 향해 팔라초 두 채가 자리잡고 있는데, 그 후면에 이 집합주택이 위치해 있는 점은 흥미롭다. 앞의 다른 지구에서 보았던 특성처럼 전면에는 상류층의 주택이 자리하고 후면에는 서민주택이 자리하는 공간적 계층성이 이곳에도 적용되었던 것이다.

206. 코르테 산 마르코의 평면과 입면. 베네치아의 집합주택으로는 특이하게도 중정을 네 방향으로 둘러싼 내향적 공간구조를 취하고 있다.

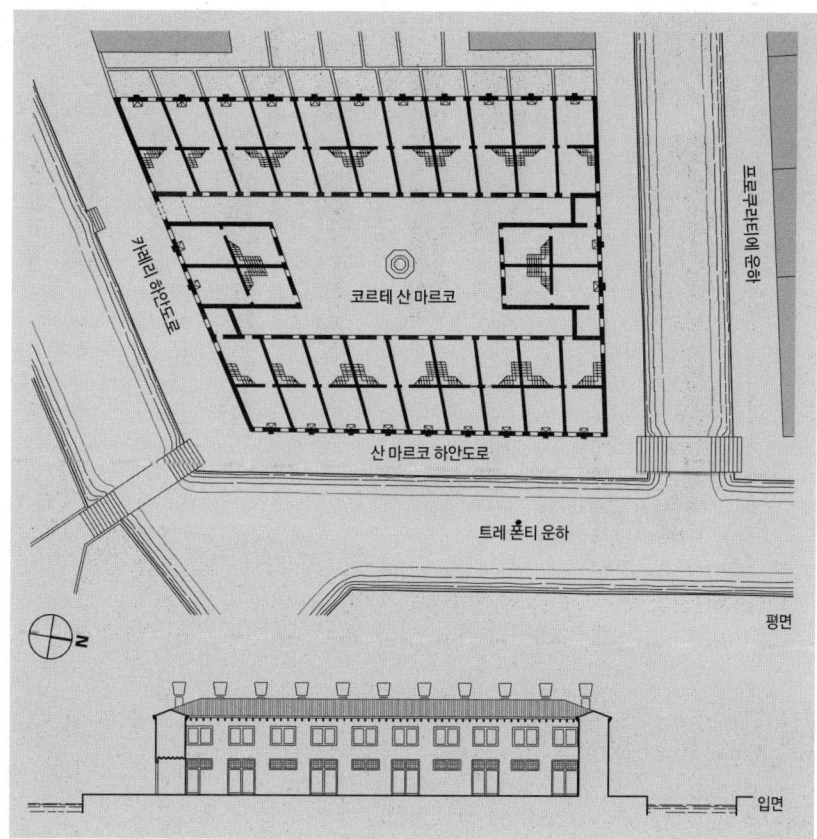

207-208. 산 로렌초 지구에 조성된 집합주택 보르골로코. 북쪽 건물(p.262)은 단위주택의 공간에 여유가 있고 르네상스풍의 외관을 지녔으나, 남쪽 건물(p.263)은 규모가 작고 외관도 단순하다.

209. 보르골로코의 평면과 입면. 운하에 면해서는 상류층 주택이, 그 후면에는 서민주택이 자리해 있다.

칼레 코르테를 사이에 두고 북쪽에 있는 건물과 남쪽에 있는 건물은 공간구성과 외관에서 약간의 차이가 있다. 북쪽 건물은 깊이가 깊고 단위주택의 공간에 여유가 있으며, 외관에는 이층에 연속하는 아치 창을 부착하여 르네상스적인 분위기를 드러냈다.(도판 207) 반면 남쪽 건물은 단위주택의 규모도 작고 외관도 비교적 단순하게 처리되어 있다.(도판 208) 대지에 여유가 있음에도 불구하고 단위주택의 규모를 작게 한 것은 다른 이유도 있었겠지만, 원활한 채광과 통풍을 위해서 남쪽에 공터를 남기고 주택이 뒤로 물러서는 것이 필요했기 때문이었다. 이는 고밀도의 환경 속에서 공간을 효율적으로 운용한 베네치아인의 지혜가 발휘된 것이다.

리네아형 집합주택의 등장

16세기 이후 베네치아에는 이전과 다른, 리네아형 주택이라고 부르는 형식의 집합주택들이 등장했다. 이탈리아의 도시에 이러한 주택이 등장한 것에는 여러 가지 이유가 있는데, 우선 토지의 집약적 이용과 주택의 고층화 경향 때문이었다. 또한 주상복합 주택인 스키에라형 주택의 쇠퇴와 더불어 전용주택에 대한 사회적인 요구가 반영되었기 때문이기도 했다. 그리고 미학적으로는 르네상스의 성숙한 건축문화가 이탈리아 전역으로 퍼져 나갔기 때문이었다.

리네아형 주택은 이탈리아의 각 도시에 갑자기 퍼져 나가지는 않았으며, 과도기를 거치면서 서서히 정착했다. 베네치아도 마찬가지였다. 도판 211은 15세기에 카스텔로 지구에 들어선 서민 집합주택으로서, 리네아형 주택의 초기 사례라고 할 수 있다. 이 집합주택에는 주로 아르세날레에 근무하던 노동자 계층이 거주했으며, 좁은 칼레 코르테를 중심으로 양쪽에 건물이 배열되어 있다.(도판 210의 Ⓐ) 본래 이 건물은 두 가족이 이층과 삼층을 각각 주요 생활공간으로 사용하던 삼층 건물이었는데, 17세기에 사층으로 증축되었다.

수평·수직의 공간배분이나 파사드의 구성 등을 통해서 유추해 보면, 이 건물은 각 층에 각기 다른 가족이 거주하는 집합주택 즉 리네아형 주택으로서는 가장 오래 된 사례라고 할 수 있다. 우선 건물의 일층은 좌우 두 부분으로 나뉘는데, 왼쪽은 이층 거주자에게 그리고 오른쪽은 삼층 거주자에게 속했다. 또한 계단이 지나가는 이층의 일부분도 삼층 거주자에게 속했다. 결국 이층 거주자는 일층의 반쪽과 이층의 대부분을 차지했고, 삼층 거주자는 일

210. 카스텔로 지구에서 아르세날레의 남쪽에 형성된 노동자 거주지역의 공간구조.

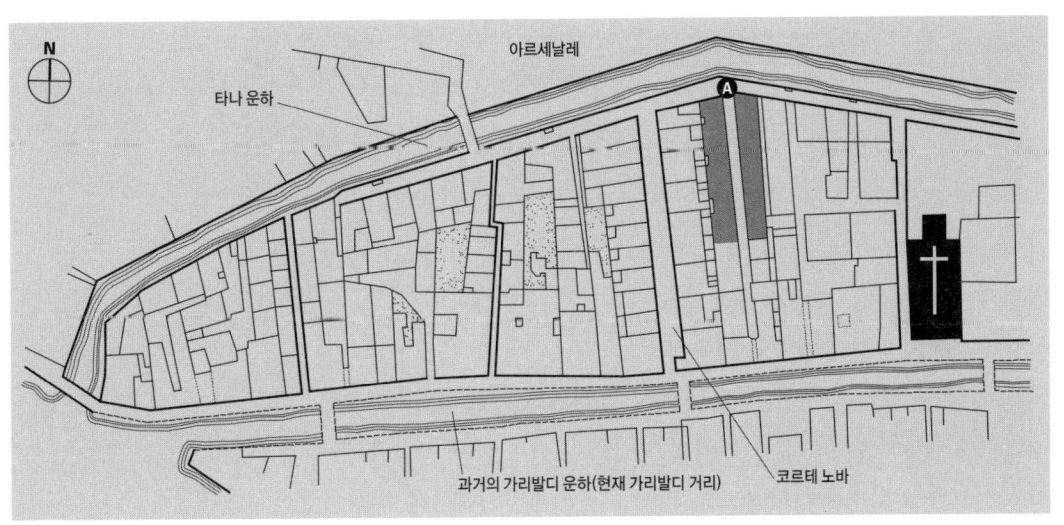

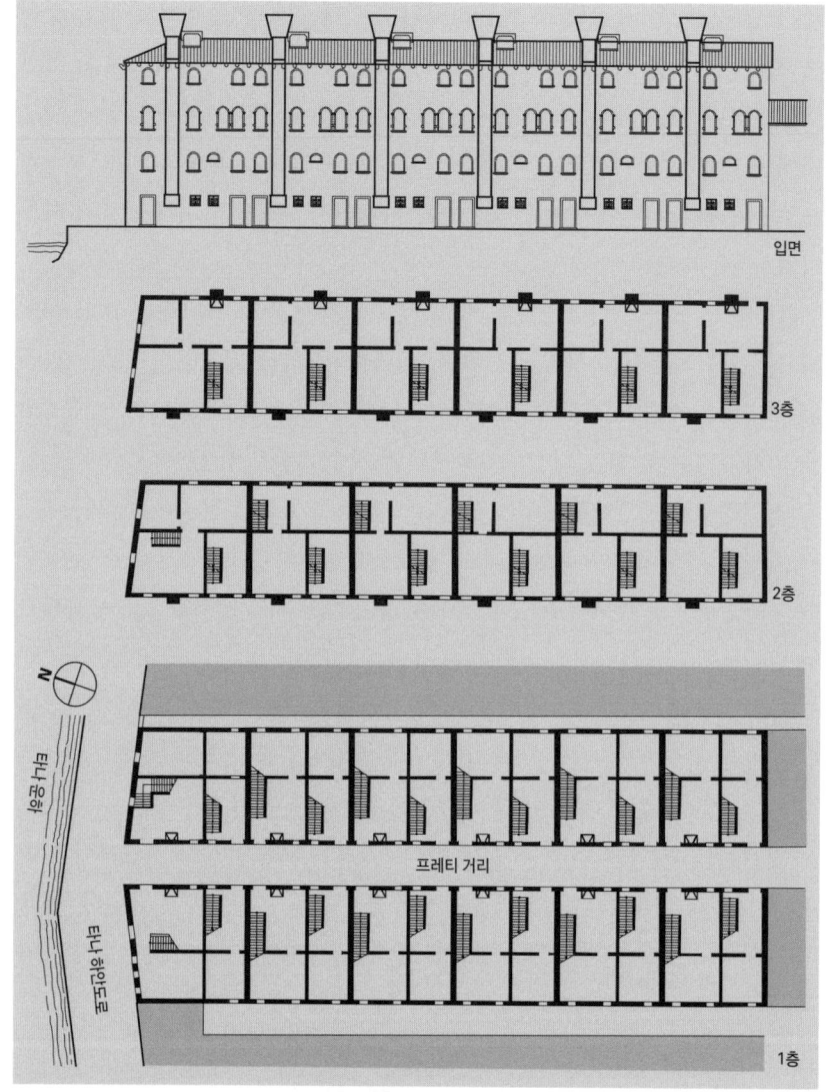

211. 카스텔로 지구에 있는 서민 집합주택의 평면과 입면. 일층 절반과 이층을 한 가구가, 나머지 일층 절반과 삼층을 다른 한 가구가 사용할 수 있도록 한 구조이다.

층의 반쪽과 이층의 일부 그리고 삼층 전부를 차지했다.

이렇게 공간이 복잡하게 배분되었던 까닭에 각 층의 기능에도 차이가 있었다. 즉 이층 거주자는 일층을 부엌과 식당이 있는 공적 공간으로 사용하면서 이층은 모두 침실로 사용한 반면, 삼층 거주자는 부엌과 식당을 삼층에 두고 삼층의 나머지 공간을 침실로 사용했다.

베네치아에 리네아형 주택이 대량으로 공급된 것은 16세기 이후였고, 이는 베네치아 특유의 이중나선형 계단이 일반화한 것과 관계가 깊다. 유럽의 어느 도시보다도 토지를 집약적으로 이용해 온 베네치아에서는 독특한 공간요

소들을 많이 창출해냈는데, 이중나선형 계단도 그 중 하나라고 할 수 있다.(도판 212)

이 계단은 두 가족이 한 계단실을 사용하지만 각각 백팔십 도 반대 방향에서 접근할 수 있게 만든 것이다. 말하자면, 오늘날 백화점에서 흔히 사용하는 교차형 에스컬레이터와 같은 형식의 계단이다. 16세기 이후 베네치아에서 가장 일반화한 리네아형 주택은 사층 규모의 주택에 두 가족이 함께 거주하는 형식이었다. 이 경우, 일층은 현관과 창고 등으로 공동으로 사용했고, 이층과 삼층은 각각 한 가족이 사용했으며, 사층은 둘로 나누어서 반씩 사용했다. 이중나선형 계단을 이용하면 한 계단은 이층과 사층의 절반으로 유도했고, 다른 한 계단은 삼층과 사층의 절반으로 유도했다. 그리하여 각 가족의 프라이버시가 보장되는 동시에 계단의 수도 반으로 줄일 수 있었다. 베네치아에서는 이러한 계단을 '레오나르도 계단' 이라고 부른다. 그 이유는, 레오나르도 다 빈치가 프랑스의 샹보르 성

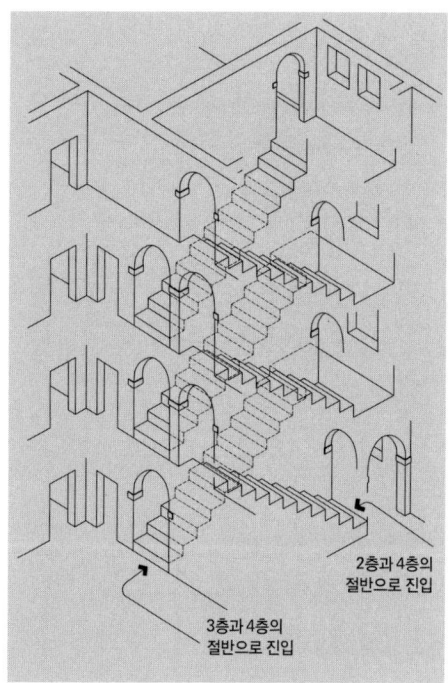

212. 베네치아 특유의 이중나선형 계단의 구성방식. 두 가족이 한 계단실을 사용하지만 각각 반대 방향에서 접근할 수 있기 때문에, 이 계단은 리네아형 주택에서 두 가족이 거주하는 데 용이했다.

(Château de Chambord)을 위해 설계한 계단이 이와 유사한 이중나선형 계단이었기 때문이다.

리네아형 주택은 주로 베네치아 변두리의 신흥 개발지구에 집중적으로 건설되었는데, 도심부에도 상당수 들어섰다. 16세기 베네치아에서 활동한 건축가 야코포 산소비노는 당시 공화국 정부에게 도심의 복잡한 주거지역을 헐고 그곳에 새로운 집합주택을 건축할 것을 건의하기도 했다. 이러한 영향 때문인지 이때 도심부 곳곳에서 리네아형 주택을 짓기 시작했다. 물론 구할 수 있는 땅의 면적 때문에 변두리에 지은 집합주택과는 규모에서 차이가 있었지만 내부공간과 외관의 구성 등은 유사했다.

도판 213에서 제시한 주택이 도심부에 지은 새로운 집합주택인데, 리알토에서 가까운 산타 마리나 광장(Campo Santa Marina)과 바로 인접한 위치에 있다. 사층 규모의 건물로서, 일층에는 상점들이 있다. 출입구는 광장과 연결된 칼레 코르테에 면해 있어서 이곳에 상층부로 올라가는 계단을 설치했다. 물론 건물에는 '레오나르도 계단' 을 설치했다. 평면상에는 계단의 위치가 상당

히 복잡해 보이나 자세히 살펴보면 독립된 진출입을 위해 세심하게 고안된 것임을 알 수 있다.

도로와 광장을 향한 입면구성을 보면, 창은 리듬감있고 질서정연하게 배열되어 이전 시대의 주택과는 다른 모습을 보여준다. 또 다른 특이한 점은 중앙에 위치한 칼레 코르테의 양쪽 끝에 아치를 설치한 것인데, 이렇게 함으로써 남쪽과 북쪽의 입면을 르네상스풍의 좌우대칭 구성으로 만들고, 칼레 코르테를 독립된 공간으로 만들 수 있었다.(도판 214) 베네치아의 주거지역에서 흔히 볼 수 있는 이러한 아치는 칼레 코르테를 쾌적한 공동체 공간으로 만들기 위해 고안된 슬기로운 환경장치라고 할 수 있다.

도심부의 리네아형 주택들과 형식이 유사하면서도 규모가 큰 집합주택들은 변두리 곳곳에 건설되었다. 당시의 집합주택들 중에서 베네치아를 특징짓는 형식은 앞의 사례처럼 칼레 코르테를 중심으로 양쪽에 건물 두 채를 서로 마주보게 짓는 형식이었다. 서민 또는 중산층 주택으로 보급된 이러한 집합주택은 카나레조 지구나 카스텔로 지구처럼 도시조직이 그것을 수용하기에 적합한 곳에서 더욱 일반화했다. 서로 마주보는 두 동의 건물은 운하 또는 넓은 도로를 향해 좌우대칭으로 배열되었고, 건물 사이에는 아치를 설치하여 마치 한 건물처럼 보이게 했다.

도판 216의 건물은 도르소두로구의 신흥 개발지에 건설된 것으로서, 이러한 형식의 집합주택을 대표하는 사례다. 건물의 전후면이 모두 운하에 면해 있는데(한쪽은 틴토르 운하(Rio del Tintor), 그리고 다른 한쪽은 프로쿠라티

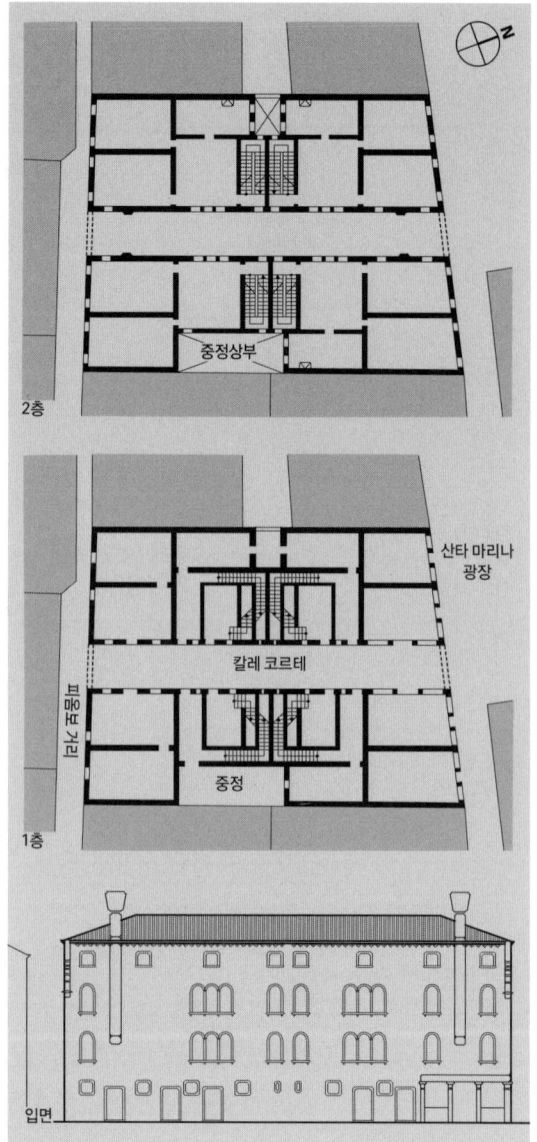

213. 산타 마리나 광장에 면해서 들어선 르네상스 양식 집합주택의 평면과 입면.

214. 산타 마리나 광장에서 바라본 르네상스 양식의 집합주택. 중앙의 칼레 코르테 양쪽 끝에 아치를 설치해 독립된 공간으로 만들었다.

에 운하(Rio delle Procuratie)] 운하와 직접 만나지 않고 하안도로인 폰다멘타를 끼고 자리해 있다. 베네치아의 신흥 주거지에서는 건물이 대부분 이러한 방식으로 운하에 면해 있다. 운하를 향한 면은 르네상스풍의 외관으로 당당하게 장식했으며, 중앙에 있는 거대한 아치가 두 건물을 통합하고 있다. 길에 면한 입면에서도 창은 리듬감있게 배열하여 르네상스적인 분위기를 표현하고 있다. 그리고 앞의 사례들처럼 주택의 내부에는 '레오나르도 계단'을 설치했다.(도판 215)

카나레조 지구에서도 이와 유사한 건물을 찾을 수 있다. 지구를 관통하는 산 지롤라모 운하(Rio di San Girolamo)와 센사 운하(Rio della Sensa)의 사이에 있는 이 집합주택은 형식과 규모의 측면에서 도르소두로구의 사례와 매우 흡사하다.(도판 217) 세부적인 내용, 이를테면 운하에 면한 방식이나 입면의 구성, 내부공간의 배열 등에서 다소 차이가 있지만 기본적으로는 같은 형식

제7장 중산층 및 서민층 주택의 존재방식

의 건물이다. 남쪽 하안도로에 면해 있는 부분은 오층으로, 그리고 나머지는 사층으로 구성되어 있는데, 오층 건물의 일층에는 상점이 있다. 운하에 면한 양쪽의 입면은 르네상스풍으로서, 거대한 팔라초를 연상시킨다.

 도판 218에 나타난 이층 평면을 보면 운하에 면한 쪽과 도로에 면한 쪽의 평면구성이 다소 다르지만 단위주택은 기본적으로 베네치아의 전통적인 삼렬구성을 따르고 있다. 남쪽 운하를 향한 주택에서만 이열구성을 취했는데, 그것은 아마도 전면의 폭이 좁기 때문이라고 생각한다. 이를 통해서 유추할 수 있는 것은, 베네치아에서는 집합주택이라 할지라도 단독주택이 가진 공간구성의 특성인 삼렬구성을 유지하려는 경향이 강했다는 점이다. 또한 삼렬구성의 원칙을 되도록이면 지키되 주변 환경과의 관계, 진입이나 조망 등 여러 조건에 맞추어서 적절하게 조절해 왔음을 알 수 있다. 결국 '운하를 향한 삼렬구성의 주택'은 베네치아의 주거환경을 특징짓는 유전자로서, 상황에 따라 적응하고 변형하면서 지속적으로 이어져 왔다고 할 수 있다.

 마지막으로 도판 219와 220을 통해 베네치아에서 형식상 가장 성숙한 집합주택을 하나 살펴보자. 도르소두로구의 신흥 개발지에 자리한 이 집합주택은 17세기 후반에 건축된 것으로서, 집합주택의 진화 과정에서 마지막 단계에 해당한다고 할 수 있다. 이 건물은 여러 가지 측면에서 앞에서 언급한 사례들과 다르다. 우선 수평적으로 구성한 외관이 과거의 주택들과 차별된다.

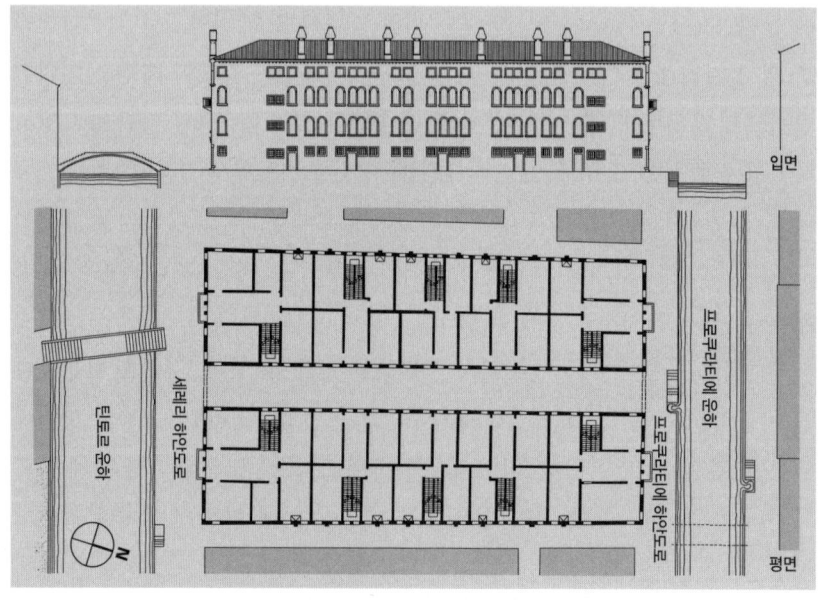

215. 도스소두로구의 틴토르 운하에 면해 있는 르네상스 양식 집합주택의 이층 평면과 입면.

216. 도스소두로구의 틴토르 운하와 프로쿠라티에 운하 사이에 자리한 르네상스 양식의 집합주택.(p.271)

프로쿠라티에 운하를 향해서 길게 자리잡은 이 건물은 반복적인 아치와 리드미컬하게 연속하는 창의 배열로 매우 체계적이고 격식있는 정면을 구성했다. 또한 모든 단위세대는 운하를 향해 개방되어 있다. 스무 세대의 중산층을 위한 사층 규모의 이 집합주택은 매우 간결하고 명쾌하면서도 완성도가 높은데, 단위주택의 공간구성을 보면 이러한 면을 발견할 수 있다.

건물의 주층인 이층과 삼층은 각각 한 가족에게 할당되었고, 일층과 사층은 좌우 두 공간으로 분리해 이층과 삼층의 거주자가 나누어 사용했다. 이층과 삼층의 평면은 명확한 삼렬구성이다. 계단은 주택의 후면에 설치했으며, 그 구성이 명쾌하여 마치 '레오나르도 계단' 의 전형을 보는 듯하다.

특이한 것은, 건물의 후면에 충분한 녹지를 확보하고 이를 각 단위세대의 정원으로 제공한 점이다. 따라서 모든 세대는 독립된 정원을 가질 수 있었다. 이러한 여러 측면을 감안해 볼 때, 이 집합주택은 오늘날 계획된 어떤 아파트보다도 그 구성이 우수하다는 생각이 든다.

베네치아의 중산층과 서민들을 위한 집합주택의 형식적 진화는 이쯤에서 끝을 맺는다. 진화의 결과, 계단을 수직적으로 공유하면서 복층의 단위주택을 교묘하게 겹쳐서 구성하는 주거형식이 정착했다. 말하자면 단독주택과 집합주택의 성격을 동시에 지닌 베네치아만의 주거형식을 일반화한 것이다. 피렌체 등 내륙 도시에 건설된 리네아형 주택들이 하나의 계단을 여러 세대가 공유하는 방식 즉 오늘날의 '계단실형 아파트' 로 일반화한 것과 상당히 대조적이다. 또한 층마다 다른 세대가 거주하는 여타 도시들의 공간 사용방식과도 대조적이다. 이것은 베네치아 특유의 '레오나르도 계단' 을 고안했기 때문에 가능했다. 처음에는 마치 미로처럼 복잡하던 '레오나르도 계단' 은 시간이 갈수록 위치와 형태가 간결해졌으며, 시스템도 체계화했다. 따라서 '레오나르도 계단' 의 발전 과정이 바로 베네치아 집합주택의 발

218. 산 지롤라모 운하를 향해 있는 르네상스 양식 집합주택의 이층 평면. 기본적으로 삼렬구성을 유지하려는 베네치아 주거환경의 특징을 엿볼 수 있다.

217. 카나레조구의 산 지롤라모 운하와 센사 운하 사이에 있는 르네상스 양식의 집합주택.(p.272)
219. 프로쿠라티에 운하에 면해 있는 집합주택. 수평으로 이어진 반복적인 아치와 창의 배열이 매우 체계적이다. (pp.274–275)

전 과정이라고 할 수 있다.

토지를 집약적으로 사용할 수밖에 없었던 베네치아에서는 공과 사의 공간을 적절히 배분하고 그 사이를 경계짓는 것이 매우 중요한 일이었다. 서민주거지역에서 주택의 내부는 항상 협소했기 때문에 외부공간의 사용은 그들의 생활에서 필연적이었다. 광장은 늘 사람들로 붐볐고, 좁은 도로에는 내부의 생활이 연장되어 나왔다. 도로를 가로질러 막대기를 걸쳐 놓고 빨래를 말리는 것이 서민주거지역의 일상적인 풍경일 정도로 베네치아의 공간사용은 집약적이다.

이러한 환경에서 각 주택으로의 진입 체계는 매우 중요한 사항임에 틀림없었다. 공적 공간에서의 사람들의 혼잡함이 계단과 복도로 이어지고 그것이 각 주택으로 연장된다면 베네치아인의 생활은 공과 사의 구분 없는 혼란에 빠졌을 것이다. 따라서 공과 사를 연결하고 분절하는 적절한 장치가 필요했고, 이러한 이유로 특유의 진입 체계와 '레오나르도 계단'이 도출되었던 것이다.

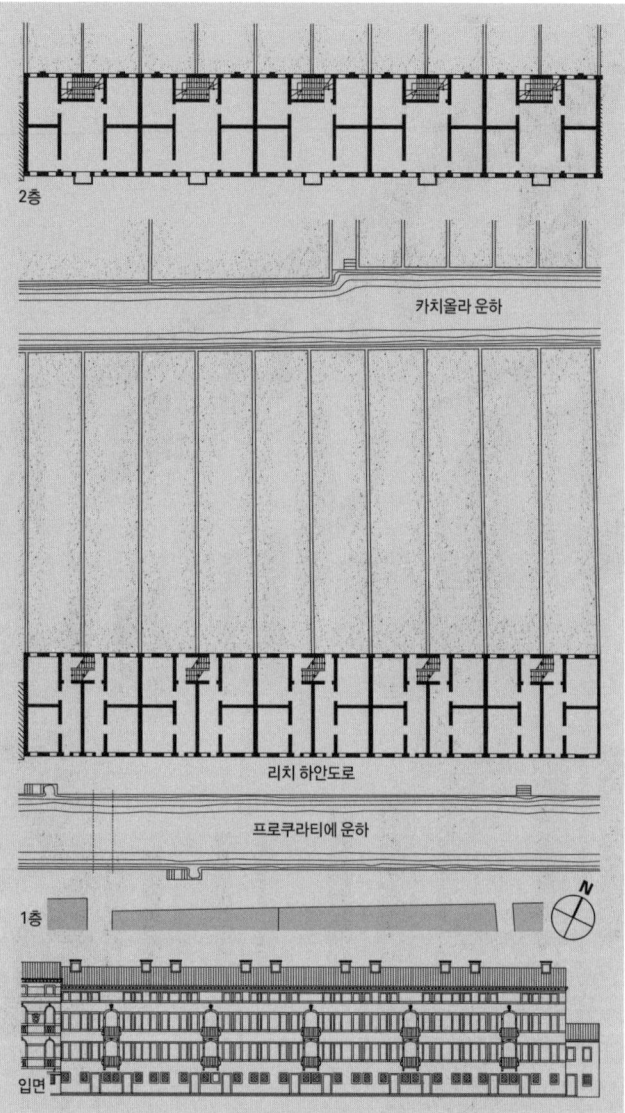

220. 프로쿠라티에 운하에 면해 있는 집합주택의 평면과 입면. 평면과 입면 구성이 모두 간결하고 명쾌하여, 매우 완성도 높은 베네치아 서민주택에 해당한다.

이는 우리가 베네치아의 서민주거지역에서 배워야 할 계획수법인 동시에 일종의 교훈이라고 생각한다.

결론
―
베네치아의 미래

지금까지 베네치아의 공간구조와 주거유형의 특성 및 변화 과정을 세밀하게 살펴 보았다. 우선, 몇 개의 섬들이 모인 소박한 마을로 시작한 베네치아가 훌륭한 문화도시로 발전해 가는 과정을 추적했으며, 물 위에 자리한 밀도 높은 이 도시의 독특한 공간구조를 읽었다. 그리고 이와 더불어 베네치아의 주요한 건축물, 귀족 계층의 대규모 저택들, 서민주택의 여러 다양한 모습에 이르기까지 두루 조명했다. 이를 통해 베네치아 속에는 독특한 주거형식과 집합방식이 존재하고, 동양과 서양의 주거문화가 교묘히 섞여 있는 주거환경이 시대의 변화에 따라 지속적으로 진화하면서 오늘의 모습을 갖추게 되었다는 사실을 규명할 수 있었다.

오늘날의 베네치아는 과거 찬란했던 시대의 문화를 많이 상실했지만, 그림에도 불구하고 인류의 가장 영광스러웠던 문명시대의 발자취가 도시 곳곳에 남아 있다. 베네치아의 존재가 독특하면서도 신비로운 것은 바로 이 때문이며, 많은 사람들이 이곳을 찾는 것도 이러한 이유에서이다. 베네치아의 문화는 다른 도시와 차별되는 특별한 분위기를 함축하고 있다. 회화와 문학, 영화, 그리고 만화에 이르기까지 다양한 문화가 도시의 신비로운 환경을 배경으로 등장했다. 그리고 많은 사람들이 이 도시의 형성 과정과 존재방식을 탐구해 오면서 이곳에 있는 건축물과 예술품의 가치를 발견해냈다.

그 동안 많은 사람들이 베네치아의 매력과 아름다움에 대해서 이야기해 왔는데, 프랑스의 왕 앙리 3세(Henri III)는 1574년에 베네치아를 방문한 후로 이곳에 완전히 매료되어 평생을 두고 이 도시를 잊지 못했다고 전해진다. 그는 그곳에서 지냈던 시간이 그의 인생에서 가장 좋았던 시절이라고 회상하면서, "내가 프랑스의 왕이 아니라면… 기꺼이 베네치아의 시민이 되었을 것"이라고까지 말하며 베네치아에 대한 칭송을 아끼지 않았다고 한다.[48] 물론 방문했던 모든 사람이 베네치아를 칭송하지는 않았으며, 그 중에는 "사람들이 살려고 만든 도시가 아니다"라는 악평을 남기기도 했다.[49] 많은 사람들이 베네치아에 대해 남긴 이야기들 중에서는 1786년에 이곳을 처음 방문했던 괴테의 다음과 같은 평가가 가장 적절하다고 생각한다. "나를 둘러싼 모든 것이 가치있는 것들뿐이다. 그것은 결집된 인간의 힘이 빚어낸, 위대하고 존경할 만한 작품이며, 한 명의 지배자가 아니라 수많은 군중이 남긴 훌륭한 유적인 것이다."[50]

베네치아가 이렇게 많은 사람들의 관심과 이러한 평가를 받을 수 있었던 것은, 베네치아인들의 끊임없는 노력, 그리고 세계 각국을 돌아다니면서 체득한 그들의 안목과 심미안 때문이라고 할 수 있다. 베네치아인들은 인간의 거주가 거의 불가능한 땅에서 오랜 세월에 걸쳐 지속적으로 피나는 노력을 기울인 결과, 오늘날과 같은 아름다운 도시를 만들 수 있었다. 그들은 불굴의 의지와 합리적인 정신으로 바다의 일부인 개펄지대를 세심하게 관리하여 온갖 산업활동과 공공사업이 가능하면서도 안전한 수상도시를 건설했다. 그리고 무역을 통해 벌어들인 돈으로 아름다운 궁전과 교회를 짓는 데 아끼지 않았으며, 최상의 재료와 기술을 동원하여 주택을 건설했다. 이를 위해서 당대 최고의 건축가들을 고용한 것은 물론이었고, 선진의 문물과 정보를 유입하는 데에도 게을리 하지 않았다. 이렇게 모든 지혜를 동원하여 오랜 시간 동안 갈고 닦은 결과, 삶의 터로는 너무나도 불리했던 곳을 지구상에서 가장 아름다운 도시 중의 하나로 탈바꿈시켜 놓았던 것이다.

베네치아는 아름다운 도시일 뿐만 아니라 지혜롭게 건설된 도시이기 때문에, 이 도시를 통해 배울 점도 매우 많다. 토지가 협소함에도 불구하고 유럽의 어느 도시보다도 광장이 많으며, 엄청나게 밀도가 높지만 답답하게 느껴지지 않는다. 공간을 교묘하게 나누고 연결하여 한 뼘의 땅이라도 가치있게 활용한 점에서 볼 수 있듯이, 도시의 공간을 다루는 수법에서는 베네치아인의 지혜를 따라갈 수가 없다. 따라서 건축가와 도시계획가들에게 이 도시는 살아 있는 교과서다. 그런데 아쉽게도 우리나라에는 베네치아를 대상으로 한 본격적인 건축적 연구나 그 공간구조와 주거환경에 대해서 다룬 연구서가 없었다. 베네치아에 대해 알려진 것은 그저 '물의 도시' '가면과 축제와 유리의 도시' '아름다운 산 마르코 광장이 있는 미로의 도시' 정도로, 일반적인 지식에서 크게 벗어나지 않았다. 베네치아에 열광적인 관심을 가져 '베네치아학(學)'이라는 학문 분야까지 있다고 자처하는 일본과 비교하면 좀 안타까운 일이다.

베네치아의 주거를 연구하기 위해 나는 이곳을 모두 다섯 차례 방문했는데, 상당 기간 체류하면서 매번 베네치아의 매력에 흠뻑 빠져들곤 했다. 그때마다 나는 도시구조와 주거공간을 연구하는 학자가 된 것에 커다란 즐거움과 보람을 느꼈다. 그만큼 베네치아 연구는 나에게 귀중한 체험이었다. 지금도 심신이 피곤하고 세상일이 귀찮아질 때면 베네치아로 가고 싶다는 생각이 든다. 도시와 건축 그리고 특히 주거환경을 공부하는 사람들에게는 이 도시에 꼭 가 보라고 권하고 싶다. 다만 짧은 기간 머물면서 적당히 돌아보는 것보다는 적어도 일주일 이상 머물면서 찬찬히 둘러보기를 권한다. 만일 마레토가 그린 상세한 연속평면도를 구할 수 있다면 그것을 들고 다니면서 베네치아의 주거를 '읽어' 보면 좋겠지만, 쉽게 구할 수 없는 까닭에 이 책이 그것을 대신해 도움을 줄 수 있을 것이라고 생각한다.

여름철의 베네치아는 인파들로 발 디딜 틈이 없다. 관광객들은 대부분 산 마르코 광장에서 리알토 다리 사이에 몰려 있고, 배를 타고 대운하를 오간다. 그 밖에도 대표적인 교회당이나 대저택을 개조한 미술관이 주로 사람들로 붐비는데, 사실 베네치아에서 꼭 봐야 할 곳은 이런 곳만은 아니다. 관광 명소에서 하루 정도를 보낸 후에는 이름 없는 주택과 골목, 운하가 서로 유기적인 관계를 맺고 있는 주거지들을 보는 것도 좋다. 베네치아의 매력은 몇몇 특정한 장소나 건물에 있는 것이 아니라 다양한 생활의 장들이 어우러진 도시공간 전체에 녹아들어 있기 때문이다. 차가 다니지 않는 베네치아는 자동차의 위협으로부터 해방되어 있으므로 안심하고 이곳저곳으로 다닐 수 있다. 수로와 도로와 건물들이 복잡하게 얽혀 있는 이 미궁도시를 돌아다니며 도시가 간직한 비밀을 하나하나 풀어 가는 것도 매우 즐거운 일이다. 이렇게 육지와 운하, 그리고 주택의 내부로부터 도시공간의 구석구석에 이르기까지 곳곳을 살펴보는 것이 베네치아를 진정으로 즐기는 방법일 것이다.

그러나 베네치아는 언젠가 지구상에서 사라질 위기에 봉착해 있다. 서서히 진행되는 지반의 침하와 해수면의 상승으로 조금씩 물에 잠긴 베네치아는 20세기에 들어서면서 그러한 현상이 부쩍 심해졌고, 오늘날 이 아름다운 도시는 완전히 침하될 위기에 처해 있다. 최근 현지에서는 '아쿠아 알타(aqua alta)'라고 부르는 높은 조류가 빈번하게 도시를 덮치면서, 도시에 물이 차는 현상이 자주 발생하고 있다. 오늘날의 평균 해수면은 베네치아 공화국이 공식적으로 출범한 810년보다 1.8미터나 상승한 것으로 파악하고 있다. 상승한 바닷물은 벽돌로 스며들었고, 물기가 마른 뒤 응결된 소금이 벽돌의 틈 사이를 헤집어 벽에는 균열이 발생했다. 영원할 것 같던 베네치아는 이렇게 안에서 조금씩 바스러지고 있었던 것이다. 사람들도 베네치아를 떠나기 시작해 16세기에 이십만 명에 육박하던 베네치아의 상주인구는 최근 오십 년 사이에 육만오천 명 정도로 줄었다. 봄과 여름에 북적이던 관광객들이 도시를 떠나고 나면 겨울철에는 한적하고 적막하면서 때로는 스산하기까지 하다.

1966년 11월 4일에 베네치아를 위협한 아쿠아 알타는 저지대인 산 마르코 광장을 덮친 뒤 도시 전체로 쏟아져 들어왔다. 수면이 평균 1.2미터나 올라간 상태가 열다섯 시간 동안 계속되자 이탈리아 정부는 유네스코에 도움을 호소했다. 이를 계기로 베네치아를 살리려는 프로젝트가 시작되었으며, 세계 열한 개 국가에서 베네치아를 돕기 위한 오십여 개의 민간단체가 앞을 다투어 구성되었다. 덕분에 지금까지 백 개가 넘는 문화유적과 천 점이 넘는 예술품을 복원했으며, 베네치아를 위기에서 구할 수 있는 항구적인 방법을 찾기 시작했다. 그렇다고 해서 아쿠아 알타를 당장 막아낼 방도는 없었다. 최근 들어 바닷물이 베네치아의 거리로 넘치는 날은 연중 이백 일에 달한다. 20세기초만 하더라도 이런 날은 이레 정도에 불과했다. 1923년부터 1932년까지의 십 년 동안 아쿠아 알타가 베네치아를 1.1미터 이상 침수시킨 횟수는 다섯 차례였지만 1993년에서 2002년 사이에는 무려 오십 차례가 넘었다. 특히 2002년 11월 15일부터 12월 5일까지의 이십 일 동안에는 수면이 1미터 이상 높아지는 현상이 십오 일이나 지속되었다. 미국 매사추세츠 공대(MIT)의 1999년 보고서에 의하면, 베네치아를 이렇게 방치한다면 앞으로 팔십 년 내에 완전히 침수될 것이라고 한다.

2003년 이탈리아 정부는 장장 삼십 년간의 논란에 종지부를 찍고 '모세 프로젝트(Mose Project)'를 실행하기로 결정했다. 이 프로젝트는 조류가 밀려들어오는 입구를 이동식 장벽으로 가로막는 계획이다. 아드리아해의 바닷물은 말라모코(Malamocco), 키오지아(Chioggia) 그리고 리도 섬 사이에 있는 세 개의 출입구를 통해서 드나든다.(도판 14 참조) 모세 프로젝트는 이동식 장벽을 사용하여 이곳을 막아 버리겠다는 엄청나고 야심 찬 계획이다. 이동식 장벽은 모두 일흔여덟 개의 관문으로 이루어져 있는데, 평상시에는 바닷물에 가라앉아 있다가 바닷물의 수위가 1.1미터 이상 올라가면 공기로 부양되어 바닷물을 가로막는다. 1981년에 최초로 계획이 수립되었지만, 이탈리아 정부의 정치적 불안정과 환경에 미치는 영향을 둘러싼 논란 때문에 그 동안 유보되어 왔다. 결국 베네치아를 살리기 위한 최후의 결단으로 이 프로젝트가 추진되고 있는 것이다. 이 프로젝트는 팔 년이 소요되며 최소한 이십육억 달러 즉 우리 돈으로 이조사천억 원 이상이 투입된다. 베네치아의 초기 개척자들이 혼자 힘으로 바닷물과 싸웠다면 이젠 이탈리아 정부와 전 세계가 공동전선을 펴고 있는 것이다.

  베네치아를 사랑하는 사람으로서 이 도시의 미래가 어둡지 않기를 바라며 '베네치아 읽기'는 여기서 마친다. 베네치아의 옛 영광이 부활할 수는 없겠지만 그 환경은 그대로 남아서 후세의 건축가들과 도시계획가들에게 살아 있는 지혜의 보고가 되어야 한다는 생각에는 변함이 없다. 그리고 인류에게 보석과 같은 이 문화유산이 시간의 흐름을 초월하여 존재할 수 있기를 바란다.

주(註)

1. 유형형태학적 접근 방법에 대해서는 여러 문헌에서 비교적 자세하게 언급하고 있는데, 어느 정도 일반적인 지식을 원한다면 다음의 문헌들이 도움될 것이다. A. V. Moudon, "Getting to Know the Built Landscape: Typomorphology," in K. A. Frank & L. H. Schneekloth (eds), *Ordering Space: Types in Architecture and Design*, New York: Van Nostrand Reinhold, 1994, pp.289-314; A. V. Moudon, "Urban Morphology as an Emerging Interdisciplinary Field," *Urban Morphology*, vol.1, 1997, pp.3-10; G. Cataldi, "From Muratori to Caniggia: The Origins and Development of the Italian School of Design Typology," *Urban Morphology*, vol.7, no.1, 2003, pp.19-34; 유주형·이규목, 「유형형태학적 도시경관 연구방법의 시론적 고찰」『도시설계』, no.4, 2001, pp.42-59; 손세관·한기정, 「유형적 형태학의 연구방법에 관한 연구」『대한건축학회 논문집』 제12권 6호, 1996, pp.73-83.
2. 유형형태학적 접근 방법은 이탈리아에서 처음으로 시작되었고, 이후 독일과 영국, 그리고 이어서 프랑스에서도 유사한 방법이 정착되었다. 학자층의 규모로 볼 때 이탈리아의 무라토리(Muratori) 학파와 독일과 영국을 대표하는 콘젠(Conzen) 학파가 대표적이라고 할 수 있다. 콘젠(M. R. G. Conzen)은 원래 독일에서 지리학을 공부한 다음 영국으로 건너가 도시계획을 전공한 후 그곳에 정착했기 때문에 콘젠 학파의 이론은 영국에서 더욱 꽃을 피웠다. 무라토리 학파의 접근 방법은, 건물의 유형이 항상 논의의 중심에 있고 그것을 바탕으로 특정한 도시가 어떤 원리에 의해서 형성되었는가를 규명하는 태도를 견지한다. 반면 콘젠 학파는 필지와 블록의 통합과 분절을 통해 도시의 성장과 변화의 메커니즘을 파악하려고 했다. 따라서 무라토리 학파의 접근법이 삼차원적이라면, 콘젠 학파의 접근 방법은 이차원적이라고 할 수 있다. 이 시리즈에서는 삼차원적 방법으로서 건축과 주택을 보는 무라토리 학파의 방법을 대체로 따른다고 할 수 있다. 유형형태학적 접근 방법의 다양한 양상에 대해서는 앞서 언급한 무동(A. V. Moudon)이 1994년에 쓴 글이 도움이 된다.
3. 여기서 기술한 내용과 다이어그램은 일본의 건축학자 진나이 히데노부(陳內秀信)의 설명을 따른 것이다. 陳內秀信, 『都市を讀む: イタリア』東京: 法政大學出版局, 1988, pp.16-20 참조.
4. 무라토리는 1950년대에 베네치아 건축대학에서, 1964년 이후에는 로마 대학에서 교수로 근무하면서 도시를 보는 새로운 방법론을 이론적 실천적으로 추구했으며, 이러한 방법론을 바탕으로 새로운 건축교육을 시행했다. 그는, 건축이 추구해야 할 본질적인 가치는 근대건축가들이 모색한 '깨끗하고 기능적인' 환경에 있는 것이 아니라, 고대로

부터 이어져 온 전통적인 도시에 있다고 보았다. 그리고 이와 동시에 도시는 어디까지나 시간의 흐름에 따른 여러 행위들의 누적체라고 보았다. 따라서 도시의 조직 속에서 읽을 수 있는 공간과 건축의 '유형들' 그리고 그것들 사이의 상호관계를 분석함으로써 각 시대의 건축에서 여러 생각과 행위와 선택 들을 유추할 수 있다고 생각했다. 그리고 이러한 분석을 통하면, 오늘날의 건축이 도시 속에서 어떤 모습을 가져야 할지를 논리적으로 추정할 수 있다고 생각했다. 결국 그는 도시의 역사를 연구함으로써 현대의 도시문제를 해결하려고 했으며, 그것을 통해 오늘날의 건축설계에 대한 실천적인 해답을 구하고자 했다. 같은 시대의 이탈리아 건축가들이 모두 기능주의와 합리주의라는 근대건축의 원리에 빠져 있을 때, 그는 독특하게도 과거로부터 '새로운' 설계 방법을 찾으려 했다. 무라토리의 작업이 지닌 힘은 무엇보다도 그것의 실천적인 성격에 있으며, 그가 베네치아와 로마를 대상으로 수행한 연구들은 '실천적 역사(operational history)'를 위한 연구였다. 동시대의 이탈리아 건축가들과는 전혀 다른 특별한 건축가이자 특이한 이론가였던 무라토리는, 우리가 생각하는 것 이상으로 중요한 업적을 남기고 1973년에 사망했다. 무라토리의 철학과 활동 그리고 그 후계들의 연구활동에 대해서는 다음의 문헌에서 비교적 충실히 다루고 있다. G. Cataldi, "From Muratori to Caniggia: The Origins and Development of the Italian School of Design Typology," *Urban Morphology*, vol.7, no.1, 2003, pp.19–34; N. Marzot, "The Study of Urban Form in Italy," *Urban Morphology*, vol.6, no.2, 2002, pp.59–73.

5. 로마는 고대에서 현대에 이르는 오랜 세월 동안 수많은 기념비적 건축들과 그것을 둘러싼 각종 건축유형들이 차곡차곡 자리잡은 도시다. 무라토리는 이 도시를 대상으로 베네치아에 적용한 것과 유사한 방법을 사용하여 공간구조를 분석했다. 다른 연구자들의 협력을 얻어가면서 상세한 조사를 펼친 결과, 무라토리는 로마의 형성과 변화의 메커니즘을 상세하게 규명할 수 있었다. 그리고 『로마의 실천적 도시 역사를 위한 연구(*Studi per una Operante Storia Urbana di Roma*)』라는 제목의 보고서를 1963년에 출간했다. 이것은 베네치아에 이은 또 하나의 실천적인 도시사 연구이며, 그의 중요한 업적 가운데 하나로 평가받는다.

6. 일본 학자 진나이 히데노부가 베네치아에 대해서 쓴 책은 상당히 많은데, 그 중 중요한 서적을 꼽아 참고문헌에 수록했다.(pp.295-296 참조) 물론 내용들이 많이 겹치기 때문에 관심있는 독자들이라 해도 여기서 두세 권 정도만 보면 충분하다.

7. C. Catling & S. Boulton, *Venice and the Veneto*, London: Dorling Kindersley Books, 2004, p.4에서 재인용.

8. 1494년에 피에트로 카솔라는 예루살렘을 최종 목적지로 하는 순례 여행을 떠났는데, 이때 베네치아에 오랜 기간 머물면서 그곳의 인상에 대해 많은 글을 남겼다. 당시에 쓴 글은 전성기 베네치아의 사회와 환경을 이해하는 데 많은 도움을 준다. 이 글은 1855년에 밀라노에서 출간되었고, 20세기 초반에 영어로 번역되어 영국에서 출간되었다. Pietro Casola, M. Margaret Newett (trans.), *Canon Pietro Casola's Pilgrimage to Jerusalem in the Year 1494*, Manchester: Manchester University Press, 1907.

9. 시오노 나나미, 정도영 역, 『바다의 도시 이야기』 하권, 한길사, 2002, p. 453 참조.

10. 이탈리아 반도에 있는 많은 도시들은 로마 시대에 형성된 도시조직을 기반으로 성장했다. 물론 로마가 나라를 세우기 이전에 조직을 형성한 도시들도 있었지만, 이런 도

시들도 대부분은 로마 제국에 의해서 새롭게 조정되었다. 이탈리아의 도시들은 로마 시대 특유의 도시계획 기법에 기반을 두고 건설되었는데, 격자형의 도로망에 의해서 기하학적인 정연한 체계를 가진 공간구조를 형성했다. 이러한 도시들은 중세로 들어오면서 그 시대의 생활양식에 의해서 변형되었지만, 도시의 중심부는 로마적인 조직을 거의 그대로 유지했다. 이러한 도시들은 대부분 평야지대에 형성된 경우가 많으며, 피렌체 · 코모(Como) · 베로나(Verona) · 루카(Lucca) 등이 이에 해당한다. 산악지대가 많은 이탈리아 반도에는 산의 정상부나 구릉지에 세워진 도시들도 흔한데, 이들은 대부분 로마 제국이 멸망한 후 이민족의 침입을 피해서 세워졌다. 그 공간조직은 로마 시대에 건설된 도시들과 완전히 다르며, 이러한 도시들은 자연발생적이고 유기적인 공간구조를 취한다. 베네치아 또한 로마 제국의 멸망 이후에 세워진 도시로서, 산악지대는 아니었지만 '피난'으로 인해 도시가 형성되었으므로 산악도시의 성립 배경과 비슷하다고 할 수 있다. 이탈리아의 도시형성과 변화 등에 관한 내용은 다음 문헌에서 자세히 다루고 있다. L. Benevolo, *The History of the City*, Cambridge, Mass.: MIT Press, 1980.

11. A. Zorzi, *Venice 697–1797: A City, A Republic, An Empire*, Woodstock: The Overlook Press, 1999, p.7, 262에서 재인용.

12. 프랑크 왕국과 전쟁을 마친 지 일 년이 지난 뒤에 베네치아인들은, 서쪽의 신성 로마 제국 황제 샤를마뉴와 동쪽의 비잔틴 제국 사이에 조인된 조약에 의해서 프랑크 왕국에 대해 참된 승리를 거두게 된다. 이 조약에서 샤를마뉴는 공식적으로 베네치아에 대한 영유권을 포기하고, 베네치아가 비잔틴 제국에 속하는 것을 인정했다. 더욱이 베네치아인들에게는 신성 로마 제국 내에서의 교역의 자유까지 인정했다. 이것은 이미 인정되고 있던 비잔틴 제국 영내에서의 교역의 자유와 함께 베네치아 상인들에게는 엄청난 기회를 제공한 일대 사건이었다. 나라의 장래가 교역에 걸려 있다고 내다보던 베네치아에게 이만큼 큰 승리는 없었다. 이때부터 베네치아는 명실상부한 해상교역 국가로서 발전하기 시작했다. 시오노 나나미, 정도영 역, 『바다의 도시 이야기』 상권, 한길사, 2002, p. 57 참조.

13. 베네치아에서는 9세기부터 도시의 건설을 지휘하고 감독하는 관리가 임명되었다. 처음에는 두 명의 관리를 임명했는데, 그 중 한 사람은 소택지를 매립하는 일을, 그리고 다른 한 사람은 하안을 수리하고 복구하는 일을 담당했다. 1282년에 이르러 라구나의 물을 관리하는 직책이 새로이 설치되었다. 이렇게 도시의 건설활동을 공공적 견지에서 관리하는 제도가 일찍부터 확립된 것으로 파악되는데, 베네치아의 건설 과정에서 라구나의 매립에 의한 토지의 확장은 기본적으로 민간인의 손에 의해서 추진되었다고 보는 것이 옳을 것이다. 여기서 민간인이라면 교구를 경제적으로 이끌어가는 유력자 또는 종교법인 등이었고, 이들 민간인들은 정부와의 계약에 의해서 어디까지나 공적 이익에 위배되지 않는 범위 내에서 자신들의 토지를 확장시켜 갔다. 정부 당국은 도시의 발전을 촉진하기 위해서 민간인이 조성한 토지를 그들에게 양도했다. 이 경우에는 공공적 환경의 질적 향상이라는 측면에서 서로간에 상당히 엄격한 계약을 체결했다. 예를 들면, 질서있는 토지의 확장과 견고한 제방을 구축할 의무를 부과했으며, 필요한 곳에는 다리나 선착장을 건설할 것을 의무화했다. 또한 공공의 통행을 위한 폰다멘타(fondamenta) 즉 하안도로를 어디에도 설치할 수 있도록 하기 위해서 육지와 물

이 만나는 부분에는 일정 폭 이상의 공터를 남길 것을 의무화했다. 陣內秀信, 『ヴェネツィア: 都市のコンテクストを讀む』SD選書 200, 東京: 鹿島出版會, 1986.

14. 베네치아는 11세기부터 융성하기 시작했는데, 이때부터 아드리아해의 제해권을 획득하고 해양교역의 시대를 열어 갔다. 이후 활발한 상업활동과 강력한 해군력을 바탕으로 베네치아는 강력한 도시국가로 성장했다. 우선 이스트라와 달마티아(Dalmatia)가 10세기말에 정복되어 베네치아에 편입되었다. 그리고 국가원수 단돌로(Dandolo)가 이끄는 십자군이 1204년에 콘스탄티노플을 점령하면서 아드리아해의 제해권을 완전히 장악했다. 이후 향료·면직물·보석 등을 위주로 한 동방과의 무역이 베네치아를 부국으로 만들어 주었다. 14세기에는 해상무역의 경쟁자였던 제노바를 굴복시켰고, 1416년에는 갈리폴리(Gallipoli) 전투에서 오스만 투르크를 굴복시켰다. 또한 연이어서 모레아(Morea)·키프로스(Cyprus)·크레타(Creta) 등을 정복하여 속주로 만들었으며, 본토에 있던 베로나·비첸차(Vicenza)·파도바(Padova)·우디네(Udine) 등 여러 왕국을 점령하여 영토에 귀속시켰다. 이렇게 아드리아해를 완전히 장악하고 해상무역의 모든 장애물을 제거함으로써, 유럽에서 가장 강대하고 부유한 국가 중의 하나가 되었다.

15. 베네치아의 인구는 9세기 이후 지속적으로 증가하여 융성기의 정점이었던 1500년에 이십만 명에 육박했다는 설도 있다. 당시의 인구 이십만은 다소 과장된 듯이 보이나, 십오만 명이 넘었던 것은 확실하다. 이 정도로 지속되던 인구는 1630년에 도시에 흑사병이 엄습하면서 십만 명 정도로 축소되었다. 이렇게 줄어든 인구는 1700년에 이르러 십사만 명 정도로 회복되었다. 통일된 이탈리아의 도시로 편입된 이후에는 인구가 계속 증가하여 1950년에는 약 십칠만 명을 기록했다. 이후 지난 오십 년 동안 도시의 인구가 급격히 줄어들면서 2004년에는 상주인구가 육만오천여 명 정도로 파악되었다. 상주인구가 줄어드는 데 반해 매년 베네치아를 찾는 관광객의 숫자는 계속 늘어나고 있다. 1960년에 오십만 명 정도이던 관광객이 2004년에는 천만 명을 기록했다. 상주하는 시민보다 백 배가 훨씬 넘는 사람들이 베네치아를 찾는다는 의미다.

16. 1500년에 야코포 데 바르바리가 그린 지도 〈1500년의 베네치아〉는 베네치아의 전성기 모습을 세밀하게 살펴볼 수 있는 중요한 자료이다. 이 지도는 여섯 장의 거대한 목판화로 제작되었는데, 여기에 표현된 극도의 세밀함은 당시 베네치아의 번성함과 물리적 환경을 이해하는 데 큰 도움이 된다. 조감도 형식으로 작성된 이 지도에는 건물뿐만 아니라 광장·도로·운하·정원 등 도시에 있는 모든 건물과 시설물이 상세하게 묘사되어 있다. 산 마르코 광장을 중앙에 두고 건물의 상세한 모양과 규모, 지붕의 형상, 창의 모습 등은 물론이고, 나아가서는 굴뚝의 모양 및 우물까지도 묘사되어 있다. 또한 이 지도를 통해 광장과 길 등의 바닥 재료 및 패턴까지도 관찰할 수 있다. 따라서 이 지도는 16세기에 가장 전성기를 구가했던 베네치아 공화국의 사회상을 유추할 수 있는 매우 귀중한 자료임이 틀림없으며, 특히 건축과 주택을 연구하는 사람들은 이를 기본적인 사료(史料)로 활용하고 있다. 이 목판지도는 현재 베네치아의 코레르 박물관(Museo Correr)에 보관되어 있다.

17. 베네치아에서 귀족(Nobili)은 국정에 참여하는 권리를 가진 계층이었는데, 이 권리는 세습되었다. 귀족이라는 계급이 제도적으로 확립된 것은 1297년의 개혁에 의해서였다. 그 이전의 비잔틴 시대에도 실질적으로는 오래된 명문가나 유력자들이 베네치아

의 정치를 주도했지만, 당시에는 귀족과 평민의 명확한 구별이 없었다. 그러다가 1297년의 개혁으로 국정에 참여할 수 있는 귀족과 관여할 수 없는 시민으로 구별되었다. 그런데 귀족이라고 해서 모두 부유했던 것은 아니었다. 귀족의 특권은 국가의 정치에 참여할 수 있다는 것뿐이었다. 귀족 아래로는 전문 관료로서 시민계급(Cittadini Originali)이 있었고, 그 수는 귀족과 비슷했다. 그 밖에 서민계급(Popolani)이 있었는데, 이들이 압도적인 다수를 점했다. 이렇게 베네치아인의 신분은 제도적으로 명확하게 구분되었다. 그러나 도시가 성장함에 따라 귀족이 아닌 평민 중에서도 경제적인 부를 획득한 사람이 증가했고, 이들도 도시의 경영에 상당한 영향력을 행사했다.

18. 1500년에 번영의 정점에 이르렀던 베네치아는 이후 서서히 쇠퇴의 길로 접어들었다. 1453년 오스만 투르크가 콘스탄티노플을 점령한 사건은 치명적이지는 않았으나 쇠퇴의 작은 발단이 되었다. 또한 신대륙의 발견은 베네치아의 무역에서 방향 전환을 불가피하게 만들었다. 1500년에 오스만 투르크가 키프로스를 점령하자 그들과 소모적인 전쟁을 계속 벌여야 했는데, 1571년에 결국 레판토(Lepanto) 전투에서 패함으로써 그들에게 무릎을 꿇고 말았다. 오스만 투르크가 이십오 년 동안 크레타 섬을 공략한 끝에 점령하자 17세기에 베네치아는 결정적인 쇠퇴의 길로 들어섰다. 이 전쟁은 1645년에 시작되어 1669년에 끝이 났는데, 지중해 역사에서 가장 격렬하고 가장 많은 피를 흘린 싸움이었다. 17세기 이후 경제의 쇠퇴가 지속되었고, 그러던 중 도시를 엄습한 페스트로 인구의 삼분의 일을 잃은 베네치아로서는 이 전쟁에서 이길 방도가 없었다. 그리고 지중해 해상무역의 마지막 보루였던 크레타를 잃음으로써 베네치아는 치유할 수 없는 몰락에 직면하게 되었다. 결국 '유럽에서 가장 평화로운 공화국' 베네치아는 1797년에 나폴레옹이 이곳을 점령함으로써 그 종지부를 찍었다. 이후 1866년에 이탈리아 왕국의 군대가 베네치아를 점령하기까지 반세기 가량 오스트리아의 영토로 남아 있었다.

19. 존 러스킨은 19세기 영국을 대표하는 건축이론가이자 평론가이다. 그의 이론은 당시 영국에서 일어난 고딕 부활 운동(Gothic Revival Movement)과 그것에 뒤이은 수공예 운동(Art and Craft Movement)에 지대한 영향을 끼쳤으며, 근대건축의 발생 단계에 활동한 매우 중요한 인물 중의 한 사람으로 평가된다. 그는 특히 베네치아를 좋아했는데, 그곳의 건축을 통해 그만의 독자적인 건축이론을 정립시켰다. 그가 1849년에 처음 출간한 책 『건축의 일곱 등(The Seven Lamps of Architecture)』은 베네치아를 오랫동안 방문한 결과 그곳의 건축으로부터 얻은 교훈을 통해 새로운 건축이 취해야 할 방향을 제시한 것이다. 두번째로 출간한 책이 『베네치아의 돌』인데, 이 책은 1851년부터 연속적으로 출간하여 모두 세 권으로 완성되었다. 첫번째 권에서는 베네치아의 건축을 속속들이 조사하여 그곳 건축의 벽체·기둥·주두(柱頭)·지붕 등 여러 구성요소에 대해서 상세하게 다루었다. 두번째 권과 세번째 권에서는 베네치아의 고딕 건축과 비잔틴 건축이 지닌 가치에 대해서 평가했고, 결국 고전건축을 거부하는 대신 고딕 건축의 미학적 가치에 대해서 강한 지지를 표명했다. 그가 높이 평가한 고딕 건축의 수공예적인 가치는 윌리엄 모리스(William Morris)가 주도한 수공예 운동에 이론적 밑바탕을 제공했으며, 연이어 계속된 아르누보(Arts Nouveau) 건축에도 직접적인 논리를 제공했다. 또한 멀리는 라이트(Frank Lloyd Wright)와 그로피우스(Walter Gropius) 등 근대건축 거장들의 건축관에도 커다란 영향을 주었다.

20. J. Ruskin, *The Stones of Venice*, vol.2, 1907 edn., p.79; D. Howard, *Venice & the East*, New Haven: Yale University Press, 2000, p.2 에서 재인용.
21. D. Howard, 위의 책, pp.2-3 참조.
22. 스코틀랜드의 화가인 데이비드 로버츠(David Roberts)가 1849년에 출간한 여행 스케치 화집 『성스러운 땅, 이집트와 누비아의 풍경(*Views of the Holy Land, Egypt & Nubia*)』에 수록된 그림이다.
23. 왼쪽 도판의 원 출처는 T. Talamini, *Il Canal Grande: Il Rilievo*, 1990이고, 오른쪽 도판의 원 출처는 J. Sauvaget, "Alep: Essai sur le dévelopment d'une grande ville syrienne, des origins au milieu du XIXe siècle," vol.2, 1941이다. 두 도판 모두 D. Howard, *Venice & the East*, 2000에서 재인용.
24. 영국의 여행가인 리처드 노리스(Richard Norris)가 1769년에 출간한 『이탈리아에서의 스케치(*Sketches taken in Italy*)』에 실린 그림이다.
25. 시오노 나나미, 정도영 역, 『바다의 도시 이야기』 상권, 한길사, 2002, pp.80-82 참조.
26. 9세기 즉 베네치아가 성립되던 초기 단계에는 대부분의 길이 포장되어 있지 않았고, 풀이 자란 흙바닥 위로 사람들이 걸어다녔다. 12세기경부터 주요 도로는 벽돌로 포장되기 시작하여 13세기 중반에 이르러 대부분 포장되었다. 초기에는 사람과 동물이 같은 길로 다녔는데, 상류층은 주로 말을 타고 섬 내부를 돌아다녔다. 그러나 마차는 통행이 금지되었다. 도로의 포장은 매우 더디게 진행되었고 부인들은 진창을 피하기 위해서 높은 목화(木靴)를 신고 다녔는데, 이것은 1409년에 금지되었다. 1297년에 이르러 산 마르코와 리알토 지구를 연결하는 간선도로인 메르체리아 거리(Via Merceria)에서 승마가 금지되면서 이를 계기로 승마를 하는 인구는 점차 줄어들었고, 15세기에는 완전히 사라졌다. 또한 1340년에는 공도(公道)에 불을 밝히는 것을 각 지구의 주민들에게 의무화했다.
27. E. N. Bacon, *Design of Cities*, New York: Penguin Books, 1976에 실린 도판을 바탕으로 다시 작도한 것이다.
28. '바다와의 결혼식'은 베네치아에서 벌어진 가장 중요한 의식 중의 하나였다. 998년 달마티아 해안(오늘날 유고슬라비아 서부의 아드리아해에 면한 해안)의 재탈환을 기념하여 매년 그리스도의 승천일(Ascension Day)에 열린 이 행사는 오늘날까지도 이어지고 있다. 의식은 국가원수가 주교, 귀족, 그리고 유력한 시민들과 함께 원수 전용의 갤리선을 타고 리도 섬 바깥으로 나가서 베네치아 상인들을 풍랑과 해적들로부터 지켜달라는 기원을 하는 것으로 이루어진다. 처음에는 소박한 행사에 불과했으나 점차 화려하고 장엄하게 치루어 '바다와의 결혼식'이라는 이름을 얻게 되었다. 원수는 리도 섬의 북쪽 끝 지점 앞에 이르러 바다를 향해 반지를 던지는 것이 관례였다. 오늘날에는 베네치아 시장이 과거 공화국 원수의 역할을 대신한다.
29. 19세기 중엽까지 대운하에 놓인 다리는 리알토 다리가 유일했으나, 1854년에 아카데미아 다리(Ponte dell'Accademia)를 건설하고 사 년 뒤에 스칼치 다리(Ponte degli Scalzi)를 건설함으로써 대운하에 놓인 다리는 모두 세 개가 되었다. 새로 구축한 이 다리들은 처음에는 모두 철로 만든 현대식이었는데, 1933년에서 1934년 사이에 이들을 허물고 다시 지으면서 그 모습이 변했다. 스칼치 다리는 석조 다리로, 아카데미아 다리는 나무로 된 임시 다리로 바뀌었고, 이것은 오늘날까지도 그대로 남아 있다.

30. 롬바르도 가문의 창시자는 조각가이자 건축가인 피에트로 롬바르도(Pietro Lombardo) 였는데 그의 두 아들인 툴리오(Tullio)와 안토니오(Antonio)도 건축가로서 아버지의 업을 이었으며, 툴리오의 아들 산테(Sante)도 역시 건축가였다. 피에트로는 피렌체에서 르네상스 양식을 배운 것은 아니었고 파도바에서 도나텔로(Donatello)의 계승자들과 협동작업을 통해서 습득했다. 오스만 투르크의 지중해 진출로 동방무역에 어려움을 겪고 있었던 베네치아는 내륙으로 영토를 확장했는데, 밀라노를 중심으로 한 롬바르디아 지방과 베네치아를 중심으로 한 베네토 지방 사이에는 정치뿐만 아니라 문화의 교류도 활발하여, 건축에서도 인적 교류가 적지 않았다. 베네치아로 활동의 무대를 옮긴 피에트로 롬바르도는 이곳에서 활발하게 활약하면서 많은 건축물들을 설계했다.

31. 르네상스의 많은 건축가들이 자신의 건축서를 쓰려고 했으나 완성된 상태로 출간한 사람은 몇 명 되지 않았다. 건축가 세를리오도 그가 계획한 건축서의 집필을 완료하지 못하고 생을 마감했다. 세를리오는 이론이나 교육에 열중한 나머지 실제 건물은 거의 짓지 못했다. 로마가 약탈되자 세를리오는 열 권 분량의 건축서를 쓸 계획을 가지고 베네치아에 은거했다. 그는 계획한 책들을 순서에 따르지 않고 완성되는 대로 출간했는데, 1537년에 처음으로 나온 제4권은 건축양식(order)을, 1540년에 나온 제3권은 로마의 고대 건축물을 다루었다. 프랑수아 1세의 초대로 1540년에 프랑스를 방문한 세를리오는 퐁텐블로(Fontainebleau)에 거처를 잡고 파리에서 2개 국어로 저작활동을 계속했다. 1545년 출간된 제1권과 제2권은 기하학과 원근법에, 1547년에 나온 제5권은 종교건축에 할애했으며, 1551년에 마지막으로 출간된 별책(別冊)은 건축에서의 정문(正門)을 다루었다. 사고(事故)에 대해 쓴 제7권은 그의 사후인 1575년에 출간되었다. 도시와 농촌의 민간건축에 대해서 다룬 제6권은 1967년과 1978년에야 출간되었고, 포진법(布陣法)을 다룬 제8권은 여전히 출간되지 않은 상태이다.

32. '세를리아나'는 세를리오가 제시한 고전주의적 창의 구성수법이다. 말하자면 그가 생각한 가장 이상적인 르네상스식 개구부였다. 이러한 개구부에 대해서 '세를리아나'라는 이름을 붙인 것은 이것이 세를리오의 『건축서』에 처음으로 등장했기 때문인데, 사실 세를리오가 독창적으로 창안한 것은 아니었다. 학자들은 이것이 브라만테(Bramante)로부터 시작된 것이라고 유추하고 있다. 라파엘로(Raffaello)·스카모치(Scamozzi) 등도 이러한 개구부를 사용했으며, 특히 팔라디오(Palladio)가 이 개구부를 즐겨 썼기 때문에 '팔라디오식 창(Palladian Window)'이라고 부르기도 한다.

33. 산 칸치아노 지구의 형성과정은 무라토리가 처음으로 정리했고, 지구 내에 있는 건축물을 상세하게 조사하여 세부적으로 정리한 것은 마레토였다. 이를 진나이 히데노부가 다시 번안하여 그의 책에 정리해 놓았다. 여기서 다룬 산 칸치아노 지구의 형성과정과 그곳에 있는 주택의 특성에 관한 내용은 주로 마레토와 진나이 히데노부가 정리한 것을 참고했는데, 그 내용은 다음 책에 실려 있다. P. Maretto, *L'Edilizia Gotica Veneziana*, 2nd ed., Venezia: Filippi Editore, 1978; P. Maretto, *La Casa Veneziana nella Storia della Citta*, Venezia: Marsilio Editori, 1986; 陣内秀信, 『イタリア都市再生の論理』 SD選書 147, 東京: 鹿島出版會, 1978.

34. 산 폴로 지구가 형성되는 과정은 무라토리가 정리했고, 지구 내의 건축물에 대한 상세한 실측조사는 마레토가 시행했다. 이에 대한 내용은 다음 문헌에서 자세히 다루고 있

다. P. Maretto, *L'Edilizia Gotica Veneziana*, 2nd ed., Venezia: Filippi Editore, 1978; P. Maretto, *La Casa Veneziana nella Storia della Citta*, Venezia: Marsilio Editori, 1986.

35. 베네치아의 주요 지구에 대해서 상세한 실측조사를 했던 마레토는, 이상하게도 산타 마르게리타 지구를 그 대상에서 제외했다. 물론 기본적인 연구는 했으나, 오백분의 일 축척의 연속평면도는 작성하지 않았다. 그런데 이 지구의 형성과정에 대해서는 진나이 히데노부가 무라토리의 연구를 참고로 해서 비교적 잘 정리했고, 또 다른 일본의 건축학자 와타나베 마고토(渡邊眞理)는 오늘날 이 광장 주변에서 일어나는 상업활동, 주민들의 생활상 등을 일종의 참여관찰 방법으로 재미있게 정리했다. 이 두 학자의 논문은 일본에서 계간으로 발행되는 잡지『스파치오(*SPAZIO*)』(제19호, 1978)에 실려 있고, 각각의 제목은 다음과 같다. 陣內秀信,「サンタマルゲリタ廣場の歷史」; 渡邊眞理,「サンタマルゲリタ廣場の現在」. 그리고 진나이 히데노부는 위의 글을 조금 수정하여 다음 책에 수록해 놓았다. 陣內秀信,『ヴェネツィア: 都市のコンテクストを讀む』 SD選書 200, 東京: 鹿島出版會, 1986. 이 책에서 기술한 산타 마르게리타 지구의 형성과정에 대한 내용은 주로 진나이 히데노부의 글을 참고했다.
36. 폼페이 유적지에서 발굴된 지도를 바탕으로 아메데오 마이우리(Amedeo Maiuri)가 복원하여 그린 것이다. 폼페이 발굴자료를 많이 확보하고 있는 국립인쇄조폐공사(Istituto Poligrafico e Zecca dello Stato)에 소장된 자료.
37. 크로아티아 두브로니크(Dubrovnik)의 프란체스코 수도원에 보관된 자료.
38. 이슬람 건축이 베네치아 상관의 성립에 중요한 원천이 되었다는 것은 명백하다. 지중해 전역을 대상으로 광범위한 교역을 했던 베네치아는 이슬람 문화권의 여러 지역으로부터 다양한 문화적 자극을 받았다. 그 중에서도 가장 중요한 장소는 카이로를 중심으로 한 이집트였다. 동방무역에 국가의 운명을 걸었던 베네치아는 11세기 중반에 이집트와의 무역을 비약적으로 확대시켰다. 베네치아는 인도 등으로부터 들어오는 향료와 기호품들을 이집트를 경유하여 북이탈리아나 알프스 이북의 여러 국가들에게 판매했다. 이러한 긴밀한 관계 때문에 이집트에는 대사관을, 그리고 알렉산드리아(Alexandria)에는 영사관을 설치했고, 많은 베네치아인들이 그곳에 머물렀다. 알레포나 다마스쿠스가 있는 시리아에 비해서 이집트가 더욱 중요한 역할을 했다고 유추할 수 있는 것은, 베네치아의 상관 '폰다코'의 어원이 되는 아랍어 '푼두크'가 이집트를 비롯한 북아프리카의 도시에 있는 상관 즉 카라반세라이(Caravanserai)를 가리키는 말이기 때문이다. 카라반세라이는 외국과의 교역이 활발했던 이슬람 세계에 있던 특이한 시설로서, 대상(隊商, caravan)들의 숙소를 의미한다. 이삼층 규모인 이 건물의 일층에는 창고와 상점이, 위층에는 상인과 여행자를 위한 숙소가 있었다. 카라반세라이는 여타의 이슬람 건축과 마찬가지로 연속된 아치로 둘러싸인 중정형의 건물이었다. 베네치아가 이슬람 국가들로부터 받은 문화적 영향에 대해서는 다음 책에서 상세히 다루고 있다. D. Howard, *Venice & The East: The Impact of the Islamic World on Venetian Architecture 1100-1500*, New Haven: Yale University Press, 2000.
39. 팔라초 포스카리는 삼십사 년간 베네치아의 원수를 지낸 프란체스코 포스카리(Francesco Foscari)의 저택인데, 그는 15세기 베네치아의 융성기에 공화국을 이끈 지도자였다. 그는 1423년부터 1457년까지 베네치아를 다스렸으며, 가장 오랜 기간 동안 그리고 가장 강력하게 베네치아를 통치했다. 이 건물이 들어서기 전에 이 자리에는 비

잔틴 양식의 상관이 있었는데, 여러 차례 소유주가 바뀐 다음에 포스카리가 이를 인수했다. 그는 원래 있던 건물을 허물고 그곳에 자신의 지위에 걸맞은 장대한 건물을 지었다. 이 건물 삼층부의 화려한 개구부는, 그가 팔라초 두칼레의 건설을 주도하면서 로지아 부분에서 사용했던 연속 아치를 그대로 적용했다. 이곳은 현재 베네치아 대학의 대학본부 건물로 사용하고 있다. 건물이 들어선 이후 오랜 세월이 지나는 동안 내부의 많은 부분이 변경되어 원래의 모습이 거의 남아 있지 않지만, 운하를 향한 파사드만은 거의 그대로 유지하고 있다.

40. 카 도로는 베네치아에서 가장 오래되고 힘있는 귀족인 콘타리니(Contarini) 가문의 후예 마리노 콘타리니(Marino Contarini)가 1421년에 짓기 시작했다. 그는 제노(Zeno) 가문으로부터 이 부지와 건물을 사들였는데, 제노 가문 출신인 그의 부인이 일찍 죽자 그녀를 기리는 의미에서 기존의 건물을 부수고 새로운 건물을 지었다. 원래 이곳에 있던 팔라초 제노는 비잔틴 양식의 건물이었고, 그는 새로운 건물에도 이전 건물의 모습을 많이 보존하려고 노력했다. 건설 작업에는 하나의 장인 집단이 아니라 여러 집단이 참여했다. 예를 들면, 이층의 아름다운 주랑은 밀라노의 조각가 마테오 라베르티(Matteo Raverti)가 맡았고, 운하에 바로 면한 일층 진입부는 베네치아의 유명한 석공인 조반니 본(Giovanni Bon)이 담당하는 식이었다. 물론 이 두 집단이 서로 협력하여 작업을 진행하기도 했다. 기록에 의하면, 당시 베네치아와 롬바르디아의 많은 이름있는 장인들이 이 건물을 장식하는 작업에 고용되었다고 한다. 또한 건물을 짓는 데 필요한 재료는 콘타리니가 직접 주문했으며, 그는 돈을 아끼지 않고 최상질의 재료를 사용했다고 한다. 흰색의 돌은 베네치아에서 쉽게 구할 수 있는 이스트라산(産)인데, 깨끗한 질감의 대리석 효과를 내기 위해서 흰색의 납과 기름을 발랐다. 붉은색의 베로나산 대리석은 더 좋은 질감을 표현하기 위해 기름을 발라서 광택을 냈다. 이 건물을 완성했을 당시의 화려함과 정교함은 이루 말로 표현할 수 없을 정도였다. 1840년에 이 건물은 러시아의 왕자 트루베츠코이(Alessandro Troubetzkoy)의 소유가 되었는데, 그는 이 건물을 당대의 저명한 발레리나 마리아 타글리오니(Maria Taglioni)에게 선물로 주었다. 이후 그녀가 이 건물을 개조하는 과정에서 원래 모습이 엄청나게 손상되어 초라한 모습으로 변했다. 다행히 이 건물은 이후에 프란체티(Giorgio Franchetti) 남작에 의해서 정교하게 다시 복원되었다. 1922년에 그가 죽자 이 건물과 그곳에 소장된 미술품은 국가에 귀속되어 그의 이름을 붙인 미술관이 되었다.

41. 야코포 산소비노는 본명이 야코포 타티(Jacopo Tati)로, 피렌체에서 태어났다. 젊은 시절에 조각가인 안드레아 산소비노(Andrea Sansovino)의 문하에 들어가 그로부터 새로운 이름을 얻었다. 1506년경에 그는 로마로 가서 교황 수하에서 일을 했고, 그곳에서 브라만테·라파엘로·미켈란젤로 등 당대의 거장들을 만날 수 있었다. 그는 로마에 있는 동안 교회건축과 부유한 은행가를 위한 저택 설계에 참여했지만, 1527년에 베네치아로 오기 전까지는 어디까지나 조각가였다. 베네치아에 온 이후 산소비노는 주로 공공건축에 참여하여, 산 마르코 광장 주변의 여러 건물을 짓는 부서의 총감독으로 임명되었다. 1536년에 조폐국(Zecca)의 재건축을 담당했고, 1537년부터는 그가 남긴 가장 중요한 건물인 마르치아나 도서관의 건축을 담당했다. 그는 이 밖에도 많은 중요한 건물의 신축과 재건축에 참여했으며, 팔라디오·산미켈리와 함께 베네치아의 르네상스 시대를 대표하는 건축가로 꼽혔다. 그러나 그는 원래 조각가였던 탓에 건축의 기술

적인 측면에 그리 밝지 못해서 도서관의 신축 과정에서 붕괴사고가 발생해 옥에 갇히기도 했고, 자신이 비용을 충당하여 복구하는 수모를 당하기도 했다. 건축가 산소비노에 관한 내용은 다음 책에서 상세히 다루고 있다. D. Howard, *Jacopo Sansovino: Architecture and Patronage in Renaissance Venice*, New Haven & London: Yale University Press, 1975.

42. 미켈레 산미켈리가 건축가로서 살아온 과정은 산소비노와 달랐다. 그는 베로나의 건축가 집안에서 태어났고, 그의 아버지와 삼촌이 모두 건축가였다. 따라서 그는 당시의 여러 거장들처럼 조각가나 화가를 겸하면서 건축가로 활동했던 것이 아니라 순수한 건축가로서 수준 높은 기술교육을 받았다. 그는 베네치아에 와서도 산소비노와는 전혀 다른 성격의 일을 맡았으며, 주로 방어용 성곽이나 군사기지를 축조하는 데 종사했다. 1535년에 그는 베네치아 공화국의 군사용 건축물을 모두 관장하는 부서의 책임자로 임명되어 이후 베네치아 주변의 많은 방어용 시설의 구축을 책임졌다. 그는 아드리아해에서 라구나로 진입하는 입구에 있는 산탄드레아 섬에 새로운 요새를 구축했는데, 이는 그의 일생에서 가장 중요한 일이었다. 기술적이면서 동시에 미학적인 측면을 충분히 고려한 이 요새는 매우 기능적이고 튼튼하게 구축되어 최근까지도 그 모습을 그대로 유지하고 있다.

43. 론차니(F. Ronzani)와 루촐리(G. Luciolli)가 1832년에 출간한 『미켈레 산미켈리가 설계한 민간 종교 및 군사용 구축물들(*Le Fabbriche Civili Ecclesiastiche e Militari di Michele Sanmicheli*)』이라는 책에 수록된 그림이다.

44. 트린카나토는 베네치아 건축대학에서 교수로 근무하면서 다양한 연구활동과 교육활동을 펼친 여성 건축가였다. 그녀는 젊은 시절부터 다채로운 활동을 전개했는데, 그 중 가장 중요한 일은 베네치아에 있는 서민 및 중산층의 주택에 대해 조사를 하고 그 결과를 『베네치아의 일반주택』이라는 책으로 펴낸 것이다. 1948년에 출간된 이 책은 베네치아의 주택을 연구하는 데 없어서는 안 될 매우 중요한 문헌이다. 이 책은 1부와 2부로 나누어져 있다. 1부에서는 베네치아의 도시발달사, 서민용 주택 및 집합주택의 양식적 특징 등에 대해서 언급했고, 2부에서는 베네치아의 서민주거지역을 대표하는 두 지역인 카스텔로구의 동부 지역과 도르소두로구의 서부 지역을 대상으로 그곳에 분포한 주택을 조사하여 수록했다. 그녀는 독특하고 정교한 스케치로 각 건물의 배치도와 일층에서 최상층에 이르는 평면도 및 입면도를 그렸고, 필요에 따라서는 단면도도 작도했다. 이렇게 파악한 백여 군데가 넘는 사례들은 상당히 귀중한 자료들이다. 물론, 그녀가 여기서 제시한 자료들은 체계적이고 계통적인 연구의 결과라기보다는 개별 사례들을 모은 것이었다. 그럼에도 불구하고 귀족주택에 관한 연구만이 존재하던 당시에 이러한 조사연구는 그 문제의식에서 시대를 앞서갔고, 이후 무라토리나 마레토가 전개한 연구활동에 적지 않은 영향을 주었다.

45. 최근 베네치아의 중산층과 서민층 주택에 대한 책들이 몇 권 출간되어 우리의 이해를 돕고 있다. 우선 베네치아 주택사 연구에서 핵심 인물인 마레토는 그가 죽기 몇 해 전에 출간한 『도시 역사 속의 베네치아 주택』에서 베네치아에 있는 다양한 서민주택에 대해서 상당히 상세한 정보를 수록했다. 이 책은 그의 첫 저서인 『베네치아의 고딕 건축』에서 간략하게 다룬 내용들을 대폭 보완하여 베네치아 주택의 역사에 대한 완성본으로 내놓은 것이다. 영국의 역사학자 고이(R. J. Goy)가 1989년에 출간한 『베네치아

의 토속 건축(*Venetian Vernacular Architecture*)』도 일반사람들의 주택을 다룬 책으로서, 그 내용이 충실하다. 또한 일본의 베네치아 건축 전문가인 진나이 히데노부는 베네치아의 서민주택에 대해 여기저기에서 조금씩 언급했는데, 다음 책에서 비교적 체계적으로 정리했다. 陳内秀信, 『都市を讀む: イタリア』, 東京: 法政大學出版局, 1988.

46. 이탈리아어로 '스키에라(schiera)'는 '편대(編隊)' 즉 '군대가 대형을 이루어 행진하는 모습'을 뜻한다. 따라서 '동류(同類)의 개체들이 열을 지어서 이루는 질서정연한 집합체'라는 의미를 가지고 있다. 이러한 의미를 염두에 두면서 '스키에라형 주택'을 규정해 보면 '길에 면해 있으면서 벽을 서로 공유하고 나란히 연속하는 주거형식'이라 할 수 있을 것이다. 스키에라형 주택은 이탈리아에만 있는 것이 아니라 유럽의 거의 모든 도시와 미국, 그리고 심지어는 동양 문화권의 도시에서도 흔히 볼 수 있는 주거형식이다. 즉 도시 속에서 모든 주택이 동등하게 도로에 면해야 할 조건이라면 이러한 주거형식이 필연적으로 도출될 수밖에 없으며, 상업활동을 바탕으로 발전해 온 서양 문화권의 도시에서는 가장 일반적인 주거형식이라고 할 수 있다. 그런데 이 '스키에라형 주택'을 우리말로 옮긴다면 딱히 어울리는 말을 쉽게 찾을 수 없다. 지금까지는 이러한 주거형식을 그 단위주택의 형상에 의거해서 '세장형(細長型) 주택'이라고 불러 왔다. 그런데 '스키에라형 주택'은 단위주택의 형상보다는 그것이 모여서 이루는 집합의 형상을 염두에 두고 붙여진 이름이기 때문에 '세장형 주택'이라 한다면 원래의 의미를 절반 정도밖에 전달하지 못하는 셈이 된다. 그러나 스키에라형 주택은 집합주택을 의미하는 것이 아니라 어디까지나 하나의 단위주택을 의미한다. 스키에라형 주택이 모여 있을 때는 연립주택으로 보일 만큼 집합적인 성격이 강하면서도, 그 각각의 형태는 좁고 긴 대지에 세워진 단독주택이라고 할 수 있다. 따라서 엄격하게 이름을 짓는다면, '병렬집합식 세장형 주택' 정도가 되지 않을까 한다. 그런데 이 이름 또한 길고 다소 어색한 까닭에 그냥 '스키에라형 주택'이라고 부르기로 한다. 스키에라형 주택에 관한 논의는 다음의 책이 도움이 된다. G. Caniggia & G. L. Maffei, *Composizione Architettonica e Tipologia Edilizia 2, Il Progetto nell'Edilizia di Base*, Venezia: Marsilio Editori, 1984, pp.15-58.

47. 리네아형 주택(casa in linea)은 다층(多層)의 집합주택으로서, 각 층에는 하나 또는 여러 세대가 거주하는 오늘날의 아파트 또는 다세대 주택과 흡사하다. 'casa in linea'를 그대로 번역하면 '선형 주택' 혹은 '횡연결형 주택'이라고 할 수 있다. 이탈리아를 비롯한 서양의 많은 도시들에서는 17세기 이후에 스키에라형 주택을 대신해 리네아형 주택들이 많이 등장했다. 리네아형 주택이 등장한 배경에 대해서는 여러 측면에서 생각해 볼 수 있다. 우선 폭 5-6미터 내외의 크기로 도로에 면해 형성된 스키에라형 주택은 공간의 확장에 여러 가지 제약이 따르는 데다 채광과 통풍, 전망 등 여러 측면에서 수준 높은 환경을 조성하기에는 문제가 있었다. 다른 한편으로는 르네상스 후기에 등장한 핵가족화와 '공간의 개인화' 개념이 일반화하면서 주택 내부에서 공간이 분화했고, 공간의 분리와 연계의 개념을 강조했기 때문이었다. 이러한 공간적 요구를 수용하기 위해서는 단위주택의 크기와 형태 그리고 내부의 구성에 변화가 발생할 수밖에 없었는데, 그리하여 자연히 주택 내에는 독립된 계단실과 복도가 도입되었다. 이러한 배경에 의해서 새로운 주거형식인 리네아형 주택이 등장했고, 이것은 결국 도시주택이 중세의 잔재를 벗고 근대화하기 시작했다는 의미이기도 하다. 리네아형 주택

의 등장과 그 다양한 양상에 대해서는 이 시리즈의 피렌체 편에서 상세히 다루고 있다.

48. Richard J. Goy, *Venice: The City and Its Architecture*, London: Phaidon, 1997, p.8에서 재인용.
49. 이 도시에 대해서 지독한 혐오의 말을 남긴 사람들 중 대표적인 인물이 19세기 독일의 시인이자 역사가인 에른스트 모리츠 아른트(Ernst Moritz Arndt)였다. 그에 관한 일화는, 디르크 쉬머(Dirk Schümer)가 쓴 『비바, 베네치아』에 다음과 같이 실려 있다. "1798년에 베네치아에 도착한 에른스트 모리츠 아른트는 우선 조상의 명예와 권력을 잃어버린 타락한 종족에 관한 이야기를 장황하게 늘어놓고는 바로 욕설을 퍼붓기 시작한다. … 이 '골동품 덩어리'의 협소함과 원기 왕성함이 아른트에게는 도무지 맞지 않았던 것이다. 그는 혼잡한 도시를 독일 소도시의 청결한 소박함과 대비시킨다. '도대체가 위를 올려다보고 주위를 둘러보아도 탑이나 그 비슷한 것이 없어 방향을 찾을 수가 없다.' 그렇게 아른트는 '카오스'를 지나며 투덜거렸다." 디르크 쉬머, 장혜경 역, 『비바, 베네치아』, 푸른숲, 2006, pp.21-22 참조.
50. 요한 볼프강 폰 괴테, 박경수 역, 『괴테의 이탈리아 기행』, 푸른숲, 2004, p.98.

참고문헌

國文

고봉만 외, 『베네치아의 기억』, 한길사, 2003.
디르크 쉬머, 장혜경 역, 『비바, 베네치아』, 푸른숲, 2006.
리처드 로저스·필립 구무치안, 이병연 역, 『도시 르네상스』, 이후, 2005.
손세관, 『도시주거 형성의 역사』, 열화당, 2000.
_____, 「베네치아의 도시조직과 주거형식의 변천에 관한 연구」, 『도시설계』 제10호, 2003. 3.
_____, 「이탈리아 도시주거의 역사적 계보에 관한 연구」, 『도시설계』 제17호, 2004. 12.
손세관·하지영, 「수향도시 소주(蘇州)와 베네치아의 공간구성에 관한 연구」, 『도시설계』 제19호, 2005. 6.
손세관·한기정, 「유형적 형태학의 연구방법에 관한 연구」, 『대한건축학회 논문집』 제12권 6호, 1996.
시오노 나나미, 김석희 역, 『르네상스를 만든 사람들』, 한길사, 2001.
_____, 김석희 역, 『주홍빛 베네치아』, 한길사, 2003.
_____, 오정환 역, 『나의 친구 마키아벨리』, 한길사, 2001.
_____, 정도영 역, 『바다의 도시 이야기』, 한길사, 2002.
야콥 부르크하르트, 안인희 역, 『이탈리아 르네상스의 문화』, 푸른숲, 1999.
요한 볼프강 폰 괴테, 박경수 역, 『괴테의 이탈리아 기행』, 푸른숲, 2004.
유주형·이규목, 「유형형태학적 도시경관 연구방법의 시론적 고찰」, 『도시설계』 제4호, 2001. 9.
이은기, 『르네상스 미술과 후원자』, 시공사, 2002.
크리스토퍼 듀건, 김정하 역, 『이탈리아사: 미완의 통일』 케임브리지 세계사 강좌 2, 개마고원, 2001.

日文

陣內秀信, 『イタリア都市再生の論理』 SD選書 147, 東京: 鹿島出版會, 1978.
_____, 『都市のルネサンス: イタリア建築の現在』, 東京: 中央公論社, 1978.
_____, 「サンタ・マルゲリータ廣場の歷史」 『SPAZIO』 no.19, 1978.
_____, 『ヴェネツィア: 都市のコンテクストを讀む』 SD選書 200, 東京: 鹿島出版會, 1986.
_____, 『都市を讀む:イタリア』, 東京: 法政大學出版局, 1988.

_____,『ヴェネツィア：水上の迷宮都市』講談社現代新書, 東京：講談社, 1992.

_____,『ヴェネツィア：榮光の都市國家』, 東京：東京書籍, 1993.

_____,『ヴェネツィア：光と陰の迷宮案内』, 東京：日本放送出版協會, 1996.

_____,『歩いてみつけたイタリアのバロック感覺』, 東京：小學館, 2000.

_____,『カラー版 地中海都市周遊』, 東京：中央公論社, 2000.

_____,『イタリア小まちの魅力』, 東京：講談社, 2000.

_____,『地中海都市のライフスタイル』NHK人間講座, 東京：日本放送出版協會, 2001.

_____,『イタリア都市と建築を讀む』, 東京：講談社, 2001.

_____,『迷宮都市ヴェネツィアを歩く』, 東京：角川書店, 2004.

_____ & 岡本哲志,『水邊から都市を讀む』, 東京：法政大學出版局, 2002.

_____ 編, *Veneto: Italian Life Style Scenario*, no.109, Tokyo: Process Architecture Co., 1993.

渡邊眞理,「サンタマルゲリータ廣場の現在」『SPAZIO』no.19, 1978.

塩野七生,『海の都の物語』, 東京：中央公論社, 1980.

_____,『續・海の都の物語』, 東京：中央公論社, 1981.

永井三明,『ヴェネツィアの歴史：共和國の殘照』, 東京：刀水書房, 2004.

饗庭孝男 外,『ヴェネツィア：榮光の都市國家』, 東京：東京書籍, 1993.

F. ブローデル, 岩崎力 譯,『都市ヴェネツィア：歴史紀行』, 東京：岩波書店, 1990.

H. シュライバー, 關楠生 譯,『ヴェネツィア人』, 東京：河出書房新社, 1985.

「特集：都市の思想の轉換点としての保存：イタリア都市歴史的街區の保存」『都市住宅』7607號, 1976.

英文

Abulafia, D., "Islam in the History of Early Europe," *European Review*, no.5, 1997.

Ackerman, J. S., "Sources of the Renaissance Villa," *Studies in Western Art II (Acts of the XXth International Congress of the History of Art)*, Princeton, 1963.

_____, *The Villa: Form and Ideology of Country Houses*, Princeton: Princeton University Press, 1990.

Argan, G., *The Renaissance City*, New York: George Braziller, 1969.

Bacon, E. N., *Design of Cities*, New York: Penguin Books, 1976.

Baker, D. (ed.), *Relations Between East and West in the Middle Ages*, Edinburgh: Edinburgh University Press, 1973.

Benevolo, L., *The History of the City*, London: Scolar Press, 1980.

Bentmann, R. & Herget, E., *Famous Italian Cities: Florence, Rome, Venice*, London: Cassell Ltd., 1978.

_____ & Müller, M., *The Villa as Hegemonic Architecture*, New Jersey: Humanities Press, 1992.

Bomford, D. & Finaldi, G., *Venice through Canaletto's Eyes*, Exeter: National Gallery, 1998.

Bradley, J. R. (ed.), *Ruskin's Letters from Venice 1851–2*, New Haven: Yale University Press, 1955.

Brown, P. F., *Venice and Antiquity: The Venetian Sense of the Past*, New Haven: Yale University Press, 1996.

Brucker, G. A., "Tales of Two Cities: Florence and Venice in the Renaissance," *American Historical Review*, no.88, 1983.

Casola, P., Margaret Newett, M. (trans.), *Canon Pietro Casola's Pilgrimage to Jerusalem in the Year*

1494, Manchester: Manchester University Press, 1907.

Cataldi, G., "From Muratori to Caniggia: The Origins and Development of the Italian School of Design Typology," *Urban Morphology*, vol.7, no.1, 2003.

Catling, C. & Boulton, S., *Venice and the Veneto*, London: Dorling Kindersley Books, 2004

Chambers, D., *The Imperial Age of Venice 1380-1580*, London: Thames & Hudson, 1970.

Conner, P., *Oriental Architecture in the West*, London: Thames & Hudson, 1979.

Cresti, C. & Rendina, C., *Palazzi of Tuscany*, Cologne: Könemann, 2000.

Fabbri, P., *Palaces of Florence*, Venice: Arsenale Editrice, 2000.

Fasolo, A., *Palaces of Venice*, Venice: Arsenale Editrice, 2003.

Fletcher, B., *A History of Architecture on the Comparative Method*, London: The Athlone Press, 1963.

Girouard, M., *Cities & People: A Social & Architectural History*, New Haven: Yale University Press, 1985.

Godfrey, F. M., *Italian Architecture up to 1750*, London: Alec Tiranti, 1971.

Goy, R. J., *Venetian Vernacular Architecture*, Cambridge: Cambridge University Press, 1989.

_____, *The House of Gold: Building a Palace in the Medieval Venice*, Cambridge: Cambridge University Press, 1992.

_____, *Venice: The City and Its Architecture*, London: Phaidon, 1997.

Gutkind, E. A., *Urban Development in Southern Europe: Italy and Greece, International History of City Development*, vol.4, New York: The Free Press, 1969.

Howard, D., *Jacopo Sansovino and Patronage in Renaissance Venice*, New Haven: Yale University Press, 1975.

_____, *The Architectural History of Venice*, London: Batsford Ltd., 1980.

_____, "Ruskin and the East," *Architectural Heritage*, X, 1999.

_____, *Venice & The East: The Impact of the Islamic World on Venetian Architecture 1100-1500*, New Haven: Yale University Press, 2000.

Kaminski, M., *Venice: Art & Architecture*, Cologne: Könemann, 1999.

Kodama, Y. et al. (eds.), "Venice: Its Real and Imaginary Place," *Process Architecture*, no.75, Tokyo: Process Architecture Publishing Co., 1987.

Kostof, S., *The City Assembled: The Element of Urban Form through History*, London: Thames & Hudson, 1992.

_____, *The City Shaped: Urban Patterns and Meanings through History*, London: Thames & Hudson, 1992.

Frank K. A. & Schneekloth L. H. (eds.), *Ordering Space: Types in Architecture and Design*, New York: Van Nostrand Reinhold, 1994.

Lane, F. C., *Venice: A Maritime Republic*, Baltimore: Johns Hopkins University Press, 1973.

Lapidus, I. M., *Muslim Cities in the Later Middle Ages*, Cambridge: Cambridge University Press, 1984.

Logan, O., *Culture and Society in Venice 1470-1790*, London: Batsford Ltd., 1972.

Marzot, N., "The Study of Urban Form in Italy," *Urban Morphology*, vol.6, no.2, 2002.

Masson, G., *Italian Villas and Palaces*, London: Thames & Hudson, 1966.

Mazzariol, G. & Dorigato, A., *Venetian Palazzi*, Köln: Evergreen, 1998.

Moudon, A. V., "Getting to Know the Built Landscape: Typomorphology" in Frank, K. A. & Schneekloth, L. H. (eds), *Ordering Space: Types in Architecture and Design*, New York: Van Nostrand Reinhold, 1994.

_____, "Urban Morphology as an Emerging Interdisciplinary Field," *Urban Morphology*, vol.1, 1997.

Mumford, L., *The City in History: Its Origins, Its Transformations, and Its Prospects*, London: Secker & Warburg, 1961.

Murray, P., *The Architecture of Italian Renaissance*, London: Thames & Hudson, 1986.

Norwich, J. J., *A History of Venice*, London: Vintage Books, 1989.

_____, *Paradise of Cities: Venice in the 19th Century*, London: Vintage Books, 2003.

Pullan, B., *Rich and Poor in Renaissance Venice*, Oxford: Oxford University Press, 1971.

Quill, S., *Ruskin's Venice: The Stones Revisited*, Hants: Ashgate, 2000.

Rossi, G. & Masiero F., *Venice from the Air*, New York: Rizzoli, 1988.

Rudofsky, B., *Architecture without Architects: A Short Introduction to Non-Pedigreed Architecture*, New York: Doubleday & Co., 1987.

Schulz, J., "Jacopo de' Barbari's View of Venice: Map Making, City Views, and Moralized Geography Before the Year 1500," *Art Bulletin*, LX, 1978.

Scire Nepi, G., *Treasures of Venetian Paintings: The Gallerie dell'Accademia*, Venice: Arsenale Editrice, 1991.

Trincanato, E. & Salvadori, R. (ed.), *A Guide to Venetian Domestic Architecture, Venezia Minore*, Venezia: Canal & Stamperia Editrice, 1995.

Trivellato, G. et. al., *Venetian Palazzi*, Köln: Benedikt Taschen, 1998.

Whittick, A. (ed.), *Ruskin's Venice*, London: George Godwin, 1976.

Zorzi, A. *Venice 697-1797: A City, A Republic, An Empire*, Woodstock: The Overlook Press, 1999.

_____, & Marton, P. (photo), *Venetian Palaces*, New York: Rizzoli, 1989.

伊文

Beltrami, D., *Storia della Popolazione di Venezia dalla Fine del Secolo XVI alla Caduta della Repubblica*, Padova: CEDAM, 1954.

Caniggia, G. & Maffei, G. L., *Composizione Architettonica e Tipologia Edilizia 2: Il Progetto nell' Edilizia di Base*, Venezia: Marsilio Editori, 1984.

Cassini, G., *Piante e Vedute Prospettiche di Venezia 1479-1855*, Venezia: Stamperia, 1982.

Marchi, O., *Case a Schiera: Documenti di Tipologia*, Padova: Cedam, 1976.

Maretto, P., *Nell'Architettura*, Firenze: Teorema Edizioni, 1973.

_____, *L'Edilizia Gotica Veneziana*, 2nd ed. Venezia: Filippi Editore, 1978.

_____, *La Casa Veneziana nella Storia della Citta*, Venezia: Marsilio Editori, 1986.

Mazzariol, G., *I Palazzi del Canal Grande*, Novara: Istituto Geografico de Agostini, 1981.

Muratori, S., *Studi per una Operante Storia Urbana di Venezia*, Roma: Istituto Poligrafico dello Stato, 1960.

Trincanato, E. R., *Venezia Minore*, Milano: Edizioni del Milione, 1948.

_____, "Venezia nella Storia Urbana," *Urbanistica*, LII, 1968.

찾아보기

ㄱ

가가틴 운하(Rio del Gagatin) 162
가파로 운하(Rio del Gaffaro) 139
거친돌쌓기(rustication) 213, 214, 219, 222, 226
『건축서(*L'Architettura*)』 149, 151, 289
『건축의 일곱 등(*The Seven Lamps of Architecture*)』 71, 287
고딕 부활 운동(Gothic Revival Movement) 287
고이(R. J. Goy) 292
구글리에 다리(Ponte delle Guglie) 233
그레벰브로크(G. Grevembroch) 58
그로피우스(W. Gropius) 287

ㄴ

나폴레옹(Napoléon Bonaparte) 65, 66, 100, 110, 287
나폴리(Napoli) 63, 132, 195
노리스(R. Norris) 288

ㄷ

다마스쿠스(Damascus) 40, 66, 73, 74, 290
다 모스토(Da Mosto) 가문 204
다핵적(多核的) 구조 80, 81, 98, 122
단돌로(Dandolo) 286
단젤로(G. B. d'Angelo) 61
달마티아(Dalmatia) 286, 288
대운하(Canal Grande) 35-38, 45, 58, 84, 86, 110, 111, 113-115, 123, 126-128, 143, 151, 162, 168-170, 175, 177, 178, 184, 187, 188, 190, 193, 196, 197, 200, 205, 208, 210, 212, 219, 221, 225, 227, 228, 233-235, 241, 246, 279
도나텔로(Donatello) 289
도르소두로구(Dorsoduro) 85, 252, 258, 268-270, 292
도무스(domus) 주택 194, 195
『도시 역사 속의 베네치아 주택(*La Casa Veneziana nella Storia della Citta*)』 29, 292
도시형태학(urban morphology) 24
도제(doge) 52, 65, 82
디오클레티아누스(Diocletianus) 황제 195, 196

ㄹ

라구나(lagoona) 38, 47-54, 107, 108, 111, 133, 196, 256, 285, 292
라베르티(M. Raverti) 291
라벤나(Ravenna) 51
라이트(F. L. Wright) 287
라파엘로(Raffaello) 289, 291
러스킨(J. Ruskin) 68-71, 105, 119, 202, 205, 287
레오나르도(Leonardo) 계단 236, 267, 269, 273, 276
『로마의 실천적 도시 역사를 위한 연구(*Studi per una Operante Storia Urbana di Roma*)』 284
로버츠(D. Roberts) 288

론차니(F. Ronzani) 292
롬바르도(Pietro Lombardo) 289
롬바르도(Lombardo) 가문 147, 289
롬바르디아(Lombardia)족 50
롱게나(B. Longhena) 221, 225, 226
루촐리(G. Luciolli) 292
루카(Lucca) 285
리네아형 주택(casa in linea) 247, 248, 256, 258, 264-268, 273, 293
리도(Lido) 섬 53, 79, 281, 288
리보 알토(Rivo Alto) 53, 113
리알토(Rialto) 51, 53-55, 105, 126, 196, 241, 246, 247, 267, 288
리알토 다리(Ponte di Rialto) 53, 54, 76, 77, 86, 113-115, 122, 128, 161, 188, 219, 246, 279, 288
리알토 지구 75, 84, 100, 111, 113, 155
리오(rio) 56, 58

ㅁ

마그노 거리(Calle Magno) 137
마드라사(madrasas) 77
마레토(P. Maretto) 24, 27-30, 129, 131, 138, 140, 164, 172, 174, 175, 205, 228, 229, 248, 250, 279, 289, 290, 292
마르치아나 도서관(Biblioteca Marciana) 101, 102, 291
마리나레차(Marinarezza) 256-258
마사리(G. Massari) 226
마조르 콘실리오(Maggior Consiglio) 65
마피올레티(G. Maffioletti) 108
만수에티(G. Mansueti) 41
말라모코(Malamocco) 51, 53, 55, 281
메디치(Medici) 가문 64, 118, 214
메르체리아 거리(Via Merceria) 288
모레티(D. Moretti) 38, 151
모로시니(Morosini) 가문 123
모세 프로젝트(Mose Project) 280, 281
모스크(mosque) 70, 71, 73, 78, 197
무동(A. V. Moudon) 283

무라노(Murano) 섬 76, 162
무라토리(S. Muratori) 24, 26-30, 155, 163, 169, 177, 253, 283, 284, 289, 290, 292
미라콜리 거리(Calle dei Miracoli) 163, 165, 167
미라콜리 운하(Rio dei Miracoli) 162
밀라노(Milano) 35, 63, 132, 289, 291

ㅂ

바다와의 결혼식(Sposalizio del Mar) 107, 108, 288
바로니(G. Baroni) 40
바자르(bāzār) 73
〈베네치아 대운하의 조망(Prospetto del Canal Grande di Venezia)〉 38
〈베네치아 팔라초 로레단의 창문(Window at Casa Loredan, Venice)〉 69
『베네치아: 도시의 콘텍스트를 읽는다(ヴェネツィア: 都市のコンテクストを讀む)』 30
베네치아식 창(Venetian Window) 150
『베네치아의 고딕 건축(L'Edilizia Gotica Veneziana)』 28, 292
『베네치아의 돌(The Stones of Venice)』 69, 70, 119, 205, 287
『베네치아의 실천적 도시 역사를 위한 연구(Studi per una Operante Storia Urbana di Venezia)』 27
『베네치아의 일반주택(Venetia Minore)』 231, 292
『베네치아의 토속 건축(Venetian Vernacular Architecture)』 292
〈베네치아의 풍경(Le Prospettive di Venezia)〉 88, 89, 173
베네치아풍의 비잔틴 양식(Veneto-Byzantine) 37, 68, 126
베네토(Veneto) 지방 222
베네티(Veneti)족 50
『베니스의 상인(The Merchant of Venice)』

97
베로나(Verona) 216, 285, 286, 292
보르골로코(Borgoloco) 261, 264
본(Giovanni Bon) 291
본(Bon) 가문 226
부라노(Burano) 섬 50, 156-158
브라만테(Bramante) 289, 291
브라운(G. Braun) 133
블록(block)형 주택 120, 126, 132, 204, 205
비뇰라(J. Vignola) 115
빌라(villa) 50, 128, 188, 194-197, 222

ㅅ

사르디(G. Sardi) 225
사바디니(C. Sabbadini) 52
산 로렌초(San Lorenzo) 지구 261
산 로렌초 광장(Campo San Lorenzo) 98, 261
산 로렌초 운하(Rio di San Lorenzo) 140, 141
산 리오 거리(Salizzada San Lio) 247
산 리오 광장(Campo San Lio) 240
산 마르코(San Marco) 100-102, 241, 246, 247, 288
산 마르코 광장(Piazza San Marco) 38, 53, 64, 76, 77, 87, 98, 100-103, 106, 110, 111, 113, 114, 122, 130, 215, 261, 279, 280, 286, 291
산 마르코 성당(Basilica di San Marco) 84, 87, 100, 102, 103, 105, 260
산미켈리(M. Sanmicheli) 215, 216, 221, 291, 292
산 바르나바 광장(Campo San Barnaba) 140, 175
산 바르나바 운하(Rio di San Barnaba) 175, 177, 180, 181
산 베네토 광장(Campo San Benetto) 143, 145
산 살바토레 교회(Chiesa di San Salvatore) 55

산 세베로 운하(Rio di San Severo) 261
산소비노(J. Sansovino) 215-217, 219, 221, 222, 226, 267, 291, 292
산소비니(F. Sansovini) 115
산 실베스트로(San Silvestro) 지구 128
산 안촐로 광장(Campo San Anzolo) 98, 145, 228, 229, 231
산 자코모 교회(Chiesa di San Giacomo) 113
산 조반니 그리소스토모(San Giovanni Grisostomo) 지구 123
산 조반니 그리소스토모 운하(Rio di San Giovanni Grisostomo) 123, 163, 165
산 지롤라모 운하(Rio di San Girolamo) 269, 273
산 칸치아노(San Canciano) 지구 134, 135, 155, 161-164, 167, 168, 289
산 칸치아노 거리(Salizzada San Canciano) 163
산 칸치아노 운하(Rio di San Canciano) 145, 146
산타고스틴(Sant'Agostin) 지구 135, 136
산타 마르게리타(Santa Margherita) 지구 155, 174, 175, 177, 178, 181, 183, 184, 290
산타 마르게리타 광장(Campo Santa Margherita) 98, 160, 175-177, 181, 183, 234
산타 마르게리타 운하(Rio di Santa Margherita) 175-177
산타 마리나 광장(Campo Santa Marina) 267-269
산타 마리아 노바(Santa Maria Nova) 지구 162
산타 마리아 노바 교회(Chiesa di Santa Maria Nova) 161, 162
산타 마리아 델 카르미네 교회(Chiesa di Santa Maria del Carmine) 181
산타 마리아 마테르 도미니 광장(Campo Santa Maria Mater Domini) 137, 138

산타 마리아 포르모사 광장(Campo Santa Maria Formosa) 87, 89, 98, 246, 247
산타 소피아(Santa Sofia) 지구 236, 237, 252-255
산타 크로체구(Santa Croce) 85
산 테오도로(San Teodoro) 100, 101
산티 아포스톨리 광장(Campo Santi Apostoli) 88
산티 아포스톨리 운하(Rio dei Santi Apostoli) 162-164
산티 조반니 에 파올로(Santi Giovanni e Paolo) 지구 123, 124, 241
산티 조반니 에 파올로 광장(Campo Santi Giovanni e Paolo) 243
산티 조반니 운하(Rio di Santi Giovanni) 243
산 판탈론 운하(Rio di San Pantalon) 175, 177, 178
산 폴로구(San Polo) 85, 168
산 폴로(San Polo) 지구 155, 167-172, 174, 289
산 폴로 광장(Campo di San Polo) 87, 98, 160, 168-171, 173
산 폴로 운하(Rio di San Polo) 169-171
살로네(salone) 127, 190
살리차다(salizzada) 94
삼렬구성(三列構成) 38, 127, 130, 132, 133, 135, 139-142, 146, 148, 150, 165-167, 170, 173, 174, 193, 202, 204, 205, 210, 211, 214, 216, 217, 219, 221, 225, 226, 230, 232-236, 244, 254, 255, 270, 273
삼분할(三分割) 147, 148, 150, 169, 200, 205, 208, 211, 217, 219, 222, 232
상관(商館) 121, 126, 179, 183, 188, 197, 200, 210, 216
〈새로운 평면도(*Nuova Planimetria*)〉 72
샤를마뉴(Charlemagne) 52, 53, 285
샹보르 성(Château de Chambord) 267
성 소피아 성당(Hagia Sophia) 103

『성스러운 땅, 이집트와 누비아의 풍경 (*Views of the Holy Land, Egypt & Nubia*)』 288
성자 마가(Mark) 74, 102
세를리아나(Serliana) 150-152, 221, 222, 289
세를리오(S. Serlio) 149, 151, 221, 289
세스티에레(Sestiere) 84
센사 운하(Rio della Sensa) 269, 273
셀바티코(A. Selvatico) 143
소주(蘇州) 43
소토포르테고(sottoportego) 97, 98, 161, 176, 177, 245
수공예 운동(Art and Craft Movement) 287
수크(sūq) 73, 75, 76, 78
스카모치(V. Scamozzi) 115, 225, 289
스칼치 다리(Ponte degli Scalzi) 288
스키아보니 해안(Riva degli Schiavoni) 61, 77, 107, 129
〈스키아보니 해안(*Riva degli Schiavoni*)〉 77
스키에라형 주택(casa a schiera) 237, 239, 247, 248, 256-258, 260, 261, 265, 293
스팔라토(Spalato) 195
시오노 나나미(鹽野七生) 35, 91
신행정관(Procuratie Nuove) 110
〈십자가의 기적(*Miracolo della Reliquia della Croce al Ponte di Rialto*)〉 114
C자형 주택 138-143, 145-148, 154, 159, 165, 166, 173, 174

ㅇ

아드리아해(Adriatic Sea) 47, 53, 58, 60, 79, 107, 111, 195, 281, 286, 292
아라베스크(arabesque) 70, 71
아라야네스(Arrayanes) 199
아르누보(Arts Nouveau) 287
아르세날레(Arsenale) 76, 100, 108-110, 241, 252, 261, 265
아르세날레 누오보(Arsenale Nuovo) 109
아른트(E. M. Arndt) 294

아마디(Amadi) 가문 123
아카데미아 다리(Ponte dell'Accademia) 288
아쿠아 알타(aqua alta) 280
안드로네(androne) 127
안토넬리(G. Antonelli) 82
안토니오 다 폰테(Antonio da Ponte) 115
알람브라(Alhambra) 궁전 199
알레포(Aleppo) 73-75, 290
알렉산드리아(Alexandria) 102
알베르티(L. B. Alberti) 213, 214, 216
알-하킴(Al-Hakim) 71
앙리 3세(Henri III) 278
야코포 데 바르바리(Jacopo de' Barbari) 48, 62, 64, 107, 113, 114, 158, 160, 171, 172, 181, 184, 200, 202, 257, 286
양극구조(兩極構造) 160, 161, 165, 166
L자형 주택 128-135, 137, 138, 140, 141, 143, 159, 163, 165, 166
오스만 투르크(Osman Turk) 61, 65, 287, 289
오스피치오(ospizio) 257
와타나베 마고토(渡邊眞理) 290
원로원(Senato) 65
유형형태학(typo-morphology) 23-27, 30, 283
육구제(六區制) 85
이스트라 반도(Istra Peninsula) 58, 60, 286
이열구성(二列構成) 135, 139, 140, 166, 167, 173, 174, 210, 230, 232, 233, 236-238, 244, 254, 255, 260, 270
이중나선형 계단 236, 255, 266, 267
『이탈리아에서의 스케치(Sketches taken in Italy)』 288
일극구조(一極構造) 160

ㅈ

제노(Zeno) 가문 291
제노바(Genova) 61, 108, 286
조닝(zoning) 41, 110

주데카(Giudecca) 섬 85
중정형(中庭型) 주택 131, 132, 258, 260
지아니(S. Ziani) 106
지오바네(P. Giovane) 60
진나이 히데노부(陳內秀信) 30, 283, 284, 289, 290, 293

ㅊ

〈1500년의 베네치아(VENETIE MD)〉 48, 62, 64, 107, 160, 257, 286
치타디노(cittadino) 227

ㅋ

카나레조구(Cannaregio) 84, 161, 251-253, 273
카나레조(Cannaregio) 지구 252, 253, 268, 269
카나레조 운하(Canale di Cannaregio) 232-234
카날레(canale) 58
카날레토(Canaletto) 77, 88, 89, 107, 173
카노니카 운하(Rio di Canonica) 130
카니지아(G. Caniggia) 24, 157-160
카 다 모스토(Ca' da Mosto) 178, 202-204
카 도로(Ca' d'Oro) 208, 210, 291
카라반세라이(Caravanserai) 290
카르멜 수도회(Carmelitani) 181
카르파초(V. Carpaccio) 86, 114
카사 포스콜로-코르네르(Casa Foscolo-Corner) 178, 179, 183, 234
카사 폰다코(casa fondaco) 125, 126
카솔라(P. Casola) 35, 284
카스텔로구(Castello) 84, 110, 238, 257, 292
카스텔로(Castello) 지구 265, 266, 268
카시오도루스(Cassiodorus) 51
카이로(Cairo) 40, 70, 71, 73, 74, 290
카 포스카리 운하(Rio di Ca' Foscari) 175
칼레(calle) 94, 97, 146, 237, 239, 240, 245-247, 251, 253, 258, 261

칼레 코르테(calle corte) 243-245, 254, 255, 261, 264, 265, 268, 269
칼레 코르테 베니에라(Calle Corte Veniera) 243, 244
칼레 콜로네(Calle Colonne) 258
캄포(campo) 87, 133, 154, 168, 176, 179, 181, 183, 230, 245-247
캄포 포르미오(Campo Formio) 조약 66
캄피엘로(campiello) 88, 91, 92, 98, 161
코두시(M. Codussi) 213, 216
코레르 박물관(Museo Correr) 110, 222, 225, 260, 286
코르네르(Zorzi Corner) 217
코르도바(Córdoba) 197
코르테(Corte) 88, 91, 92, 98, 126, 129-138, 140, 146, 148, 165-167, 169-171, 173, 174, 177, 184, 238, 239, 241, 258, 261
코르테 델라 카노니카(Corte della Canonica) 260
코르테 델 밀리온(Corte del Milion) 122, 123, 131
코르테 델 폰테고(Corte del Fontego) 177, 179, 180, 183
코르테 보테라(Corte Botera) 124, 125, 131, 241, 243
코르테 산 마르코(Corte San Marco) 258, 260
코르테 콜로네(Corte Colonne) 258
코모(Como) 285
콘스탄티노플(Constantinople) 60, 61, 68, 74, 102, 103, 286, 287
콘젠(M. R. G. Conzen) 283
콘타리니(Domenico Contarini) 103
콘타리니(Marino Contarini) 291
콘타리니(Contarini) 가문 124, 291
크레타(Crete) 섬 61, 65
키오지아(Chioggia) 53, 281
키프로스(Cyprus) 217, 286, 287

E
타글리오니(M. Taglioni) 291
테만차(T. Temanza) 79
테만차(Temanza) 지도 79, 81
토르첼로(Torcello) 50
트루베츠코이(A. Troubetzkoy) 291
트린카나토(E. Trincanato) 231, 235, 238, 260, 292
틴토르 운하(Rio del Tintor) 268, 270

ㅍ
파나다 운하(Rio della Panada) 145, 146
파도바(Padova) 286
파라디소 거리(Calle del Paradiso) 247, 248
파로키아(parrocchia) 80
파르테치파치오(A. Partecipazio) 54
파비아(Pavia) 50
팔라디오(A. Palladio) 64, 114, 115, 222, 289, 291
팔라디오식 창(Palladian Window) 289
팔라초(palazzo) 45, 126-128, 133, 134, 145, 147, 149-151, 165, 166, 169, 170, 172-174, 177, 183, 184, 187, 188, 190, 192-194, 196, 197, 199, 200, 202, 204, 205, 208, 210, 211, 213, 214, 216, 219, 221, 225, 227, 228, 230-233, 235, 236, 239, 245-248, 261, 270
팔라초 골도니(Palazzo Goldoni) 142
팔라초 그리마니(Palazzo Grimani) 221
팔라초 그리마니 마르첼로(Palazzo Grimani Marcello) 211, 212, 214
팔라초 도나(Palazzo Donà) 200, 202
팔라초 돌핀(Palazzo Dolfin) 216, 217
팔라초 두칼레(Palazzo Ducale) 38, 54, 71, 100, 102, 105-107, 117, 118, 208, 210, 211, 291
팔라초 레초니코(Palazzo Rezzonico) 177, 184, 225, 226
팔라초 로레단(Palazzo Loredan) 190, 192, 193

팔라초 루첼라이(Palazzo Rucellai) 214,
  216
팔라초 바르바리고(Palazzo Barbarigo) 152
팔라초 베르나르도(Palazzo Bernardo) 170
팔라초 베키오(Palazzo Vecchio) 117, 118
팔라초 벤드라민-칼레르지(Palazzo
  Vendramin-Calergi) 213–215
팔라초 소란초 반 악셀(Palazzo Soranzo
  Van Axel) 145, 146
팔라초 주스티니아니(Palazzo Giustiniani)
  177, 184, 205, 208
팔라초 초르치-본(Palazzo Zorzi-Bon) 244,
  245
팔라초 코르네르(Palazzo Corner) 216,
  217, 219, 221, 226
팔라초 코르네르-스피넬리(Palazzo Corner-
  Spinelli) 213, 214
팔라초 콘타리니(Palazzo Contarini) 148
팔라초 테스타(Palazzo Testa) 139, 234
팔라초 파르세티(Palazzo Farsetti) 119,
  190, 192, 193
팔라초 페사로(Palazzo Pesaro) 143, 145,
  222, 225, 226
팔라초 포스카리(Palazzo Foscari) 177,
  184, 205, 208, 290
팔라초 포스콜로(Palazzo Foscolo) 177,
  178, 180
팔라초 피사니(Palazzo Pisani) 141–143
팔라초 피사니-모레타(Palazzo Pisani-
  Moretta) 210, 211
팔레르모(Palermo) 108, 132
페르세폴리스(Persepolis) 70, 199
페리스타일(peristyle) 195
페스(Fes) 40
페팽(Pepin) 53
펠레스트리나(Pellestrina) 51
포르테고(pòrtego) 127, 170, 190
포초(pozzo) 89
포폴라노(popolano) 228
폰다멘타(fondamenta) 94, 97, 252, 269,
  285
폰다코(Fondaco) 190, 192, 193, 197, 199,
  290
폰다코 데이 투르키(Fondaco dei Turchi)
  188, 190, 192, 216
폴로(Marco Polo) 61, 67, 123, 188
폴로(Polo) 가문 61, 123
푼두크(funduq) 199, 290
프란체스코 포스카리(Fancesco Foscari)
  290
프란체티(Giorgio Franchetti) 291
프레스코(fresco) 151, 152
프로쿠라티에 운하(Rio delle Procuratie)
  268, 270, 273, 276
프리울리(Friuli) 60
프리울리 운하(Rio Priuli) 253, 254
피렌체(Firenze) 33, 37, 42, 64, 117, 118,
  147, 214, 216, 221, 238, 256–258, 260,
  273, 285
피아제타(Piazzetta) 100, 101
피에타 운하(Rio della Pieta) 140, 141
피오코(G. Fiocco) 75
필리프 드 코뮌(Philippe de Commynes) 33

ㅎ

하인츠(J. Heintz) 168, 169

손세관(孫世寬)은 1954년 경북 대구에서 출생했다.
서울대학교 건축학과 및 동대학원을 졸업하고, 미국 버클리
대학에서 건축학 석사, 펜실베이니아 대학에서 건축학 박사학위를
받았다. 1986년부터 중앙대학교 건축학부 교수로 재직 중이며,
영국 케임브리지 대학과 일본 규슈(九州) 대학에서 객원연구원으로
활동했다. 대학원 재학시절부터 도시조직과 주거환경의 상호관계
및 동서양의 주거문화에 관해 지속적으로 탐구하면서, 연구활동과
도시설계를 통해 우리나라의 주거환경에 대한 새로운 방향을
제시해 왔다. 저서로는『도시주거 형성의 역사』(1993),
『북경의 주택』(1995),『넓게 본 중국의 주택』(2001),
『깊게 본 중국의 주택』(2001),『피렌체―시민정신이 세운
르네상스의 성채』(2007) 등이 있다.

베네치아―東西가 공존하는 바다의 도시
건축학자 孫世寬의 연구노트

초판1쇄 발행────2007년 12월 1일
발행인 ──── 李起雄
발행처 ──── 悅話堂
경기도 파주시 교하읍 문발리 520-10 파주출판도시
전화 (031)955-7000, 팩스 (031)955-7010
http://www.youlhwadang.co.kr e-mail: yhdp@youlhwadang.co.kr
등록번호 ──── 제10-74호
등록일자 ──── 1971년 7월 2일
편집 ──── 이수정 신귀영
북디자인 ──── 공미경 이민영
인쇄·제책 ──── (주)상지사피앤비

＊값은 뒤표지에 있습니다.

ISBN 978-89-301-0294-0 978-89-301-0295-7(세트)

Published by Youlhwadang Publisher.
Memories of Historic Cities, Read through Human Dwellings: VENEZIA
ⓒ 2007 by Sohn, Sei-Kwan. Printed in Korea.

이 도서의 국립중앙도서관 출판시도서목록(CIP)은 e-CIP 홈페이지(http://www.nl.go.kr/cip.php)에서
이용하실 수 있습니다.(CIP제어번호: CIP2007003543)